Gödden · Tag für Tag im Leben der Annette von Droste Hülshoff

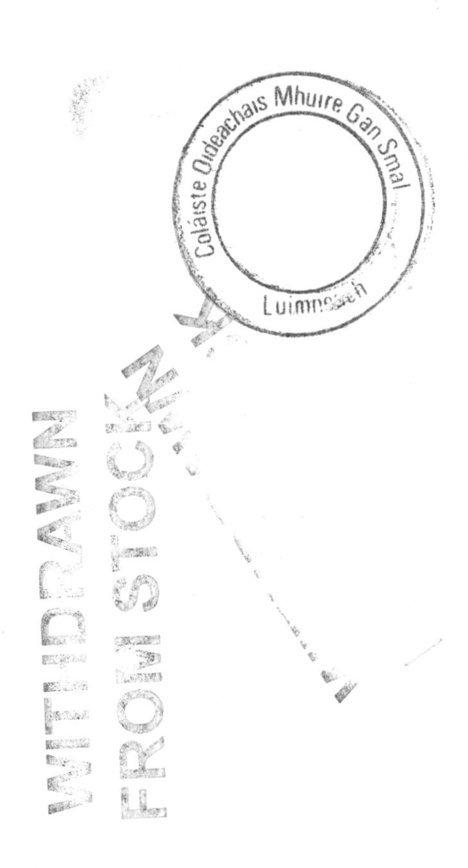

Walter Gödden

Tag für Tag im Leben der Annette von Droste-Hülshoff

Daten – Texte – Dokumente

Ferdinand Schöningh

Paderborn · München · Wien · Zürich

Gedruckt mit Unterstützung der Nyland-Stiftung, Köln

Abbildungsnachweis: Annette von Droste Hülshoff, Bildnis von Johannes Sprick (1838). © Westfälisches Amt für Denkmalpflege

Die Deutsche Bibliothek – CIP-Einheitsaufnahme

Gödden, Walter:
Tag für Tag im Leben der Annette von Droste-Hülshoff;
Daten – Texte – Dokumente / Walter Gödden. –
Paderborn; München; Wien; Zürich: Schöningh, 1996
ISBN 3–506–73197–1

Gedruckt auf umweltfreundlichem, chlorfrei gebleichtem
und alterungsbeständigem Papier ∞ ISO 9706

Printed in Germany. Herstellung: Ferdinand Schöningh, Paderborn

ISBN 3-506-73107-1

1797

12.(?) Januar: Anna Elisabeth Franzisca Adolphine Wilhelmine Louise Maria von Droste-Hülshoff wird auf der Wasserburg Hülshoff in der Gemeinde Roxel bei Münster als Siebenmonatskind geboren. Der Familienüberlieferung zufolge soll die Frühgeburt durch einen Sturz ihrer Mutter auf dem Eis der Schloßgräfte verursacht worden sein.

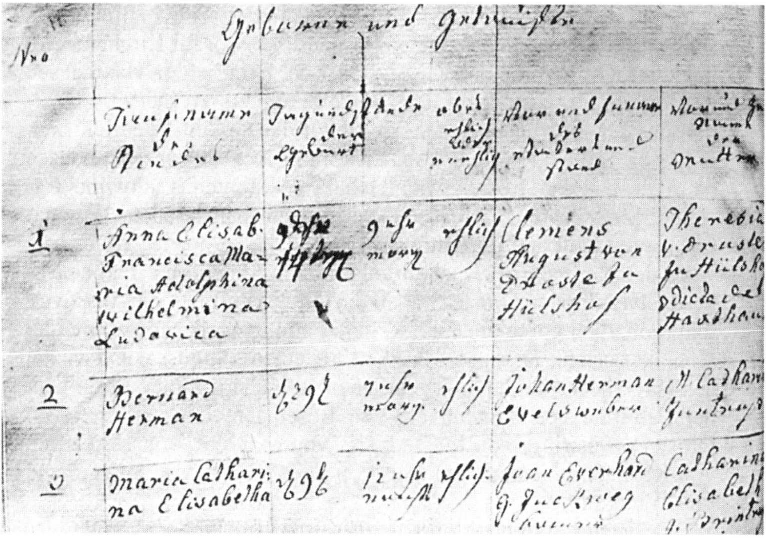

Roxel bei Münster, Taufregister der Pfarrkirche, linkes Blatt.

Der Geburtseintrag Annette von Droste-Hülshoffs im Taufregister der Roxeler Pfarrkirche wurde nachträglich korrigiert, so daß das genaue Geburtsdatum nicht bekannt ist. In der Familie wurde der Geburtstag am 12. Januar, dem wahrscheinlichen Geburtsdatum, gefeiert. Andere Angaben nennen den 10. oder 14. Januar.

Die Droste ist das zweite Kind des Freiherrn Clemens August von Droste-Hülshoff und der Freifrau Therese vDH geb. von Haxthausen. Vor der Droste war am 2.6.1795 Jenny vDH geboren worden. Die Droste hat zwei weitere Geschwister: Werner Constantin vDH

(1798–1867), der spätere Stammherr der Familie, und Ferdinand vDH (1800–1829), der in den anhaltischen Forstdienst geht und früh stirbt.

Die Wasserburg Hülshoff ist damals Mittelpunkt eines regen geselligen Lebens.[1] Es bestehen zahlreiche Kontakte der Familie vDH zu anderen westfälischen Adelsfamilien. Sehr häufig sind nahe Verwandte auf der Burg zu Gast. Der Komponist Maximilian von Droste-Hülshoff („Onkel Max"), Bruder des Vaters, führt hier die Besuchsstatistik an. Oft bleibt er mehrere Tage. Mehrfach wird er von seiner Frau Bernhardine geb. von Engelen oder seinen Kindern Joseph und Clemens (dem späteren Bonner Professor für Kirchenrecht) begleitet. Oft kommen auch Mitglieder der Familie von Haxthausen zu Besuch, zur Kinderzeit der Droste besonders Werner von Haxthausen, der in Münster unter der Obhut des Grafen Friedrich Leopold von Stolberg studiert. Später kommt August von Haxthausen häufiger. Die der Droste etwa gleichaltrigen Tanten (Ludowine, Caroline, Sophie von Haxthausen) verbringen manchmal mehrmonatige Aufenthalte auf der Burg.

Zu den häufigeren Besuchern zählen auch Angehörige der benachbarten Familie von Droste-Stapel, die durchschnittlich ein- bis zweimal monatlich kommen. Eine weitere Familie, zu der fortwährender Kontakt besteht, ist die des Freiherrn Clemens August von Twickel aus Havixbeck. Zu den gelegentlichen Besuchern zählen Mitglieder der Familien von Amelunxen, von Böselager, von Bothmer, von Droste-Vischering, von Fürstenberg, von Merveld, von Kerkering, von Korff-Schmiesing, von Oer, von Schonebeck, von Spiegel und von Wintgen.

Eine weitere Gruppe von Gästen setzt sich aus Angehörigen des geistlichen Standes zusammen. Die bekanntesten Namen sind hier die des Theologen und Dozenten Theodor Katerkamp und des geistlichen Pädagogen Bernard Overberg. Pastor Jürgens aus Roxel, den die Droste oft in ihren Briefen erwähnt, kommt regelmäßig mehrmals im Monat. Weniger häufig sind Besuche der Nienberger Pastoren Ferdinand Baum und Matthias Heilmann und des Nienberger Kaplans Münning. Auch Geistliche aus der Umgebung und Angehörige der benachbarten Damenstifte Hohenholte, Nottuln und Freckenhorst kehren häufig in Hülshoff ein. Regelmäßig und oft mehrmals im

[1] Die im folgenden verzeichneten Ausflüge sind in der Regel Familienausflüge, meist in Begleitung der Mutter Therese vDH, seltener in Begleitung des Vaters Clemens August vDH.

Haus Hülshoff, Lithographie von Ph. Herle 1830/1840.

Das Geburtshaus Annette von Droste-Hülshoffs ist das nahe Münster gelegene Wasserschloß Burg Hülshoff. Es ist erstmals im Jahre 1349 urkundlich erwähnt. Die späteren Besitzer von Deckenbrock nahmen den Namen von Droste an. Der erste namentlich bekannte (1209) Ahnherr ist Bernhard I. von Deckenbrock, der seit 1266 Droste (Truchseß, Verwalter) des münsterischen Domkapitels war. Die Familie von Droste-Hülshoff gehörte dem mittleren, nicht sehr einflußreichen Adel an.

Monat kommt die Äbtissin von Hohenholte, Maria Johanna von der Decken. Sie wird häufig von ihrer Nichte Charlotte von der Decken sowie den Stiftsfräulein Sophie, Anna und Rosine von Wintgen begleitet. Eine nähere Beziehung der Droste ergibt sich auch zu den beiden Jugendfreundinnen ihrer Mutter, Franzisca von Huber zur Mauer aus Nienberge und Felicitas von Böselager aus dem Freckenhorster Damenstift, die später in Münster wohnt. Weitere Bekannte ihres Vaters sind die Münsterer Professoren Franz Werneking und Johann Bernhard König sowie der Apotheker Carl Ludwig Murdfield aus Rheine. Von diesen Personen lassen sich einige wenige Besuche auf Hülshoff nachweisen. Nähere Kontakte der Familie bestehen auch zu den Bauernfamilien aus der unmittelbaren Umgebung.

Im Sommer ist die Anzahl der Gäste wesentlich höher als an Wintertagen. Zu den Festtagen und Namensfesten der Eltern (Clemenstag, Theresientag) erscheinen bis zu 15 Personen.

Maria Catharina Plettendorf (1765-1845), Amme der Droste. Ölgemälde von Johannes Sprick, 1840.

„Ach, ein schwach, kaum atmend Kind / Sah ich das Licht, und nur voll Trauer schauten / Die Freunde mich; denn nicht, so wähnten sie, / Sei für das Leben ich geboren, nur / Durch schnellen Tod der Eltern kurze Lust / Zu stören . . ." (aus „Bertha") Nach eigenen Worten verdankte die Droste ihrer Amme Catharina Plettendorf die Erhaltung ihres Lebens. In ihrem Jugenddrama „Bertha" dachte sie „Katharine" sogar eine Nebenrolle zu. Die Droste brachte ihrer Amme, die später im Rüschhaus ein ihr benachbartes Zimmer bewohnte, zeitlebens eine besondere Wertschätzung entgegen: „. . .seltsam und lieb schaute zwischen den vornehmen feinen Leuten ein einfaches Mütterchen in Bauerntracht hervor. Es war die Amme der Dichterin, die sie besonders wert hielt. Das brave Original, eine achtungswerte Ehefrau aus dem Dorfe (Altenberge), wurde von ihr mit kindlicher Liebe gepflegt bis zum Tode." (Elise Rüdiger)

Die Pflege der schwächlichen Droste übernimmt Maria Catharina Plettendorf, eine aus Altenberge stammende Webersfrau. Sie hat großen Anteil an der Erhaltung des Lebens der Droste. Die Amme verläßt später Hülshoff, als die Lebensfähigkeit der Droste gesichert ist. Nach 1830 wohnt sie im Rüschhaus, wo die Droste sie umsorgt und für sie das Kostgelt bezahlt.

1802

2. April: Therese vDH berichtet in einem Familienbrief über ihre vier Kinder: „guter Laune, ja da haperts oft ein bischen, wozu denn oft das Sausen und Brausen meiner 4 Friedenstörer viel beyträgt, die mir oft mein weises Haupt so voll rumoren, das mir hören und sehen vergeht."

23. Mai: Münster wird preußisch. Am 6.6.1802 wird Friedrich Wilhelm III. neuer Landesherr. Mit dem Übergang an das protestantische Preußen beginnt – verstärkt nach Gründung der Provinz Westfalen 1815 – ein Jahrzehnte währender Streit zwischen der preußischen Reformpolitik und dem auf seinem Selbstverwaltungsanspruch beharrenden katholischen westfälischen Adel.

29. Juni: Therese vDH berichtet in einem Familienbrief, daß die Droste und Jenny vDH Unterricht bekommen müßten. Vorerst habe sie selbst diese Aufgabe übernommen, jedoch wenig Geschick und Geduld dabei bewiesen. Sie beabsichtige, im Herbst eine Hofmeisterin anzunehmen.

17. Dezember: Therese vDH berichtet in einem Familienbrief: „. . .und wie mir besonders das lernen meiner beyden Mädchen viele Zeit weg nimmt, es geht aber täglich beßer, ich bin nicht halb so ungeduldig mehr, und sie kommen gut voran. . ."

1803

22. Januar: Therese vDH berichtet in einem Familienbrief: „ich mußte mir mühsam die Augenblicke stehlen in denen ich meine beyden Mädchen ein bischen unterrichten konnte. . . – Nette und Werner erklären einander die Kupfer eines Fabelbuchs, sie machen lauter biblische Geschichten daraus, ich weiß nicht wo mir der Kopf steht, so geht's durcheinander. . ."

25. Februar: Reichsdeputationshauptschluß: Neuordnung der Machtverhältnisse unter den deutschen Staaten. Preußen erlangt eine eindeutige Vormachtstellung in Westfalen. Die Säkularisation be-

Clemens-August II. von Droste-Hülshoff (1760-1826), Vater der Droste.

In ihrem Romanfragment „Bei uns zu Lande" hat die Droste ihre Eltern und Geschwister nahezu lebensecht porträtiert. Über ihren Vater, den Freiherrn Clemens von Droste-Hülshoff, heißt es: „Den Verstand des Herrn habe ich anfangs für zu gering angeschlagen, er hat sein reichliches Antheil an der stillnährenden Poesie dieses Landes, der den Mangel an eigentlichem Geiste fast ersetzt, dabei ein klares Judicium und jenes haarfeine Ahnen des Verdächtigen, was aus eigner Reinheit entspringt. . . Der Herr liest viel, täglich mehrere Stunden und immer Belehrendes, Sprachliches, Geschichtliches, zur Abwechslung Reisebeschreibungen, wo seine naive Phantasie immer den Autor überflügelt. . ."

deutet für Kirche und Adel des Münsterlandes einen radikalen Machteinbruch. Das gesamte kirchliche Eigentum und alle Rechte an kirchlichen Institutionen fallen dem Staat zu. Bis 1834 werden in Westfalen sämtliche Stiftskirchen sowie 19 Kanoniker- und 17 Damenstifte säkularisiert. Mit der Aufhebung der Damenstifte verliert der Adel eine wichtige Institution zur Absicherung unverheirateter Töchter. Die spätere Auflösung des Hohenholter Stifts macht die Hoffnung der Familie auf eine Versorgung Jenny vDHs zunichte, zumal eine ihr zur Kinderzeit zuteil gewordene Präbende im Damen-

Therese von Droste-Hülshoff geb. von Haxthausen (1772-1853).

„. . . eine kluge, rasche, tüchtige Hausregentin, die dem Kühnsten wohl zu imponieren versteht und was ihr zur Ehre gereicht eine so warme, bis zu Begeisterung anerkennende Freundin des Mannes, der eigentlich keinen Willen hat als den ihrigen, . . . ohne Frage steht diese Frau geistig höher, als ihr Mann, aber selten ist das Gemüth so vom Verstande hochgeachtet worden . . .“ („Bei uns zu Lande“). Die Droste hat sich zeitlebens dem Willen ihrer strengen Mutter Therese von Droste-Hülshoff geb. von Haxthausen unterworfen, selbst in literarischer Hinsicht; so erbat sie sich 1838 von ihr die Erlaubnis für den Druck ihrer ersten Gedichtausgabe. Bis an ihr Lebensende unterschrieb die Droste ihre Briefe an die Mutter mit „Deine gehorsame Tochter Nette“.

stift Börstel bereits verfallen war. – Die Droste beabsichtigt später, in ihrem Roman *Bei uns zu Lande* aus konservativer Rückschau den ehemaligen Zustand Westfalens mit seinen Klöstern, Stiften und alten Sitten zu beschreiben.

9./10. Juli: Besuch in Münster.

In der Folgezeit sind im Tagebuch Jenny vDHs[2] zahlreiche Ausflüge der Hülshoffer nach Münster, Freckenhorst, Hohenholte und

---

[2] Das Tagebuch Jenny vDHs stellt für die folgenden Jahre die wichtigste biographische Quelle dar. In diesem Tagebuch nimmt gerade die „Besuchsstatistik“ breiten

Jenny von Droste-Hülshoff (1795-1859), Schwester der Droste. Gemälde von Carl Oppermann (?)

Sie sei „sanft und still" und darin ganz das Gegenteil ihrer Schwester Annette, schrieb Wilhelm Grimm im Juli 1813 seinem Bruder Jacob. - In ihrer zurückhaltenden Schwester Maria Anna („Jenny") besaß die Droste eine nahe Freundin und jemanden, der ihr im Rüschhaus die praktischen Dinge abnahm und auch ihre Manuskripte abschrieb. Jenny von Droste-Hülshoff war nur mäßig literarisch interessiert, entwickelte aber eine beachtliche Fertigkeit im Zeichnen. Daneben galt ihr Interesse der Blumenzucht. Den Märchensammlungen der Brüder Grimm steuerte sie zahlreiche Beiträge bei. 1831 lernte sie ihren späteren Mann Joseph von Laßberg kennen, mit dem sie seit 1834 in Eppishausen im Thurgau und seit 1838 auf Schloß Meersburg am Bodensee lebte.

die Umgebung von Hülshoff verzeichnet. Oft werden Bauernfamilien besucht.

Raum ein. Hier begegnet erstmals das „Personal" der Droste-Briefe. Das Tagebuch beginnt im Juni 1804. Bis zum 1. Oktober 1807 wird es von der Schreiberin regelmäßig geführt. Die dann entstehende Lücke von fast drei Jahren ist im Anschlußdatum 20. Juli 1811 stichpunktartig nachgetragen. Größere Lücken entstehen erst wieder im Herbst/Winter 1814/15 und 1818. Das Jahr 1822 ist vollständig überliefert, von 1823 liegen die Monate Januar bis April vor, anschließend von 1826 die Monate Januar bis September. Der Anschluß ist erst wieder 1834 hergestellt, wobei nicht endgültig zu entscheiden ist, ob die Aufzeichnungen zwischenzeitlich aussetzten, verlorengingen oder von der Familie - aus Gründen der Diskretion - vernichtet wurden.

Werner Constantin von Droste-Hülshoff (1798-1867), Bruder der Autorin. Gemälde von Carl Oppermann (?)

Zwischen der Droste und ihrem Bruder Werner, der keinen schöngeistigen Interessen nachging, jedoch genealogische Studien betrieb, bestand ein fast förmlich-distanziertes Verhältnis. Nach ihrem Umzug ins Rüschhaus mied die Droste Besuche auf der Burg, insbesondere weil sie der Kinderlärm an literarischer Arbeit hinderte. Werner Constantin von Droste-Hülshoff wurde zunächst von Hofmeistern unterrichtet, bis er 1814 in Münster in die öffentliche Schule eintrat. Im Anschluß an den Militärdienst unternahm er 1819 eine längere Erziehungsreise in die Schweiz. Anschließend studierte er in Bonn Ökonomie. Nach seiner Heirat mit Caroline von Wendt-Papenhausen (1826) bezog er für kurze Zeit das von der Familie gepachtete Gut Wilkinghege bei Münster. Bald darauf erfolgte der Tod des Vaters. Werner vDH zog mit seiner Frau nach Hülshoff zurück und übernahm die Verwaltung des Familienbesitzes.

30. September: Jenny vDH teilt Therese vDH, die sich in Bökendorf aufhält, mit, daß die Droste das ABC bis zum G könne.

27. Dezember: Therese vDH berichtet in einem Familienbrief: „von meinen Kindern soll ich dir erzählen, was läßt sich von den kleinen Geschöpfen viel sagen! im allgemeinen bin ich gut mit ihnen zufrieden, sie lernen braf und sind ihre unachtsamkeit abgerechnet zimlich Gehorsam, artig sind sie gar nicht, rufen, specktackeln, laufen, thüren loß lassen, am Tisch singen, und den ganzen Tag aus vollen Halse jubeln, dies ist ihr tägliches Brod, dahingegen haben sie

Ferdinand von Droste-Hülshoff (1802-1829), Bruder der Droste. Gemälde von Carl Oppermann (?)

Über den Lieblingsbruder der Droste, Ferdinand von Droste-Hülshoff, ist kaum etwas bekannt. Er starb früh, nachdem er für eineinhalb Jahre an der Akademie in Tharandt Forstwirtschaft studiert und in Herstelle an der Weser seine praktische Ausbildung absolviert hatte.

keinen haubtsächlichen Fehler wie Neugierde und Geschwätzigkeit, sie lügen nicht, respectiren im strengsten Sinne des Worts ihr gegenseitiges, und jedermanns Eigenthum, und sind wohlwollend, und mitleidig gegen Menschen und Thiere, einen Hofmeister habe ich noch nicht aber seit meinen kurzen Aufenthalt in paderborn giebt sich ein gewisser Hillebrand aus dem dortigen seminario Mühe es zu werden, keiner von uns kennt den Mann, aber doch werden wie uns bestreben ihn kennen zu lernen, um ihn in einigen Jahren nehmen zu können, wenn er uns gefällt, denn bis jetzt sind die Kinder (meinen Einsichten nach) noch zu klein, um ohne Schaden ihrer Gesundheit mehr zu leisten wie sie thun, jänny wäre allenfalls die einzige die ein bischen französisch, und geographie anfangen könnte, aber man sieht, wie's geht, ist der Hofmeister einmahl da so mus alles dran, und wenn annette die ohnehin den Kopf immer voll hat, mehr angegriffen wird, so schnappt sie über, mein Plan ist also noch keinen Hofmeister. – Das Erzählen, dem

Haus Hülshoff, Zeichnung Jenny von Droste-Hülshoffs.

deine theresgen so zugethan ist, ist eine Haupt- und Lieblings Neigung aller Kinder, mit den meinigen wars eben so ich erzählte ihnen auch schon in diesem Alter von Gott, der Schöpfung, den ersten Menschen, ihren Ungehorsam, und dessen Folgen, überhaubt Vorfälle aus dem alten Testament, nur nichts von unsern Heyland, d i e s das er für uns Mensch geworden und gestorben ist, verwirrt ihre ideen ins unentliche, sie glauben immer dies M e n s c h w e r d e n sey die erste Entstehug der Gottheit, ich weiss dies an meiner annette, dieser hatten meine Leute viel davon erzählt, und es kostete mir unendliche Mühe die Sache wieder ins Gleis zu bringen. . ."

1804

Februar/März: Etwa 8tägiger Ausflug zum Damenstift in Metelen. Die Droste lernt dort ihre Taufpatin, die Meteler Äbtissin Anna Elisabeth vDH, kennen.

1. Juli: Die Siebenjährige übernimmt in Roxel die Patenschaft für das Kind einer Familie Bäumer.

August: Es entsteht: *Kom Liebes Hähnchen kom heran. . .* Bis

Oktober entstehen weitere Kindergedichte: *Wir fangen schon zu schwitzen an...* und *Wie blinkt der Mond so silberhell...*

Diese frühen Gedichte sind nur durch Abschriften der selbst mit Gelegenheitsgedichten auftretenden Mutter überliefert. Den Gedichten ist die „helfende Hand" der Mutter anzumerken.

Kom Liebes Hähnchen kom heran
und friß aus meinen Händen.
Nun kom du Lieber kleiner Mann
das sie's dir nicht entwenden

25. August: Besuch des aus der Schweiz stammenden Freckenhorster Stiftsfräuleins Auguste von Thurn-Valsassina in Hülshoff. Die Droste tritt während ihres Aufenthalts in Eppishausen (1835/36) in näheren Kontakt zu deren Familie (vgl. das Gedicht *Schloß Berg).*

September: Besuch der Bökendorfer Großeltern in Hülshoff.

18. September: Teilnahme an der Hopfenernte.

Oktober 1804–Februar 1805: Es entsteht: *Gewiß, ich werde mich bemühn...*

15. Oktober: Es entsteht zum Namenstag von Therese vDH: *O liebe Mama, ich wünsche Dir...* Das Namensfest der Mutter ist später wiederholt Anlaß für das Entstehen von Texten.

17. November: Familienausflug zum Damenstift in Freckenhorst. Besuch bei Felicitas von Böselager. Die Droste widmet ihr später (zwischen Okt. 1804 und Febr. 1805) das Gedicht: *Felitz, die war die Gute...* Bei ihrer Schilderung eines adligen Damenstifts für Schückings Roman „Ein Stiftsfräulein" hat sie später das Freckenhorster Stift vor Augen. Es sollte, wie Entwürfe ausweisen, auch im *Bei uns zu Lande* eine Rolle spielen.

Winter: Zahlreiche Schlittenfahrten. Häufiges Spiel auf dem Eis der Schloßgräfte.

2. Dezember: Ferdinandine von Haxthausen teilt Therese vDH mit: „...da ich ihn ‹Werner von Haxthausen› mit Annettens Dichter Genie bekannt machte, konnte er nicht aufhören von dem auserordentlichen kleinen Mädchen zu sprechen, und grade zu zu erklären, daß eine zweyte Sapho in dem Mädchen keimte, und daß man noch kein ähnliches Beispiel auch von den größten Dichtern hätte. Doch mißräth er die Erlernung der Musick ganz, er wird dir vermuthlich selbst mit seinen Gründen bekannt machen."

7. Dezember: Die Droste beginnt mit dem Erlernen des Spinnens, das am 7.11.1806 schon „recht gut geht".

1804/1805: Es entsteht für Therese vDH: *dir schein stets Wonne . . .*

dir schein stets Wonne
wie eine Sonne
Glück Heil und Segen
auf allen Wegen

das was ich wünsche ist
das du in deinem Leben
durch deine Tugend kannst
uns stets ein Beyspiel geben

von deiner Nette

1805

Februar: Es entsteht: *Ein schönes Kind mit zart Gebein. . .*

24. Februar: Der Fastnachtstag wird in Hülshoff mit besonderem Brauchtum, Verkleidungen und Maskeraden begangen.

Februar/März: Es entsteht: *Dort kommt der Sturm auf Flügeln hergeflogen. . .*

9./10. März: Besuch Werner von Haxthausens in Begleitung von Andreas von Stolberg in Hülshoff. Andreas Stolberg ist der Sohn des Dichters Friedrich Leopold von Stolberg, der auf Haus Lütkenbeck nahe Münster wohnt. In der Folgezeit sind wiederholt Kinder des Grafen von Stolberg in Hülshoff zu Gast.

Zwischen **März** und **Oktober** entstehen: *Ein Blümchen ist so wunderschön. . .*; *Freud und Scherz. . .*; *Still und herzlich, froh und schmerzlich*; *So viel ich mich bedenke. . .*

21. April: Werner Adolf von Haxthausen teilt Jenny vDH mit, daß Friedrich von Haxthausen der Droste ein Fohlen geschenkt habe. Der Brief spielt auf das frühe kompositorische und literarische Talent der Droste an.

Nach 16. Mai: Längere Erkrankung.

10. Juni: Besuch Friedrich Leopold von Stolbergs in Hülshoff.

11. Juni: Besuch des Damenstifts in Freckenhorst.

25. Juni: Besuch des späteren Theologen Anton Lutterbeck in

Hülshoff. Zu ihm ergibt sich nach 1834 über den Schlüter-Kreis ein brieflich bezeugter näherer Kontakt.

1. Juli: Besuch der Fürstin Amalie von Gallitzin in Begleitung des geistlichen Pädagogen („Lehrer der Lehrer") Bernard Overberg in Hülshoff. Zum Zeitpunkt des Besuchs hat die „familia sacra", deren Mittelpunkt die Fürstin bildete, ihre Blütezeit bereits überschritten. Die Fürstin stirbt im folgenden Jahr. Die eher rational veranlagte Mutter der Droste steht der gefühlsbetont-schwärmerischen Glaubensauffassung des Gallitzin-Kreises distanziert gegenüber. In ihren eigenen Erziehungsmaximen folgt sie der praktisch orientierten Pädagogik Overbergs.

4. Juli: Besuch bei der Fürstin Gallitzin in Münster. Bekanntschaft mit deren Tochter, Marianne von Gallitzin, und der Gräfin Schmettau.

9. Juli: Das Tagebuch Jenny vDHs vermerkt, daß man häufig ausreite.

10. Juli: Erste Beichte.

22./23. Juli: Besuch in Metelen.

15. August: Abreise zum ersten Besuch bei den Verwandten in Bökendorf und Umgebung. Die Fahrt führt über Freckenhorst (16.8.) und Paderborn (17.8.).

19. August: Ankunft in Bökendorf, dem Stammsitz der Familie von Haxthausen. Dort leben die Großeltern der Droste, Werner Adolf und Maria Anna von Haxthausen, sowie mehrere ihrer Tanten. Von Bökendorf aus besucht die Droste die Wohnsitze ihrer Verwandten in der Umgebung: Abbenburg (Friedrich von Haxthausen), Hinnenburg (von Bocholtz-Asseburg), Haynhausen (junge Familie von Bocholtz-Asseburg), Herstelle (von Heereman-Zuydtwyck), Wehrden (von Wolff-Metternich) und Erpernburg (von Brenken). Ihre gute Ortskenntnis, die sie auf weiteren Besuchen im Paderbornischen vertieft, verwertet sie später bei ihren Prosaskizzen für das „Malerische und romantische Westphalen" und in ihren *Westphälischen Schilderungen*.

September: Es entstehen: *Freude komm auf allen Wegen. . .*; *Deinen Weg will ich mit Rosen streuen. . .*; *Wie die reinste Silberquelle. . .*; *Es ist keine größere Freude. . .*

9.-17. September: Aufenthalt in Wehrden (Familie von Wolff-Metternich).

19. September: Mit Frau von Spiegel Ausflug nach Neuenherse. Übernachtung im Nonnenkloster von Gehrden.

Haus Hülshoff, Sepiazeichnung Annette von Droste-Hülshoffs.

Die vorliegende Zeichnung entstand im Frühjahr 1840 und findet sich in einem Album Adele Schopenhauers, die damals Rüschhaus besucht hatte.

24.-27. September: Rückreise von Bökendorf. Aufenthalt in Paderborn.

28. September: Weiterfahrt bis Geseke.

29. September: Weiterfahrt bis Östinghausen. Dort Besuch der Familie von Ledebur. Weiterreise bis Freckenhorst.

30. September: Rückreise über Münster nach Hülshoff.

Oktober: Es entsteht: *Es war ein Jüngling wohlgebaut. . .*

November und Folgemonate: Zahlreiche Einquartierungen von Husaren in Hülshoff.

Ende November/Anfang Dezember: Erkrankung.

31. Dezember: Der erste überlieferte Brief der Droste. Er ist an die Bökendorfer Stiefgroßmutter gerichtet.

1806

Clemens August vDH schließt in diesem Jahr sein vermutlich 1802 begonnenes „Liber mirabilis“ ab, das auf 120 Quartseiten Weissagungen, Prognostika, Wundergeschichten usw. festhält, sowie ein ähnliches „Kunstbuch“, das neben kurzen Rezepturen für Gärtner und Kunstliebhaber auch Ratschläge für Haushalt, Krankenpflege usw. enthält. Das „Liber mirabilis‘ wird im *Bei uns zu Lande* erwähnt.

10. Januar: Ärztliche Behandlung.

2. Februar: Therese vDH berichtet in einem Familienbrief: „Meine Mädchen fangen jetz an außzuschneiden, sie schicken dir beyde eine Probe, das grüne von jänny ist ziemlich hübsch, nur fehlt es ihnen beyden an guten Scheren.“

10. April: Besuch von Georg Hermes in Hülshoff. Der Begründer der kritischen Theologie des Hermesianismus ist zu dieser Zeit noch der traditionellen Theologie verpflichtet. Er lehrt an der katholischen Lehranstalt in Münster. Er kommt weitere Male nach Hülshoff. 1818 geht er an die preußische Reformuniversität in Bonn. Als ihm Clemens von Droste-Hülshoff, der Vetter der Droste, dorthin folgt, führt dies in der Familie zu Spannungen.

Ab 14. April: Längerer Besuch Auguste von Thurn-Valsassinas in Hülshoff.

30. Mai: Es entsteht: *Seht die Freude, seht die Sonne. . .*

4./5. Juni: 2tägiger Aufenthalt Friedrich Wilhelm von Haxthausens in Hülshoff. Er ist Unterleutnant unter Jérôme der in Kassel seine Residenz aufgeschlagen hat. Am 21. oder 22.8.1809 fällt er bei einem Spanienfeldzug. Die Droste verfaßt später für ihn das Gedicht *Freundlicher Morgen der jedes der Herzen. . .*

14./15. Juli: Besuch Friedrich Leopold von Stolbergs und seiner Familie in Hülshoff.

22. Juli: Es entsteht: *Die Freude des Lebens, ist flüchtig und leicht. . .*

23. Juli: Teilnahme an der Wallfahrt nach Telgte.

18. September: Die Droste beginnt mit dem Zeichenunterricht. Zeichenlehrer von Spies kommt zunächst unregelmäßig. Zwischenzeitlich, von Winter/Frühjahr 1806/07 bis 1809, besucht er die Kunstakademie in Düsseldorf. Zeichnen und musikalische Schulung gehören damals zum schmalen Bildungskanon eines adligen Fräuleins in Westfalen. Im Vordergund des Unterrichts steht die Einführung in gesellschaftlichen Umgang. Die Vermittlung literarischer Bildung ist im damaligen Erziehungswesen weder für Mädchen noch für Jungen von Bedeutung.

22. September: Ausflug zum Damenstift in Nottuln.

22. Oktober: Der Münsterer Bevölkerung wird die Inbesitznahme des Landes durch Napoleons Bruder Louis angekündigt. Am 26.10. trifft Louis Napoleon in Münster ein. Die Münsterische Bevölkerung steht der französischen Besatzung überwiegend positiv gegenüber. Clemens August vDH wird später gegen seinen Willen von den Franzosen zum Bürgermeister von Roxel ernannt.

Winter/Frühjahr: Auf einer Hochzeit bei der Bauernfamilie Salkmann tanzt die Droste häufig mit von Spies.

1807

Ende Januar: Mehrtägiger Besuch im Damenstift in Freckenhorst.

April: Es entsteht: *Ja, wenn im Lenze die Sonne. . .*

21. April: Priesterweihe Bernard Wenzelos. Er tritt „gleich darauf" seine Stelle als Hofmeister („Informator") bei der Familie vDH an. Die Droste nimmt am Unterricht ihrer Brüder teil. Tanz bleibt vom Unterricht ausgeschlossen.

Bis **September** entstehen: *O lieblicher Morgen. . .*; *Rose, Du Königin der Blumen. . .*; *Der erste Selbstmörder. . .*; *Trinklied*; *Flora ging fröhlich mit Scherzen. . .*

21. Mai 1807: Besuch mehrerer Stiftsdamen aus Nottuln in Hülshoff, darunter Angela von Wrede. Diese bringt die zweijährige Antonetta de Galliéris mit nach Hülshoff, die dort zur Pflege und Erziehung bleibt.

Angela (*Engel*) Wrede ist die Schwester von Antoinette de Galliéris, der Frau des holländischen Generals de Galliéris. Sie wird im späteren Briefwechsel der Droste häufig erwähnt und tritt auch als Korrespondentin in Erscheinung. Antonetta (*Tony*) de Galliéris, Tochter des Generals, wird ab Frühjahr 1812 von der Droste unterrichtet. Sie nimmt später eine Anstellung als Gesellschafterin und Erzieherin an, kehrt aber zeitweilig nach Hülshoff und ins Rüschhaus zurück. Sie ist für lange Zeit Korrespondentin der Droste und wird häufig im Briefwechsel erwähnt.

9. Juli: Zusammenbruch Preußens im Frieden von Tilsit. Preußen verliert alle Länder westlich der Elbe an Frankreich.

Haus Stapel, Lithographie von Ph. Herle 1830/1840.

Auf der Wasserburg Stapel, unweit von Burg Hülshoff gelegen, lebte zur Zeit der Droste Ernst Constantin Freiherr von Droste-Stapel (1770- 1841), ein Bruder ihres Vaters. Das Tagebuch Jenny Drostes bezeugt einen nahen nachbarschaftlichen Kontakt. Nach dem Tod Clemens August von Droste-Hülshoffs (1826) und dem Umzug der Droste ins Rüschhaus wurde der Kontakt weitläufiger. Die wenig glückliche familiäre und finanzielle Situation der Familie von Droste-Stapel kommt wiederholt in den Briefen der Droste zur Sprache. Eine unliebsame zeitraubende familiäre Verpflichtung war für die Droste die Unterrichtung ihrer unbegabten Stapelschen Cousinen.

20. Juli: Vermutlich Teilnahme an der Wallfahrt nach Telgte.

2. August: Es entsteht: *Ich kenne die Freuden des ländlichen Lebens. . .*

3. August 1807–April 1808: Es entstehen: *Freund du meines Lebens Leiter. . .*; *Der Schwermüthige.*

Nach 16. August: Besuch des Damenstifts in Freckenhorst.

Hausmusik bei der Familie Droste-Stapel (?). Karikatur von Ludwig Emil Grimm, um 1827. Der Herr am Klavier ist vermutlich Ferdinand von Droste-Hülshoff, die Dame Jenny von Droste-Hülshoff.

1808

21. Januar: Das Fürstbistum Münster wird dem Großherzogtum Berg, das dem Schwager Napoleons, Murat, untersteht, angegliedert. Am 15. Juli 1808 fällt Berg zur erneuten Verfügung an Napoleon zurück, der am 3.3.1809 das rechtsrheinische Territorium seinem 4jährigen Neffen Louis überträgt, sich jedoch bis zu dessen Großjährigkeit die Regierungsvollmacht vorbehält.

16. April: Es entsteht: *Wenn ich, o Freund, hier im Haine. . .*

17. April: Es entsteht: *Ich denke Dein im trauten Kreis der Freunde. . .*

Nach 17. April: Es entsteht: *Wie sanft das bescheidene Veilchen. . .* (Widmunggedicht für Sophie von Haxthausen).

Herbst/Winter 1808/1809: Die Droste und Sophie von Dücker, die sich für längere Zeit in Hülshoff aufhält, lernen Schlittschuhlaufen.

10. Oktober: Es entsteht: *Lied eines Soldaten in der Ferne.*

1809

3. Januar: Jenny vDH berichtet in einem Familienbrief: „Nette und ich lernen jetzt Klavier spielen, der Organist von Hohenholte ‹Joseph Wilhelm Kettler› lehrt uns,. . .“

Februar (?): Ärztliche Behandlung wegen „krampfhaften Kopfwehs“.

22. Februar: Brief von Friedrich Raßmann: Bitte um Beiträge der

Hausmusik bei der Familie Droste-Stapel, um 1827. Zeichnung von Ludwig Emil Grimm.

Havixbeck, Lithographie von Ph. Herle 1830/1840.

Freundschaftliche nachbarschaftliche Beziehungen unterhielt die Familie von Droste-Hülshoff zur Familie von Twickel, die nahe Hülshoff in der im 15. Jahrhundert erbauten Wasserburg Havixbeck wohnte. Im Frühjahr 1827 hielt sich die Droste dort zu einem längeren Besuch auf.

12jährigen für sein poetisches Taschenbuch „Mimigardia" (1810; erschienen Münster 1809).

Von der „Mimigardia" erscheint nur noch ein 2. und 3. Jahrgang (in einem Band 1811). Aus der Anfrage Raßmanns darf geschlossen werden, daß das literarische Schaffen der Droste in Münster stadtbekannt war. Sie darf vermutlich wegen familiärer Bedenken das Angebot nicht annehmen.

28. Februar und **9. April**: Behandlung wegen „krampfhaften Kopfwehs".

Sommer/Herbst 1809: Zeichenlehrer von Spies deklamiert auf Wunsch der Droste wiederholt aus „Hamlet".

Juli 1809: Familienausflug nach Billerbeck, um die dortige Gegend kennenzulernen.

Teilnahme an einem „Hausheben" bei der Familie Große Verspol, bei dem die Droste tanzt. – Sie lernt bei einer Frau Schürmann, die sich sechs Wochen in Hülshoff aufhält, sticken.

Ende September 1809: Es entsteht: *Der Abend.*

November 1809: Es entsteht: *Abendgefühl.*

13. November 1809: Therese vDH berichtet in einem Familienbrief: „ich hab noch so ein hübsches Gedicht von annetgen, das solltest du haben, nur ist es noch nicht abgeschrieben, vielleicht bringt es Gärtgen mit. . ."

Um 1809/1810: Nähere Beschäftigung mit der Dichtung Goethes und Schillers.

1810

Es entstehen: *Das Schicksal*; *Emma und Edgar.*

Lektüre der „Mimigardia" 1810 mit Beiträgen u.a. von Catharina Schücking geb. Busch. Die spätere Mutter Levin Schückings ist das frühe Dichteridol der Droste.

Winter: Die Droste tritt im Hohenholter Damenstift in einer Theateraufführung auf. Ihre schauspielerische Leistung fällt so sehr auf, daß darüber in Münster gesprochen wird. Angeblich habe Therese vDH erst nach langem Bedenken die Erlaubnis zu diesem Auftritt gegeben. Am 25.3.1810 schreibt Friedrich Leopold von Stolberg an Therese vDH: „Ich habe gehört, daß Fräulein Nette in gesellschaftlichen Kreisen Komödie spiele. Für Männer und Frauen ist, meiner innigsten Überzeugung nach, diese Übung wenigstens gefährlich; für Jünglinge noch mehr; für junge Mädchen noch weit mehr, und eben für Fräulein Nette mehr noch als für andere. Ich habe lange und mehr als mir lieb war, in der großen Welt gelebt, wo eben diese Übung eingeführt worden. Ich habe keinen und noch weniger e i n e gesehen, welche nicht merklichen Schaden dadurch gelitten hätte. . . wiewohl ich es wiederholen muß, daß ich solche Komödien nicht kenne – so ist doch das bloße V o r s t e l l e n jeden Menschen, mehr als Männern den Frauen, mehr als diesen den Mädchen und vor allem s o l c h e n nicht nur gefährlich, sondern gewiß schädlich, welche gereizte Nerven und einen phantastischen Schwung des Geistes haben."

April 1810: Es entsteht: *Immer glücklich zu sein. . .* (Albumblatt für Ludowine von Haxthausen)

Das Hohenholter Stiftsfräulein Sophie von Wintgen kommt in dieser Zeit regelmäßig nach Hülshoff, um am Zeichenunterricht

Friedrich Leopold von Stolberg (1750-1819)

Der holsteinsche Graf, bekannt geworden als klopstockbegeisterter Oden-, Hymnen-, Balladen- und Romanzendichter im Umkreis Goethes und des Göttinger Hains, war am Pfingstfest des Jahres 1800 in Münster zum Katholizismus konvertiert und stand fortan in nahem Kontakt zur „familia sacra". 1801 bezog er das nahe Münster gelegene Gut Lütkenbeck. Stolbergs „Geschichte der Religion Jesu" ging auf eine Idee des aufgeklärten Ministers Franz von Fürstenberg (1729-1810) zurück. 1818 lag die populäre Erbauungsschrift in 15 Bänden vor. Sie wurde eine der bedeutendsten Konversionsschriften.

teilzunehmen. Die Droste verfaßt später für sie und ihre Schwester Cornelie die Gedichte *An Sophie* und *An Cornelie.*

September: Mit Jenny vDH Teilnahme am Tanz im Hohenholter Damenstift.

Oktober: Besuch einer Hochzeit des Dienstpersonals. Teilnahme am Tanz. Besuch einer weiteren Festlichkeit. Jenny vDH notiert: „Spies und Nolda waren auch mit, der erstere war sehr vernünftig und tanzte viel, Nolda aber desto unerträglicher. . . Nette gefiel ihm sehr gut, und ich sehr schlecht."

Dezember: Besuch einer (nicht bekannten) Oper Maximilian vDHs. Anschließend Besuch einer Hochzeit bei der Familie Wittower. Teilnahme am Tanz.

4. Oktober: Albumeintrag für Friedrich Wilhelm von Haxthausen: „Wenn dich die Hoffnung flieht" (Gedicht Werner von Haxthausens).

Winter/Frühjahr: Mehrere Besuche von Komödien und Opern in Münster, u.a. der Oper „Don Giovanni". Die Droste läuft häufig mit ihren Brüdern Schlittschuh.

Nach 1810: Es entsteht die Komposition: *Iduna.*

1811

Lektüre des 2. und 3. Jahrgangs der „Mimigardia" (1811). Die Droste vertont hieraus später das Gedicht „Herbstnachttraum" von G. Goldmann. Werner von Haxthausen vermittelt vermutlich 1811 eine freundschaftliche Beziehung zwischen der Familie vDH und Anton Mathias Sprickmann. Um 1811 regt Werner von Haxthausen Therese vDH an, sich mit modernen romantischen Strömungen zu beschäftigen. Er schenkt ihr den ersten Band von „Des Knaben Wunderhorn" und leiht ihr Minnelieder von Tieck.

5. März: Eintritt Jenny vDHs in das Hohenholter Damenstift. Sie wird dort häufig von der Droste besucht.

Mai/Juni: Besuch von drei Hochzeiten (befreundete Bürger- und Bauernfamilien), auf denen die Droste tanzt.

17. August: Erster Besuch Wilhelm Grimms auf Einladung Werner von Haxthausens in Bökendorf. Er regt die Geschwister von Haxthausen zum Sammeln von Volksliedern und Märchen an.

26. August: Ausflug nach Nottuln.

27. August: Von Nottuln aus Besuch in Coesfeld.

29. September: Teilnahme am gemeinsamen Tanz, der am Michaelistag in Hülshoff stattfindet.

Herbst/Winter: Friedrich von Haxthausen beabsichtigt die Herausgabe von Volksliedern (mit Melodien) im westfälischen Dialekt.

15. Oktober: Große Feier des Theresientages. Es entsteht zu diesem Anlaß nach der Melodie von „Ich saß auf einem Hügel": *Aus des Herzens vollem Triebe. . .*

Herbst/Winter: Täglich abendliches Kartenspiel im Familienkreis.

1812

16. März: Klavierspiel der Droste, zu dem ihre Geschwister singen. Das Tagebuch Jenny vDHs vermerkt weitere Klavierabende der Droste. Im *Bei uns zu Lande* heißt es autobiographisch, daß das *Fräulein Sophie* täglich *zur Ergötzung des Papas* gesungen habe.

Frühjahr: Therese vDH überträgt der Droste den Unterricht von Antonetta de Galliéris.

19./20. Mai: Ausflug nach Münster. Besichtigung des Gymnasiums Paulinum, der dortigen Bibliothek und einiger Sehenswürdigkeiten.

24./25. Mai: Besuch des Hohenholter Damenstifts anläßlich der Namenstagsfeier der Äbtissin. Es wird Kotzebues Komödie „Der Wildfang“ aufgeführt. Die Droste spielt in der Abtei Klavier.

26. Mai: Therese vDH liest im Familienkreis „Die Erscheinungen des Königs von Schweden, Karl XI.“ vor. Es sind zahlreiche Vorleseabende belegt: Am 7.12.1812 liest Therese vDH aus Gotthard Ludwig Kosegartens „Jukunde von Castel“ (1802) vor, am 7.1. und 24.1.1813 aus „Don Quichote“, am 2.2.1813 aus Shakespeares „Was ihr wollt“, am 24.2. und 26.2.1813 aus Shakespeares „König Heinrich V.“, am 28.2.1813 aus Shakespeares „Der Sturm“, am 13.3.1813 aus Schillers „Jungfrau von Orleans“, am 8.11.1813 aus Ifflands „Die Jäger“ (1785), am 5.10.1815 aus Lindaus „Heliodora“ und Ende März 1819 aus E.T.A. Hoffmanns „Phantasiestücke in Callot's Manier“ (4 Bde., 1814/15). Am 14.2.1813 liest sie, wie das Tagebuch Jenny vDHs vermerkt, „wie gewöhnlich sonntags“ aus Klopstocks „Messias“ vor. Vorlesungen aus dem „Messias“ lassen sich bis 1826 nachweisen.

2./3. Juni: Ausflug nach Billerbeck. Die Droste erzählt ihrer Schwester Jenny, sie wünsche sich, sieben Jahre älter zu sein.

25./26. Juni: Erster Besuch Clemens Maria von Bönninghausens, des späteren homöopathischen Arztes und Freundes der Droste, in Hülshoff.

2. Juli: Therese vDH berichtet Werner von Haxthausen, daß sich die Droste seit einiger Zeit „mit aller Heftigkeit ihres Charakters auf's Componieren geworfen“ habe. Das Unterrichten von Antonetta de Galliéris bereite der Droste große Freude.

4. Juli: Klavierspiel. Die Droste singt das Lied „Als ich noch im Flügelkleide“.

28. Juli: Die Droste liest Werner und Ferdinand vDH aus Wilhelm Zachariäs „Die Verwandlungen“ (1745) vor.

Juli/August: Hauskaplan Hans Stühler übernimmt vorübergehend die Stelle des bisherigen Hofmeisters Wenzelo.

31. August: Mit Hüger und Jenny vDH Ausflug nach Albachten. Besuch einer Festlichkeit. Teilnahme am Tanz.

8. September: Mit Clemens vDH und Geschwistern Blinde-Kuh-Spiel.

Der um vier Jahre ältere Clemens vDH verbringt während seiner *Knaben- und ersten Jünglingsjahre* den größten Teil seiner Ferien in Hülshoff. In der späteren Zeit verlieren sich die Droste und er *fast gänzlich aus dem Gesicht.*

9. September: Clemens vDH lehrt die Droste und ihre Geschwister die Melodie zu dem Liede „Mein eigenes Herz hat mich betrogen“. Blinde-Kuh-Spiel.

4. Oktober: Gemeinsamer Ausflug zur Hohenholter Mühle und zum Hohenholter Damenstift. Teilnahme am Tanz. Der elsässische Kommissar Schüler interessiert sich für die Droste, die jedem anderen Tänze absagt. „Schüler beschäftigte sich einzig mit Nette ein Betragen das den Hohenholter Damen sehr mißfiel. . .‘(Tagebuch Jenny vDHs).

12./13. Oktober: Besuch Bönninghausens in Hülshoff. Er schreibt für die Droste und ihre Geschwister Lieder auf und spielt Flöte.

17. Oktober: Mit Jenny gemeinsamer Tanz im Saal von Hülshoff.

24. Oktober: Hofmeister Caspar Anton Wilhelm Weydemeier beginnt seine Tätigkeit. Er nimmt in der Folgezeit häufig an den Familienausflügen teil.

26. Oktober: Klavierspiel und Gesangsvortrag.

28. Oktober: Gesangsvortrag.

1. November: Teilnahme am Tanz bei der Familie Wittower.

3. November: Weydemeier bringt Walzer und Ouvertüren mit nach Hülshoff.

7. November: Mit Klavierlehrer Joseph Wilhelm Kettler Spiel einer Ouvertüre aus „Don Giovanni“.

20. November: Gemeinsamer Ausflug nach Münster. Besuch einer Oper.

26. November: Erster Besuch bei dem Universitätsprofessor Anton Mathias Sprickmann, der gegenüber der Stadtwohnung der Familie vDH auf dem Krummen Timpen in Münster wohnt. Sprickmann wird der literarische Mentor der Droste und ihr erster literari-

Anton Mathias Sprickmann um 1795. Porträt von Carl Joseph Haas.

scher Ansprechpartner außerhalb der Familie. Neben ihr betreut er weitere literarische Talente, u.a. Franz von Sonnenberg, Catharina Busch und Friedrich Raßmann. Durch Sprickmann Anregung zur weiteren Beschäftigung mit Goethe, vermutlich auch mit der Dichtung des Göttinger Hains und Gottfried August Bürgers. Vor allem weist er sie auf Klopstock hin. Insgesamt ist der Einfluß Sprickmanns auf das literarische Schaffen der Droste nicht sehr bedeutend. In der Folgezeit mit Sprickmann mehrfacher Besuch der Gartenwirtschaft Lohmann.

Nach dem 26.11.: Es entsteht: *Die drey Tugenden.*

1812/1813: Es entstehen: *Die Nacht/Frage*; *Vernunft und Begeistrung/Antwort; Die Sterne/Frage*; *Die Engel.*

29. Oktober: Besuch des Hohenholter Damenstifts. Dort Klavierspiel.

11. Dezember: Die Droste übersetzt Werner und Ferdinand vDH die Geschichte „Le Palais de la Verité“ aus Mme. de Genlis: A la Suite des Veillées du Château, ou Cours de Morale à l‘ usage des enfants, par l’auteur d‘ Adèle et de Théodore (Tom IV, Paris usw. 1786).

13. Dezember: Weydemeier leiht der Droste Werke Schillers. Therese vDH verbietet die Lektüre. Weydemeier darf der Droste fortan keine Bücher mehr ohne ihr Einverständnis geben.

Etwa 25. Dezember: Es erscheint um Weihnachten 1812 der erste Band der „Kinder- und Hausmärchen“ der Brüder Grimm, den Wil-

Stadthaus der Familie Droste-Hülshoff in Münster, Ecke „Krummer Timpen" und „Beckergasse". Das Haus, das von 1782 bis 1818 im Besitz der Familie war, wurde im Zweiten Weltkrieg zerstört.

helm Grimm mehreren Mitgliedern der Familie von Haxthausen zum Dank für ihre Mithilfe beim zweiten Band der Sammlung zukommen läßt.

Nach 1812: Es entsteht die Komposition: *Herbstnachttraum*.

1813

August von Haxthausen setzt die von seinen Brüdern Friedrich und Werner 1808 begonnenen Volksliedsammlungen fort.

10.-12. Januar: Mit Therese vDH Besuch bei Sprickmann.

21. Januar: Maximilian vDH spielt der Droste aus seinen Opern vor.

Catharina Busch, später verheiratete Schücking (1791-1831). Ölgemälde von Johann Christoph Rincklake, 1810.

Catharina Schücking war das frühe Dichteridol der Droste. Ihre Jugend verbrachte sie in Dülmen. Nach ersten dichterischen Versuchen (1804) kam sie 1807 für etwa eineinhalb Jahre nach Münster und stand hier der „familia sacra" der Fürstin Gallitzin und dem ihr weitläufig verwandten Anton Matthias Sprickmann nahe, der ihr literarisches Talent entdeckte. Gegen ihren Willen mußte sie Münster verlassen, um eineinhalb Jahre in Sewinghausen, einem Adelssitz bei Ahlen, als Gesellschafterin und Haushaltshilfe zu arbeiten. Während dieser Zeit erschienen in der von Friedrich Raßmann herausgegebenen „Mimigardia" einzelne ihrer Gedichte, die, da sie mit vollem Namen unterzeichnet waren, Catharina Busch in Münster stadtbekannt machten und sie dem Spott aussetzten. Im Herbst 1809 kehrte sie nach Dülmen zurück, wo sie erfolglos eine kurzlebige „Sonntagsgesellschaft", in der musikalische und dramaturgische Darbietungen stattfanden, ins Leben rief. Zur ersten Begegnung zwischen der Droste und ihr kam es 1813. Durch die Heirat Catharina Buschs mit Paul Modestus Schücking am 7. Oktober 1813 brach der Kontakt für lange Jahre ab. Es folgte Catharina Schückings Umzug nach Meppen, später nach Schloß Clemenswerth, wo die Familie eine Dienstwohnung bezog. Die Heirat, häusliche Aufgaben (als Mutter von vier Kindern) und die räumliche und gesellschaftliche Isolation im Emsland führten zu Catharina Schückings literarischem Verstummen. Gesundheitlich geschwächt und unter ihrer unglücklichen Ehe leidend, vereinsamte sie immer mehr. In einem ihrer späteren Schreiben an Sprickmann heißt es: „Briefe sind die einzige Freude, die von der Außenwelt mir zukommt." 1829 erfolgte ein Wieder

26.-28. Januar: Besuch von Catharina Busch in Hülshoff. Der Besuch dürfte von Sprickmann vermittelt worden sein, der mit Catharina Busch weitläufig verwandt ist. Gemeinsames Klavierspiel. Die Droste ist von Catharina Busch übermäßig eingenommen. Sie schreibt Sprickmann im Februar 1816, es interessiere sie *alles, was von diesem herrlichen und seltnen Weibe* komme. Sie empfinde für sie eine *eigne und innige Hinneigung.*

Catharina Busch genießt damals in Münster den zweifelhaften Ruf einer „Berühmtheit", weil sie - allerdings ohne ihren Willen - in der Mimigardia namentlich als Schriftstellerin in Erscheinung getreten war. Hierfür erntete sie Spott und Hohn.

Vielleicht kommt es im Sommer 1813 zu weiteren Begegnungen zwischen der Droste und ihr, worauf das Gedicht der Droste *Katharine Schücking* hindeuten könnte. Durch die Heirat Catharina Buschs mit Paul Modestus Schücking am 17.10.1813 und ihren Umzug nach Meppen bricht der Kontakt ab. Eine Wiederbegegnung erfolgt erst 1829. Anschließend versuchte Catharina Schücking mit ihrem Brief an die Droste vom 8.10.1831 noch einmal eine Wiederaufnahme des Briefwechsels.

7. Februar: Mit Jenny vDH Tanz einer Quadrille von Maximilian vDH.

24. Februar: Jenny vDH schreibt ein Gedicht der Droste (unbekannt) ab.

28. Februar: Zum Fastnachtsfest gemeinsames Verkleiden und Tanz in Hülshoff.

Frühjahr: Brief an Marie Antoinette Sprickmann: Die Droste bietet der Familie Sprickmann finanzielle Hilfe an. Anton Mathias Sprickmann dürfe hiervon jedoch nichts erfahren.

5. März: Erstes Zeugnis der Arbeit an *Bertha.* Die Anfänge der

sehen zwischen der Droste und Catharina Schücking, worauf sich das Gedicht der Droste „Nach fünfzehn Jahren" bezieht. Die Droste widmete ihr noch ein zweites Gedicht, „Katharine Schücking", das ursprünglich ihre zweite Gedichtausgabe von 1844 eröffnen sollte. In diesem Text wird ihre frühere Freundin als „Westfalens Dichterin" bezeichnet. Catharina Schücking verfaßte fast ausschließlich gefühlvolle Lyrik. Von ihr stammt aber auch der Satz: „Wär ich doch kein Weib geworden, das sich so geduldig in all die Fesseln und Einschränkungen des bürgerlichen Lebens schmiegen muß, und das, so verschieden auch sein Charakter und seine Geisteskräfte sein mögen, doch immer sich derselben Bestimmung fügen muß" (Brief an Sprickmann, 1809).

Arbeit an diesem Trauerspiel werden vermutlich noch von Sprickmann betreut.

11. März: Arbeit an *Bertha.*

22. März: Im Familienkreis wird über Jonathan Swifts „Gullivers Reisen“ (2 Bde., 1726, zahlr. dt. Übers.) diskutiert.

26. März: Weydemeier erzählt den Inhalt von Kotzebues Theaterstück „Die respektable Gesellschaft“. Die Droste erinnert sich in zwei späteren Briefen an diese Kotzebujade.

März 1813–Dezember 1814: Es entsteht: *Eh am Himmel der Nachtstern blinkt. . .*

9. April: Herr Schüler (? 4.10.1812) kommt nach Hülshoff. Das Tagebuch Jenny vDHs vermerkt, er habe anfangs vorgegeben, die Droste nicht zu kennen, sei dann aber von ihrer „Beredtsamkeit hingerissen“ worden. Schüler kommt im Mai 1813 erneut nach Hülshoff.

12.-17. April: In der Osterwoche Aufenthalt in Münster.

16. April: Mit Therese vDH Besuch bei Sprickmann.

17. Juni: Gemeinsamer Ausflug nach Roxel, wo die Droste lange auf der Orgel spielt. Sie soll beim abendlichen Gottesdienst den Organisten ersetzen.

24. Juni: Ausflug zum Rüschhaus.

10. Juli: Gemeinsame Abreise zum zweiten Besuch in Bökendorf.

11. Juli: Zwischenstation in Freckenhorst. Besuch bei Felicitas von Böselager und der Familie von Korff.

12. Juli: Weiterreise bis Wewer.

13. Juli: Dort schließt die Droste „einen Freundschaftsbund mit einer Dichterin, Mademois. Kosmann“ (Tagebuch Jenny vDH). Weiterfahrt nach Bökendorf.

Die Droste wird dort durch Erzählungen ihres Großvaters Werner Adolph von Haxthausen mit dem tatsächlichen Hintergrund ihrer späteren Erzählung *Die Judenbuche* bekannt. Sie lernt von Friedrich von Haxthausen mehrere Lieder, von denen besonders „De twee Königskinner“ gefällt. Sie stellt das Volkslied später für die von Ludwig Uhland herausgegebene Sammlung „Alte hoch- und niederdeutsche Volkslieder“ zur Verfügung (1844–1846).

15. Juli: Ausflug nach Abbenburg.

16. Juli: Es werden den ganzen Tag über Volkslieder gesungen.

17. Juli: Ausflug nach Hinnenburg (Familie von Bocholtz-Asseburg).

19. Juli: Gemeinsamer Ausflug nach Holzhausen (Familie Kerkering zur Borg).

Maria Anna von Haxthausen (1755-1829), Stiefgroßmutter der Droste. Zeichnung von Ludwig Emil Grimm, 1821.

„Die alte Frau v. Haxthausen, eine geborene v. Wendt, war eine freundliche Frau und in ihrer Jugend gewiß sehr schön gewesen. Sie saß meist in ihrem Sessel mit Handarbeit beschäftigt oder las in einem Gebetbuch oder erzählte" (Ludwig Emil Grimm). – „. . .die Frau ‹Maria Anna von Haxthausen›, hat etwas Würdiges und Bedeutendes und Frommes, ist sehr kränklich izt." (Aufzeichnung des Kaufmanns Beneke, März 1820) Für ihre allseits hochgeschätzte Stiefgroßmutter Maria Anna von Haxthausen geb. von Wendt-Papenhausen verfaßte die Droste 1818 mehrere religöse Gedichte. Hieraus erwuchs um die Jahreswende 1819/20 der Plan zu ihrem „Geistlichen Jahr".

21. Juli: Gemeinsamer Ausflug nach Hinnenburg.

22. Juli: August von Haxthausen und Wilhelm Grimm treffen in Bökendorf ein. Zwischen Grimm und Jenny von Laßberg entsteht eine mehrjährige Zuneigung. Zwischen der Droste und Grimm kommt es dagegen zu einer Antipathie. Sie erinnert sich später im Brief an Elise Rüdiger vom 5.1.1844: *ich habe Ihnen ja schon früher erzählt, wie wir sämmtlichen Cousinen Haxthausischer Branche durch die bittere Noth gezwungen wurden, uns um den Beyfall der Löwen zu bemühn, die die Oncles von Zeit zu Zeit mitbrachten, um ihr Urtheil danach zu reguliren, wo wir dann nachher einen Himmel oder eine Hölle im Hause hatten, nachdem diese uns hoch oder*

Werner Adolf von Haxthausen, Großvater der Droste, Ölbildnis von Ludwig Emil Grimm (?).

„Der alte Freiherr war ein Mann etliche achtzig Jahre alt, dabei noch rüstig, geradeaus, auch mitunter grob; er hatte ein rechte Ritterphysiognomie, Adlernase und schönen Kopf" (Ludwig Emil Grimm). „. . .der Alte ‹Werner Adolph von Haxthausen›, ist fast 80 Jahr, sehr lebhaft, gutmüthig, eine Art altfranz. Bildung mit niederteutscher Einfachheit oft sehr komisch vereint, sehr redseelig, wodurch er freilich oft beschwerlich fällt. . ." (Aufzeichnung des Kaufmanns Beneke, März 1820).

niedrig gestellt. – Glauben Sie mir, wir waren arme Thiere, die ums liebe Leben kämpften, und namentlich Wilhelm Grimm hat mir durch sein Misfallen jahrelang den bittersten Hohn und jede Art von Zurücksetzung bereitet, so daß ich mir tausendmahl den Tod gewünscht habe. Im Gegensatz zu ihrer Schwester und zur Familie von Haxthausen betätigt sich die Droste später nur wenig an den Sammelbestrebungen des Bökendorfer Märchenkreises.

23. Juli: Mit Grimm und anderen Spaziergänge und Volksliedersingen.

24. Juli: Grimm schreibt den ganzen Morgen Märchen und Lieder auf. Erneut gemeinsame Spaziergänge. Es wird „Kämmerchen-Vermieten" gespielt. Grimm liest vor, schreibt Märchen auf und malt Karikaturen. Abends gemeinsames Singen von Volksliedern.

Haus Bökerhof in Bökendorf, Sitz der Familie von Haxthausen. Aquarell Annette von Droste-Hülshoffs.

Das Haus ist seit 1995 ein Museum, das dem Bökendorfer Romantikkreis gewidmet ist und u.a. die intensive Mitarbeit der Familie von Haxthausen an den Märchensammlungen der Brüder Grimm dokumentiert.

25. Juli: In Begleitung u.a. von Grimm Ausflug nach Hinnenburg. Abends liest Grimm aus Pedro Calderon de la Barcas „Der standhafte Prinz" vor. Volksliedersingen. August von Haxthausen widmet der Droste die Gedichte „Zu einem Kränzchen mit bunten Blumen. Für Nette" und „An Nette Droste". Vielleicht entsteht zu dieser Zeit Friedrich von Haxthausens Widmungsgedicht „An Nette" („Mit der Wünschelruth in Händen . . .").

26. Juli: Abschied von Bökendorf. Rückkehr über Bad Driburg und Paderborn.

27. Juli: Brief an Ludowine von Haxthausen: Die Droste verspricht, für Wilhelm Grimm Märchen zu sammeln.

28. Juli: Weiterreise bis Freckenhorst.

Wilhelm Grimm berichtet Jacob Grimm von seinem Bökendorfbesuch: „Ich habe die Zeit angenehm zugebracht, Märchen, Lieder

Abbenburg, Sitz der Familie von Haxthausen. Zeichnung von Julie von Wendt-Papenhausen.

Die Droste wohnte hier – im Haus ihres Onkels Friedrich von Haxthausen – bei ihren Aufenthalten im Paderbornischen nach 1837. Sie verfaßte hier Teile der „Judenbuche" und des „Geistlichen Jahres" (1839). Auf den Garten der Abbenburg bezieht sich ihr Gedicht „Unter der Linde" (1845).
„. . .haben wir ‹hier in Abbenburg auch› kein Siebengebirge, so haben wir doch sehr anmuthige Hügel mit prächtigen Steinbrüchen, wo ich heraus hämmern könnte, was mein Herz nur verlangt, und statt eigentlicher Parks doch wenigstens hübsche Spazierwege durch Laub- und Nadelholz, und einige sogar imposante Baumhallen, wo ich sehr gerne arbeiten möchte. . . – ich habe ein nettes heitres Quartier, unter den Fenstern eine hübsche Blumenterrasse mit Springbrunnen, und allerley reizende Plätzchen in der nächsten Umgebung, – z. B. gleich vor mir einen Eichenwald, mit großen Teichen und Inseln darin, wo eine gewaltige Linde ihre Zweige fast auf den Boden senkt, und es sich auf den Sitzen gar anmuthig über dem Wasser träumen läßt, – dann noch eine andre, entferntere Anlage, die sehr gut unterhalten, aber von Niemanden besucht wird. . . (Brief an Sibylle Mertens, 11. Juli 1843).

Wilhelm Grimm. Zeichnung von Ludwig Emil Grimm, 1814.

Die Beziehung zwischen der Droste und dem Germanisten, Märchen- und Sagensammler Wilhelm Grimm war nicht frei von Antipathie. Anläßlich der ersten Begegnung in Bökendorf im Juli 1813 konstatierte Grimm etwas „Vordringliches und Unangenehmes“ im Wesen der Droste. Diese wehrte sich, indem sie ihn mit einer Namensverdrehung neckte. Grimm wiederum revanchierte sich mit „sehr einfältigen, ja wenn man es genau nimmt, etwas unartigen“ Abschiedsversen (Tagebuch Jenny vDHs). Im Brief Wilhelm Grimms an Ludowine von Haxthausen vom 12. Januar 1814 heißt es: „Von Fräulein Nette hat mirs neulich recht wunderbar und ängstlich geträumt: sie war ganz in dunkle Purpurflamme gekleidet und zog sich einzelne Haare aus und warf sie in die Luft nach mir; sie verwandelten sich in Pfeile und hätten mich leicht blind machen können“. Es blieb bei dieser Entfremdung. Ihr Versprechen zur Mitarbeit an den Sammlungen der Grimms machte sie auch aus diesen Gründen nur sehr bedingt wahr. Über die erste Gedichtausgabe der Droste aus dem Jahre 1838 fällte Wilhelm Grimm – im Gegensatz zu seinem Bruder Jacob – ein wenig günstiges Urteil.

und Sagen, Sprüche usw. wißen sie die Menge... Ich müßte etwa 4–6 Wochen daseyn, um alles ruhig und genau aufschreiben zu können, eins stört das andere mit Beßerwißen, Gespräch dazwischen usw. Die Fräulein aus dem Münsterland wußten am meisten, besonders die jüngste ‹die Droste›, es ist schade, daß sie etwas vordringliches und unangenehmes in ihrem Wesen hat, es war nicht gut mit ihr fertig zu werden... Sie wollte beständig brilliren, und kam von einem ins andere; doch hat sie mir fest versprochen, alles aufzuschreiben, was sie noch wiße und nachzuschicken. Die andere ‹Jenny vDH› ist ganz das Gegentheil, sanft und still; die hat mir versprochen zu sorgen, daß sie Wort hält. Morgen und Nachmittag ward so oft es anging geschrieben...“

29. Juli: Weiterreise bis Münster.

30. Juli: Rückkehr nach Hülshoff.

18.-20. August: Besuch Sprickmanns und seiner Frau in Hülshoff.

September 1813 oder September 1814: Es entstehen: *An Cornelie*; *An Sophie* (? April 1810).

13.-25. September: Besuch der Kinder des Grafen von Stolberg in Hülshoff. Blinde-Kuh-Spiele und Sprichwörteraufsagen. Man gibt sich Decknamen. Die Droste erhält den Namen „Malvina“.

27. Oktober: Ausflug nach Appelhülsen.

Ab November: Einquartierung von Kosakentruppen in Hülshoff. In den folgenden sechs Monaten wechselnde Einquartierungen von preußischen, russischen, sächsischen, mecklenburgischen, schwedischen und dänischen Offizieren in Hülshoff.

16. November: Einzug preußischer Truppen in Münster. Beginn einer neuen Interimsperiode unter preußischer Herrschaft.

28. November: Mit Jenny vDH und einer Bauerntochter Verkleidungsspiel.

November/Dezember: Es entsteht: *Das befreyte Teutschland.* Sprickmann fertigt von dem Gedicht im Januar 1814 eine Abschrift an.

1813/1814: Es entsteht der größte Teil von *Bertha*, u.a. *Eduard.* Höhepunkt der Klassiknachahmung unter Einfluß Sprickmanns.

Nach 1813: Es entsteht die Kompositon: *Well kümt do över den Hof...*

Winter/Frühjahr: Die Droste und Jenny vDH berichten in einem Brief an August von Haxthausen, daß sie für Wilhelm Grimm zahlreiche Märchen aufgeschrieben hätten. Sie hofften, daß Haxthausen die Märchen gemeinsam mit Grimm in Hülshoff abhole.

1814

Frühjahr: Es entsteht: *An einen Freund* (*Umsäuselt von des Frühdufts. . .*).

Ab 3. April: In der Osterwoche Aufenthalt in Münster.

Ab 8. Mai: Mehrtägiger Aufenthalt in Münster. Die Droste wird von ihrer Mutter in mehrere große Gesellschaften eingeführt.

14. Mai: Wilhelm Grimm bittet Jenny vDH, ihn der Droste, sofern sie noch etwas von ihm hören wolle, aufs beste zu empfehlen.

15./16. Mai: Aufenthalt in Münster. Teilnahme an Stadtfeierlichkeiten.

3. Juli: Die Droste berichtet in einem Brief an ihre Schwester Jenny, sie habe eine Mademoiselle Cabbes aus Coesfeld kennengelernt und „bete" diese an.

7. August: Besuch einer Hochzeit bei einer Familie Caspers. Teilnahme am Tanz.

6. September: Geburt Levin Schückings.

11. September: Sprickmann verläßt Münster und folgt einem Ruf an die Universität Breslau.

21. November: Brief von Sprickmann: Mitteilung seiner Ankunft in Breslau. Er bedauere seinen Abschied von Münster und die Trennung von der Droste.

20. Dezember: Brief an Sprickmann: Die Droste berichtet über ihre Arbeit an *Bertha*: *. . .an meinem Trauerspiele habe ich bis vor zwey Wochen noch immer fortgeschrieben, und werde a u c h jetzt wieder dabey anfangen, es geht etwas langsam, aber doch hoffe ich es gegen den Frühling fertig zu bekommen, ich wollte es stände sogleich auf dem Papiere wie ich es denke, denn hell und glänzend steht es vor mir, in seinem ganzen Leben, und oft fallen mir die Strophen in großer Menge bey, aber bis ich sie alle geordnet und aufgeschrieben habe, ist ein großer Theil meiner Begeisterung verraucht, und das Aufschreiben ist mir bey weitem das Mühsamste bey der Sache. . .*

Über die Weiterarbeit an *Bertha* heißt es im Brief an Sprickmann vom 8.2.1819: *Was mein damals angefangenes Trauerspiel anbelangt, so habe ich es noch fortgesetzt bis zum dritten Akt, dann blieb es liegen . . .*

Anton Mathias Sprickmann. Gemälde von Johann Christoph Rincklake um 1810.

Anton Mathias Sprickmann (1749-1833), der erste literarische Mentor der Droste, konnte selbst auf eine bewegte literarische Vergangenheit zurückblicken. Seine ersten literarischen Gehversuche hatte er als ‚Hofdichter' des Ministers und Generalvikars Franz von Fürstenberg (1729-1810) unternommen. Gewissermaßen auf Bestellung lieferte er für das von Fürstenberg 1775 gegründete Theater epigonale Stücke, mit denen Sprickmann über Münster hinaus bekannt wurde. Als sein literarisches Schaffen durch einen Studienaufenthalt in Göttingen und die Freundschaft mit Dichtergrößen wie Friedrich Gottlieb Klopstock, Johann Heinrich Voß und Heinrich Christian Boie ambitioniertere Züge erlangte und Sprickmann sich der Sturm- und Drang-Bewegung anschloß, rief ihn sein Gönner Fürstenberg, der Sprickmann als Jurist angestellt hatte, zur Ordnung und denunzierte ihn als „Schönschreiber". Daran änderten auch Sprickmanns literarische Erfolge nichts – sein Drama „Eulalia" machte damals Sensation in der Lesewelt und wurde zu den besten Stücken des Jahres 1777 gezählt, sein Lustspiel „Der Schmuck" sogar 1779 in Wien preisgekrönt und später von Johann Wolfgang von Goethe in Weimar inszeniert.
In Münster, wo er 1772 die erste Dichtervereinigung Westfalens, eine „literarische Gesellschaft ohne Statuten", gegründet hatte, ernteten Sprickmanns literarische Arbeiten nur Spott. Sprickmann dichtete: „Doch hier, wo zärtliches Gefühl / Noch nicht in wilden Herzen wohnet / Wo Dummheit ungestört noch thronet, / Was hilft mir hier mein Saitenspiel?" Von hypochondrischen Anfällen geplagt, trug er sich sogar mit Auswanderungsplänen bis nach Tahiti. Fast zwangsläufig entsagte er der eigenen literarischen Produktion und entschied sich für die bürgerliche Laufbahn des Universitätsprofessors. Um 1810 begegnen wir ihm als Förderer hoff-

1814/1815: Es entstehen: *Der Dichter; Der Philosoph.*

Der Dichter

Das All der Welten unendlich umkreißt,
Im schwebenden Fluge mein unsteter Geist,
Wo führst du mich hin? du gewaltige Macht,
Durch Räume voll Dunkel durch Weiten voll Nacht.

Ich führe dich hin, daß du schauest das Licht
Wohl ahndets dein Busen, doch kennt er es nicht,
Ich führe dich hin, durch die Räume voll Nacht
Daß du schauest die Klarheit in leuchtender Pracht.

Von leuchtendem Glanz ist ihr Trohn rings umhellt,
Doch fern nur ein Schimmer erreichet die Welt,
Dran labt sich das kleinliche Menschengeschlecht,
es heißt die Vernunft ihm, es heißt ihm das Recht.

Drob freut es sich gnüglich, nicht ahndend daß hell
Dem Trophen auch sprudle ein strahlender Quell,
Ein engendes Band hüllt die Sinnen ihm ein,
Und Sonnengleich wähnt es den kärglichen Schein.

nungsvoller literarischer Talente wieder, darunter – neben der Droste – Franz von Sonnenberg, Catharina Schücking und Theodor Broxtermann. Die Worte seiner Schüler legen Zeugnis ab von der uneingeschränkten Verehrung, die sie Sprickmann entgegenbrachten. 1789 wurde Sprickmann Professor für deutsches Staats- und Lehnsrecht an der von Fürstenberg neu gegründeten Universität Münster, 1791 Hofrat und Kommissar der fürstlichen Lehnskammer, 1803, nach dem Übergang Münsters an Preußen, preußischer Regierungsrat am Oberappalationssenat in Münster und 1811, unter französischer Besatzung, Tribunalrat im Arrondissement Münster. 1814 verließ er Münster, um einem Ruf an die Universität Breslau auf einen Lehrstuhl der Jurisprudenz zu folgen. 1817 wechselte er an die Universität Berlin. Nach seiner Pensionierung kehrte er 1829 altersschwach nach Münster zurück, wo es noch einmal zu einem Wiedersehen mit der Droste kam.

Doch regt sich zuweilen lichtdürstend ein Geist,
Die engende Bande der Sinne zerreißt
Er mächtig, durchdringet im Fluge die Nacht,
Es schwindet der Nebel, er schauet die Pracht.

Begierig dann schlürft er den Strahlenquell ein,
Und reget die Schwingen, und senkt sich hinein,
Berauscht sich in Gluthen, und badet voll Lust
Im Meere voll Lichtes die glühende Brust.

1815

14./15. März: Aufenthalt in Münster. Besuch von Kotzebues Komödie „Die Rückkehr der Freywilligen“ und Theodor Körners „Tony oder die Schreckensnacht auf St. Domingo“. Übernachtung im Stapeler Hof. Die Droste lernt vermutlich zahlreiche Stücke Kotzebues kennen, die in Münster aufgeführt werden und in der Theissingschen Leihbibliothek ausleihbar sind.

24. März: Gang des Kreuzwegs in Münster.

Frühjahr: Es entsteht die Übersetzung einiger Eklogen aus den „Buccolica“ des Publius Vergilius Maro.

30. April: Auf dem Wiener Kongreß wird durch die „Verordnung wegen verbesserter Einrichtung der Provinzialbehörden“ das stark vergrößerte peußische Staatsgebiet in 10 Provinzen, darunter die „Provinz Westphalen“, eingeteilt. Das Gebiet Westfalens wird um die Hälfte verkleinert.

15. Mai: Es entsteht: *Du hast nicht Begriff von allen dem Jammer. . .* Wie es im Tagebuch Jenny vDHs heißt, nahm Moritz von Haxthausen, an den das Gedicht gerichtet ist, der Droste das „ziemlich unartige“ Gedicht übel und antwortete mit einem ähnlichen Text.

16. Mai: Es entsteht aus Anlaß der Firmung von Elise von Dükker: *Elise, sieh, es schimmert rings die Luft.* Die Droste unternimmt einen Gedichtversuch: *Rose der Huld.*

25. Mai: Ludwig von Vincke wird erster Oberpräsident der Provinz Westfalen.

9./10. Juli: Aufenthalt in Münster zum Besuch der Oper „Aschenbrödel“, die jedoch ausfällt.

Ende Juli/Anfang August: Leichte Erkrankung.

Moritz von Haxthausen (1775-1841). Gemälde von L. Krevel.

Moritz von Haxthausen, ältester Sohn Werner Adolph von Haxthausens, war in früher Jugend Page des Fürstbischofs von Paderborn und Hildesheim. Er trat in Kurfürstlich-Hannoverschen Millitärdienst ein und nahm von 1793 bis 1797 an Feldzügen in den Niederlanden und Frankreich teil; 1802 aus dem Militärdienst ausgeschieden, war er von 1803 bis 1807 Landrat im Kreis Brakel und anschließend bis 1813 unter französischer Herrschaft Unterpräfekt in Rinteln. Im November 1813 war er vorübergehend Rittmeister eines Paderbornisch-Münsterischen Heeres. Seit 1817 lebte er als pensionierter Landrat in Bonn. Seine Heirat mit der protestantischen Sophie von Blumenthal führte nach einem Zerwürfnis mit den Eltern zu seinem Verzicht auf die Übernahme der Familiengüter, die ihm als ältestem Sohn zugestanden hätten. Die Droste verbrachte ihren Aufenthalt in Bonn im Mai/Juni 1828 im Hause Moritz von Haxthausens. 1830/31 wohnte sie bei Clemens von Droste-Hülshoff, kam aber fast täglich zu den Haxthausens herüber. Als Kunstsammler bewies Moritz von Haxthausen wenig Geschick, wie mehreren hämischen Bemerkungen der Droste zu entnehmen ist. Über literarische Interessen Moritz von Haxthausens ist nichts bekannt.

Annette von Droste-Hülshoff, kleines Ölgemälde von Carl Oppermann (?)

Zu männlich ist dein Geist, strebt viel zu hoch
Hinauf, wo dir kein Weiberauge folgt,
Das ist's, was ängstlich dir den Busen engt
Und dir die jugendliche Wange bleicht.
Wenn Weiber über ihre Sphäre steigen,
Entfliehn sie ihrem eigenen bessern Selbst;
Sie möchten aufwärts sich zur Sonne schwingen
Und mit dem Aar durch durft'ge Wolken dringen
Und stehn allein im nebelichten Tal.
Wenn Weiber wollen sich mit Männern messen,
So sind Zwitter sie und nicht Weiber mehr.
Zwar bist du, Bertha, klüger viel wie ich,
Denkst tiefer viel, bist älter auch an Jahren,
Doch glaube dieses Mal nur meinen Worten,
Das gute Weib ist weiblich allerorten. (aus „Bertha")

4. September: Jenny vDH kauft in Bökendorf für die Droste kleine Büsten aus der Fürstenberger Porzellanmanufaktur von Shakespeare, Goethe, Plato und der Sappho.

17. Oktober: Gemeinsamer Aufenthalt in Münster anläßlich des Huldigungstages für den preußischen König Friedrich Wilhelm III.

(18.10), der mit einem Fackelzug begangen wird. „Lotte ‹von der Decken› und Nette waren wie wild. Wir hatten Mühe, sie bei uns zu halten.“ (Tagebuch Jenny vDHs)

18. Oktober: Anwesenheit bei der Aufführung eines von Maximilian vDH bearbeiteten Te deums im Münsterer Dom. Abends Teilnahme an einer großen Festlichkeit.

19. Oktober: Besuch einer Festrede von Johann Christoph Schlüter. Es entsteht ein großer Menschenauflauf, bei dem Jenny vDH von zwei Geistlichen geholfen wird, einen Platz zu finden. „Wie es Nette und Elise ‹von Dücker› anfingen, weiß ich nicht, sie waren wohl nicht so fromm als ich, ich denke, sie haben gute Seite mit den Gend'armen gemacht.“ (Tagebuch Jenny vDHs)

20. Oktober: Besuch der Schauspiele „Der Altar im Walde“ und „Der dankbare Sohn“ von Johann Jakob Engels. Anschließend Besichtigung eines Feuerwerks.

21. Oktober: Konzertbesuch.

17. Dezember: Die Hoffnung, in Münster eine Oper zu sehen, erfüllt sich nicht. Statt dessen Besuch von Shakespeares „Hamlet“.

19. Dezember: Maximilian vDH erhält für ein von ihm gesetztes Te deum vom preußischen König eine Medaille verliehen, die ihm am 13.1.1816 ausgehändigt wird.

30. Dezember: Ausflug nach Münster.

Ende 1815/Anfang 1816: Schwache gesundheitliche Verfassung mit *fast fieberhafter Unruhe*. Verbot, Briefe zu schreiben oder sich durch Lesen anzustrengen. *Langeweile ist ausgemacht die schmerzlichste Art von Anstrengung, und gewiß auch die schädlichste, ich weiß also nicht, was meine Genesung mehr verzögert hat, die oft zu genaue Befolgung oder die oft zügellose Uebertretung des ärztlichen Befehls. . .* (Brief an Sprickmann, Ende Februar 1816)

1816

2. Januar: Brief von August von Haxthausen: Er übersendet der Droste als nachträgliches Weihnachtsgeschenk Adolph Müllner: Die Schuld (1815).

Mehrfache Lektüre des Buches, das die Droste nach eigener Angabe später fast auswendig kann.

5. Januar: Konzertbesuch in Münster.
11. Januar: Die Droste singt einem in Hülshoff einquartierten Offizier Lieder vor.
Januar/Februar: Es entstehen: *Unruhe*; *An die Ungetreue*.

Unruhe

Laßt uns hier ein wenig ruhn am Strande
Foibos Stralen spielen auf dem Meere
Siehst du dort der Wimpel weiße Heere
Reisge Schiffe ziehn zum fernen Lande

Ach! wie ists erhebend sich zu freuen
An des Ozeans Unendlichkeit
Kein Gedanke mehr an Maaß und Räume
Ist, ein Ziel, gestekct für unsre Träume
Ihn zu wähnen dürfen wir nicht scheuen
Unermeßlich wie die Ewigkeit.

Wer hat ergründet
Des Meeres Gränzen
Wie fern die schäumende Woge es treibt
Wie seine Tiefe
Wenn muthlos kehret
Des Senkbley's Schwere
Im wilden Meere
Des Ankers Rettung vergeblich bleibt.

Möchtest du nicht mit den wagenden Seglern
Kreisen auf dem unendlichen Plan?
O! ich möchte wie ein Vogel fliehen
Mit den hellen Wimpeln möcht ich ziehen
Weit, o weit wo noch kein Fußtritt schallte
Keines Menschen Stimme wiederhallte
Noch kein Schiff durchschnitt die flüchtge Bahn.

Und noch weiter, endlos ewig neu
Mich durch fremde Schöpfungen, voll Lust
Hinzuschwingen fessellos und frey
O! das pocht das glüht in meiner Brust
Rastlos treibts mich um im engen Leben
Und zu Boden drücken Raum und Zeit

Freyheit heißt der Seele banges Streben
Und im Busen tönts Unendlichkeit!

Stille, stille, mein thöricht Herz
Willst du denn ewig vergebens dich sehnen?
Mit der Unmöglichkeit hadernde Trähnen
Ewig vergießen in fruchtlosem Schmerz?

So manche Lust kann ja die Erde geben
So liebe Freuden jeder Augenblick
Dort stille Herz dein glühendheißes Beben
Es giebt des Holden ja so viel Leben
So süße Lust und, ach! so seltnes Glück!

Denn selten nur genießt der Mensch die Freuden
Die ihn umblühn sie schwinden ungefühlt
Sey ruhig, Herz, und lerne dich bescheiden
Giebt Foibos heller Strahl dir keine Freuden
Der freundlich schimmernd auf der Welle spielt?

Laß uns heim vom feuchten Strande kehren
Hier zu weilen, Freund, es thut nicht wohl,
Meine Träume drücken schwer mich nieder
Aus der Ferne klingts wie Heymathslieder
Und die alte Unruh' kehret wieder
Laß uns heim vom feuchten Strande kehren
Wandrer auf den Wogen, fahret wohl!

Fesseln will man uns am eignen Heerde!
Unsre Sehnsucht nennt man Wahn und Traum
Und das Herz, dies kleine Klümpchen Erde
Hat doch für die ganze Schöpfung Raum!

Ende Februar: Mehrere Ausflüge nach Münster, u.a. um eine Aufführung der berühmten Schauspielerin Henriette Hendel-Schütz zu sehen.

Brief an Sprickmann: Schilderung ihrer schlechten psychischen und physischen Verfassung. Zusendung von *Unruhe*, das ihren Gemütszustand vor einigen Wochen widerspiegele.

Ende Februar/Anfang März: In Münster vermutlich Besuch einer Aufführung von Lessings „Emilia Galotti" mit Henriette Hendel-Schütz in der Hauptrolle.

März: Wilhelm Grimm bittet August von Haxthausen, bei dessen bevorstehendem Hülshoff-Besuch alle „bestens und schönstens“ zu grüßen, „auch, da die Sonne eben untergehen will, meine Freundin N‹ette›“.

17. April: August von Haxthausen verbringt die Osterferien in Hülshoff. Ursprünglich hatte Wilhelm Grimm an dem Besuch teilnehmen wollen.

Etwa Mai: Mehrere Besuche von Louis Plönnies in Hülshoff. Jenny vDH bemerkt in ihrem Tagebuch, daß er sie mit seinen „romantischen Reden“ ‘herzlich gelangweilt“, bei der Droste jedoch „mehr Beifall“ geerntet habe.

Etwa 16. Juni: Eintrag mehrerer Gedichte (möglicherweise nach Diktat der Droste) in ein Poesiealbum der Charlotte von der Decken.

Oktober-Anfang November: Besuch mehrerer Konzerte in Münster, u.a. eines Harmoniumkonzerts.

1817

19. Januar: Jenny vDH übersendet August von Haxthausen den vollständigen Text zu dem Lied „Ich stand auf hohem Berge“, den die Droste „mit vieler Müh und unermüdlicher Nachfrage aus seiner Vergangenheit hervorgezogen“ habe.

20. März: Gemeinsamer Besuch von Haydns „Die Schöpfung“ in Münster. Erste, zufällige Begegnung mit dem General Adolph von Thielmann, dem Ehemann der späteren Droste-Freundin Wilhelmine von Thielmann, der sich lange mit der Droste unterhält.

Ab 30. März: In der Karwoche Aufenthalt in Münster.

2. April: Brief von Sprickmann: Ankündigung seines Umzugs nach Berlin (3.4.). Er äußert sich anerkennend über *Unruhe*.

6. April: Teilnahme an einer Tanzfestlichkeit in Hülshoff.

13.-22. April: Besuch August von Haxthausens in Hülshoff. Er bringt Lieder und Aufsätze Heinrich Straubes mit.

22. April: Das Tagebuch Jenny vDHs vermerkt, daß die Droste mit August von Haxthausen, der ihr „gute Lehren“ geben wolle, mitunter „recht arg zankt“.

4. Mai: Besuch bei der Prinzessin Marianne von Gallitzin in Münster.

12. Mai: Besuch eines Konzerts in Münster.

Sommer: August von Haxthausen läßt Christian Reuters „Schelmuffskys wahrhaft curiöse und sehr gefährliche Reisebeschreibung. . .“ (1696/1697) nachdrucken. Ludwig Hassenpflug, der spätere hessische Minister und Bruder der Droste-Freundin Amalie Hassenpflug, fügt der Ausgabe ein Register mit „galanten Redensarten“ und Schelmuffsky-Titulaturen bei. Haxthausen schickt das Buch nach Hülshoff, wo es den Beifall der Eltern der Droste findet.

11. August: Behandlung durch den Arzt Goosmann.

Ende August: Erster nachweisbarer Besuch Wilhelmine von Thielmanns und ihrer Schwester Julie von Carpentier in Hülshoff. Letztere lehrt die Droste, auf Seide zu malen.

Es kommt zur Freundschaft zwischen der Droste und der um 25 Jahre älteren Wilhelmine von Thielmann, die im Münsterer Schloß wohnt: . . .*ihr Rang und der Unterschied unserer Jahre (Sie könnte reichlich meine Mutter seyn) hielt uns lange entfernt von einander, vorzüglich da meine Mutter allen Umgang vermeidet, der sie in weitläufige Bekanntschaften und Connexionen führen könnte, wir haben wirklich beyde mit schweren Hindernissen zu kämpfen gehabt, um zu einander zu kommen. . .* (Brief an Sprickmann vom 8.2.1819). *Ihre* ‹der Thielmann› *Erfahrungen, sowohl was Lebens- und Zeitverhältnisse als Beziehungen zu bedeutenden Menschen betrifft, waren höchst merkwürdig und ausgebreitet – sie hat mir früher Vieles davon mitgetheilt. . .* (Brief an Schücking vom 27.5.1842). Am 5.9.1843 berichtet die Droste Elise Rüdiger, sie habe hinsichtlich ihrer *Geistesbildung* Wilhelmine von Thielmann viel zu verdanken gehabt. Nach Aufzeichnungen Elise Rüdigers sei die Droste oft in Wilhelmine von Thielmanns Kreis, in dem sich damals die Elite Münsters versammelt habe, eingeladen und dort besonders gefeiert worden. Frau von Thielmann und Frau von Vincke hätten „die Genialität“ „so weit ‹ge›trieben,“ daß man zeitweilig geglaubt habe, sich „im Irrenhause aufhalten zu müssen, was sie jedoch keineswegs hinderte, in den Intervallen sehr geistreich und leutselig zu sein“. In einer späteren Erinnerung hielt Elise Rüdiger fest: „Aus ihren Jugendjahren – 18 und 22 – hat sie ‹die Droste› mir oft erzählt, namentlich, daß sie viel auf den Bällen des General v. Thielmannn im Schlosse zu Münster getanzt habe, auch mit der Generalin geb. von Chapentier eng befreundet gewesen sei.“

3. und 13. September: Weitere Behandlungen durch den Arzt Goosmann.

Oktober/November: Es entsteht: *Scenen aus Hülshoff.* Vielleicht in zeitlicher Nähe zu den *Scenen* entsteht der dramatische Scherz *Das Rätsel.*

Nette (liegt auf einem scharmanten Zimmer in einem wohlconditionirten Bett; auf dem Tisch zeigt sich die Figur eines Hasen der sich im Spiegel betrachtet. Sie schlägt ein Paar große matte unbedeutende Augen auf wozu sie sich in Ermangelung anderer ihrer eigenen bedient)
Nette (reckt sich graziös)
Ach wie ist die Nacht verschwunden,
Doch für mich ist sie noch da,
Denn vor zwei geschlagnen Stunden
Stand erst auf die Frau Mama
(sie legt sich wieder)
Will mich noch ein wenig hegen
Und mein jammerndes Gebein
Noch in Ruh ein wenig pflegen
Denn die Glocke schlug erst neun
Ist doch heute nichts zu machen,
Ich bin reine ausgespannt
Ganz conträr stehn meine Sachen
Und ich sitz' auf drügem Sand.
. . .
Amelunxen (zärtlich): Kleine Nette!
Nette: Dummer Junge!
Werner (zu Amelunxen): Mäßige doch deine Zunge –
Zwar sie läßt sich vieles sagen,
Aber dieß darfst du nicht wagen,
Nenn' sie Hexe und Kokette,
Aber nur nicht kleine Nette. (aus: Scenen in Hülshoff)

Der Strom zog still seinen Weg, und konnte keine der Blumen und Zweige aus seinem Spiegel mitnehmen, nur eine Gestalt, wie die einer jungen Silberlinde, schwamm langsam seine Fluthen hinauf, es war das schöne bleiche Bild Ledwinens, die von einem weiten Spatziergang an seinen Ufern heim kehrte, wenn sie zuweilen halb ermüdet halb sinnend still stand, dann konnte er keine Strahlen stehlen, auch keine hellen oder milderen Farbenspiele von ihrer jungen Gestalt, denn sie war so farblos wie eine Schneeblume, und selbst ihre lieben Augen waren wie ein paar verblichne Vergißmeinnichte, denen nur Treue geblieben, aber kein Glanz. „Müde, müde“ sagte sie leise und ließ sich langsam nieder in das hohe frischgrüne Ufergras, daß es sie umstand wie die grüne Einfassung ein Lilienbeet, eine angenehme Frische zog durch alle ihre Glieder, daß sie die Augen vor Lust schloß, als ein krampfhafter Schmerz sie auftrieb, im Nu stand sie aufrecht, die eine Hand fest auf die kranke Brust gepreßt, und schüttelte unwillig, ob ihrer Schwäche, das blonde Haupt, wandte sich rasch, wie zum fortgehn, und kehrte dann fast trotzend zurück, trat dicht an das Ufer und schaute anfangs hell dann träumend in den Strom, ein großer aus dem Flusse ragender Stein, sprühte bunte Tropfen um sich, und die Wellchen strömten und brachen sich so zierlich, daß das Wasser hier wie mit einem Netze überzogen schien, und die Blätter der am Ufer neigenden Zweige, im Spiegel wie grüne Schmetterlinge davon flatterten, Ledwinens Augen aber ruhten aus auf ihrer eignen Gestalt, wie die Locken von ihrem Haupte fielen und forttrieben, ihr Gewand zerriß und die weißen Finger sich ablösten und verschwammen und wie der Krampf wieder sich leise zu regen begann, da wurde es ihr, als ob sie wie todt sey und wie die Verwesung lösend durch ihre Glieder fresse, und jedes Element das Seinige mit sich fortreiße.

(Anfang von „Ledwina“)

16. November: Besuch der Oper „Cendrillon“ (Aschenbrödel, von N. Isouard) in Münster. Die Droste bekommt die Oper zu Weihnachten geschenkt.

1818

Vermutlich **Anfang 1818:** Beginn der Arbeit an dem Epos *Walther*. Gesundheitliche Probleme behindern die Weiterarbeit: *. . .weil ich im vorigen Jahre sehr an einem Kopfschmerz gelitten habe, der äußerst nachtheilig auf die Augen wirkte, . . . habe ich . . . auch wirklich nie einen halben Gesang ununterbrochen schreiben können, ohne einen kleinen Anfall zu spüren; obschon die Gesänge nicht sehr lang sind, und ich im Ganzen auch nicht so sehr langsam arbeite, so hat dies kleine Werk doch so oft und lange Feyertag gehalten, daß mir beynahe das ganze Jahr darüber hingegangen ist. . .* (Brief an

Sprickmann vom 26.(?)10.1818) – Das Epos ist als Geschenk zum Namenstag von Therese vDH (15.10.) gedacht: Es entstehen im Zusammenhang mit *Walther*: *Mägdlein auf der Blumenwiesen* (frühere Fassung der Liedeinlage im 2. Gesang) sowie *Perlenkleinod, Blütenschnee. . .*

1. Januar: Es erscheint die erste Nummer der von August von Haxthausen, Straube und Johann Peter Hornthal herausgegebenen Zeitschrift „Die Wünschelruthe". Bis Juli 1818 erscheinen 52 Nummern und vier Zugaben dieser Zeitschrift. Sie ist das Organ der zwischen 1815 und 1817 u.a. von August von Haxthausen, August von Arnswaldt und Straube gegründeten „Poetischen Schusterinnung an der Leine" und verfolgt das Ziel, deutsche Kunst und Poesie aus romantischem Geist zu fördern. Es erscheinen dort Beiträge von Arnim, Brentano, Arndt, Werner von Haxthausen und den Brüdern Grimm.

8. Januar: Zeichenstudien.

24. Januar: Augenerkrankung. Gemeinsamer Ausflug nach Münster zur Behandlung bei dem Arzt Forkenbeck.

5. Februar: August von Haxthausen veröffentlicht in Nr. 11–15 (5.-19.2.1818) der „Wünschelruthe" die „Geschichte eines Algierersklaven", die den Hintergrund der *Judenbuche* behandelt. Die Droste liest die Erzählung vielleicht schon zu diesem Zeitpunkt.

20. März: In Münster Gang des Kreuzweges. Abends Besuch des Doms.

21. März: Besuch des Schloßgartens und bei Wilhelmine von Thielmann. Anwesenheit Julie von Carpentiers. – Zeichenlehrer von Spies gibt seinen Unterricht in Hülshoff auf und zieht nach Aachen.

23. März – 1. April: Besuch August von Haxthausens in Hülshoff. Eine geplante Teilnahme Straubes kommt nicht zustande.

27. März: Mit August von Haxthausen Volksliedersingen.

25./26. April: Aufenthalt in Münster. Konzertbesuch.

Anfang Mai 1818: Vermutlich Besuch von Wilhelmine von Thielmann und ihrer Schwester, Frau von Carpentier, in Hülshoff.

Ende Juli/Anfang August: Aufbruch nach Bökendorf. Nach Zwischenstationen in Warendorf und Bad Driburg trifft man gegen den 5. August dort ein. Die Droste wird möglicherweise dazu angeregt, für die tiefreligiöse Stiefgroßmutter Maria Anna von Haxthausen relgiöse Gedichte zu verfassen.

6. August: Besuch in Abbenburg (Friedrich von Haxthausen).

Bökerhof, Stammsitz der Familie von Haxthausen, Lithographie von Ph. Herle 1830/1840.

„Auch meinen innigen Dank, meine theure Ludowine, für das schöne süße Kränzchen, es ist wie mein Leben aus vielen schönen bunten Freudenblumen zusammengesetzt, und sieht mich so hold so freundlich an, wie die freundlichen Tage meiner Kindheit, oder wie die schöne kurze Zeit die ich in dem lieben Bökendorf verlebte. . .“ (Brief an Ludowine von Haxthausen vom 27. Juli 1813)

8. August: Besuch in Hinnenburg (Familie von Bocholtz-Asseburg).

9. August: Besuch in Wehrden (Familie von Wolff-Metternich).

11. August: Rückkehr nach Bökendorf.

17. August: Mit ihrem Vater, ihrer Schwester Jenny sowie Caroline und August von Haxthausen Abreise zu einem Aufenthalt in Kassel. Besuch von „Don Giovanni“. „Nette. . . unterhielt sich sehr fleißig mit ihren Nachbar, einen Holländer; Jenny und ich. . . waren stumm. . .“ (Tagebuch Caroline von Haxthausens) Wiedersehen mit Wilhelm Grimm. Ihr gespanntes Verhältnis zu ihm bleibt bestehen. Die Droste lernt Amalie Hassenpflug, ihre spätere Freundin, kennen.

Haus Abbenburg. Lithographie von Ph. Herle 1830/1840.

„Wären Sie hier, lieber Freund, ich glaube, es würde Ihnen gefallen... Denn die Ökonomiegebäude liegen ziemlich weit ab, und mein Onkel Fritz führt nur eine kleine Junggesellenwirtschaft. Das Haus ist angenehm, angefüllt mit altertümlichen Gegenständen, wunderschönen geschnitzten Schränken und Möbeln, alten Kunstuhren, Familienbildern und so still, daß man den ganzen Tag die Heimchen zirpen hört." (Brief an Wilhelm Junkmann vom 26. August 1839)

19. August: Besuch des Kasseler Museums. „Nette unterhielt sich fleißig mit Jacobs und Bauer ‹Bekannte der Grimms›, mir war das unmöglich..." (Tagebuch Jenny vDHs) Bekanntschaft mit Jacob Grimm. Gemeinsamer Ausflug auf die Wilhelmshöhe.

20. August: Mit Charlotte und Wilhelm Grimm Besuch der Bibliothek. Anwesenheit Jacob Grimms. Die Droste übersetzt für ihn aus dem Horaz. Einladung ins Haus der Grimms. Besuch der Oper „Tankred" von Rossini. Erneuter Besuch im Grimmschen Haus. Jacob Grimm schenkt allen ein Bild. Gespräche über Sagen und Märchen. Jacob Grimm bittet die Droste und Jenny vDH, westfälische Hochzeitsbräuche u.ä. aufzuschreiben. Abschied. „Wilhelm küßte Nette die Hand, sie machte einen langen Schmier, und ich war

Charlotte Grimm (1793-1833), Zeichnung von Ludwig Emil Grimm, 1818.

„Nette machte es sich sehr wohnlich, tat von der Lotte ‹Grimm› Schuh und Strümpfe an (die Reisenden waren von einem Regenschauer überrascht worden) und einen schwarzseidenen Überrock" (Tagebuch Caroline von Haxthausens). Beim kurzen Besuch der Droste in Kassel im August 1818 schien sich eine Freundschaft zwischen ihr und Charlotte („Lotte") Grimm, der einzigen Schwester der Brüder Grimm und nahen Freundin Amalie Hassenpflugs, anzubahnen. Man verlor sich jedoch schon bald aus den Augen. Ein geplanter Besuch Charlotte Grimms in Hülshoff im Frühjahr 1819 kam nicht zustande. 1822 heiratete sie Ludwig Hassenpflug.

ihr recht böse, daß sie ihm so viele Worte abzwang, da er wohl wußte, daß ihr diese Herzlichkeit nicht natürlich war und sie ihn nicht leiden konnte." (Tagebuch Jenny vDHs) Charlotte Grimm verspricht der Droste, im nächsten Frühjahr mit Jacob Grimm Hülshoff zu besuchen.

21. August: Aufbruch. Die Droste beabsichtigt, die Eindrücke von Kassel und ihrer Reise von Kassel nach Bökendorf *haarklein* aufzuschreiben, gibt dieses Vorhaben jedoch auf. Übernachtung in Wehrden (Familie von Wolff-Metternich).

22. August: Rückkehr nach Bökendorf. Begegnung mit Straube. Straube will der Droste seine Gedichte nach Hülshoff schicken.

23. August: Jenny vDH berichtet Therese vDH: „Straube war ein

Amalie Hassenpflug (1800-1871), Zeichnung von Ludwig Emil Grimm um 1820.

Im Hause der Grimms kam es im August 1818 zu einer ersten flüchtigen Begegnung zwischen der Droste und Amalie Hassenpflug, der Tochter eines Kasseler Regierungspräsidenten. Erst 19 Jahre später begegnete man sich in Bökendorf wieder – der Beginn einer nahen Freundschaft, die eine ausführliche, jedoch fast vollständig verschollene Korrespondenz einleitete. Auch bei weiteren Besuchen der Droste in Bökendorf war Amalie Hassenpflug zugegen. Im Herbst 1842 zog Amalie Hassenpflug, bedingt durch eine neue Anstellung ihres Bruders Ludwig, nach Berlin, wodurch der Kontakt vorübergehend unterbrochen wurde. Im Sommer 1845 kam es in Bökendorf zur letzten Begegnung. Amalie Hassenpflug war wie ihre Schwester Johanna eine eifrige Märchensammlerin. Sie blieb unverheiratete und verbrachte ihre letzten Lebensjahre auf der Meersburg, wo sie auf dem Meersburger Friedhof neben dem Grab der Droste ihre letzte Ruhestätte fand.

paar Tage hier und ist jetzt in Apenburg, er gefällt uns nicht übel, etwas ganz eigenes hat er."

Etwa 31. August: Abreise von Bökendorf.

17. September: Jenny vDH bittet August von Haxthausen, Straube daran zu erinnern, der Droste seine Gedichte zu schicken. Straube kommt diesem Wunsch nach.

Etwa Oktober: Abschluß der Arbeit an *Walther*. Neukonzeption von zwei Strophen, die Therese vDH für anstößig hält.

Amalie Hassenpflug (links) und Amalie von Heereman-Zuydtwyck, Zeichnung von Ludwig Emil Grimm, 1831.

15. Oktober: Die Droste schenkt ihrer Mutter das Epos *Walther* zum Namenstag (15. Oktober) und versieht es mit einer Widmung.

Etwa 22. Oktober: Besuch eines großen Vokal- und Instrumentalkonzerts im Münsterer Theater. Begegnung mit der schriftstellerisch tätigen Maria Johanna von Aachen und dem Münsterischen Stadtoriginal Konsistorialrat und Professor Peter Möller.

26. (?) Oktober: Brief an Sprickmann: Darin heißt es über *Walther*: *ich habe in diesem Jahre ein Gedicht in sechs Gesängen geschrieben, dem eine nicht zu wohl ausgesonnene Rittergeschichte zum Grunde liegt, das mir aber in der Ausführung ziemlich gelungen scheint...* Ankündigung eines ausführlichen Briefes mit der Abschrift des Werks.

Beginn der Abschrift, für die die Droste etwa einen Monat einrechnet. Infolge eines Augenleidens verbietet ihr Therese vDH die Weiterarbeit, die von Jenny vDH fortgesetzt wird. *Walther* wird im Familienkreis positiv aufgenommen. 1818/19 entstehen drei weitere Abschriften von fremder Hand. Therese vDH liest das Werk im Bekanntenkreis vor und sendet eine Abschrift, für die die Droste den Widmungstext *Ich hab' ein frommes Ritterkind erzogen...* verfaßt, nach Bökendorf. Eine Abschrift erhält Wilhelmine von Thielmann. Die Droste distanziert sich auch später nicht ganz von diesem Werk. *Das Gedicht ist im G a n z e n sehr misglückt und matt, im E i n z e l n e n aber nicht immer* (Brief an Schlüter vom 2.1.1835).

Etwa 3. November: Ferdinandine von Heereman-Zuydtwyck berichtet Wilhelm Grimm: „Nette ist wegen ihrer Augen in strenger Cour, sie darf nicht denken, schreiben noch lesen."

9. Dezember: Jenny vDH berichtet August von Haxthausen: „Die Gedichte von Straube habe ich fürs Erste mal für mich genommen, wenn Du ihn siehst, so grüße ihn doch von uns, wir waren ihm doch alle recht gut."

Für die Droste war Amalie Hassenpflug eine kompetente literarische Ansprechpartnerin. Die „ungestümen" Bitten der Freundin trugen mit dazu bei, daß die Droste ihren Westfalenroman „Bei uns zu Lande" in Angriff nahm. Weniger war die Droste jedoch der schwärmerischen Ader ihrer Freundin zugetan. Nach den Worten der Droste war Amalie Hassenpflug ganz in „Traum und Romantick" befangen. Die Droste widmete ihrer Freundin drei Gedichte, „Locke und Lied"; „Der Traum. An Amalie H." und „Spätes Erwachen".

Herbst/Januar: Gelegentliche Augenentzündung. Verbot zu lesen oder nach Noten Klavier spielen. Die Familie vDH schreibt sich in die Theissingsche Leihbibliothek ein und bestellt, da sie den Buchbestand schon gut kennt, nur die neueren Bücher. Häufige abendliche Vorlesungen Therese vDHs. Man ist mit dem Buchangebot unzufrieden und sendet die Werke oft halb gelesen zurück.

Von 1818/19 bis 1825 existiert unter der Leitung des Theaterdirektors August Pichler am Münsterer Theater, das die Droste vermutlich häufig besucht, ein festes Ensemble. Bis 1841 tritt die Pichlersche Truppe noch gelegentlich in Münster auf. Gespielt werden in den Monaten Januar bis März 1919 mehrere Stücke von Schiller („Don Carlos", „Wilhelm Tell", „Die Jungfrau von Orleans") sowie Lustspiele von C.A. Best, Weissenthurm, Bretzner, ein Trauerspiel von Zschokke, ein Schauspiel von Iffland und mehrere Opern, u.a. Mozarts „Don Giovanni" und „Die Zauberflöte".

24. Dezember: Es entstehen – vielleicht als Weihnachtsgeschenk 1818 für Maria Anna von Haxthausen – die geistlichen Lieder: *Das Morgenroth schwimmt still entlang. . ., Morgenlied, Abendlied, Für die armen Seelen, Beim Erwachen in der Nacht* sowie möglicherweise *Glaube, Hoffnung, Liebe.* Die drei letztgenannten Texte entstehen vielleicht erst zum Weihnachtsfest 1819.

1818–1820: Es entstehen Text und Komposition von: *Der Venuswagen.*

1819

Januar/Februar: Augenentzündung.

4. Februar: Brief an Anna von Haxthausen: *ich sitze jetzt eigentlich den ganzen Tag und faullenze, denn ich darf nichts thun, wie Stricken und Klavier spielen; das erstere thu ich auch fleißig, aber mit großer Langeweile, und was das letztere anbelangt, so wird man das ewige Phantasiren doch endlich müde, wenn man nicht nach Noten spielen darf.* Über den Plan zu einer Novelle (*Ledwina?*): *Ich wollte neulich eine Novelle schreiben, und hatte den Plan schon ganz fertig, meine Heldin trug schon zu Anfang der Geschichte den Tod und die Schwindsucht in sich, und löschte so nach und nach aus, dies ist eine gute Art die Leute todt zu kriegen, ohne daß sie brauchen den Hals zu brechen, oder an unglücklicher Liebe umzukom-*

men, aber da bringt mir das Unglück aus der Lesebibliothek 4 Geschichten nach der Reihe in die Hand, wo in jeder die Heldin eine solche zarte überspannte Zehrungsperson ist, das ist zu viel, . . . also habe ich meinen lieben, schön durchgearbeiteten Plan aufgegeben, mit großem Leid, und muß nun einen neuen machen, von dem ich noch nicht weiß wo her ich ihn kriegen soll. . .

Etwa 8. Februar: Brief an Maria Antoinette Sprickmann: Übersendung des Epos *Walther* als Namenstagsgeschenk für Anton Mathias Sprickmann.

8. Februar: Brief an Sprickmann: Die Droste schildert ihre Schwierigkeiten mit der Abschrift des *Walther* und referiert die unterschiedliche Aufnahme des Stücks im Verwandten- und Bekanntenkreis. Über *Bertha*: *Was mein damals angefangenes Trauerspiel anbelangt, so habe ich es noch fortgesetzt bis zum dritten Akt, dann blieb es liegen, und jetzt wird es auch wohl ferner liegen bleiben, Es enthält zwar mitunter ganz gute Stellen, aber der Stoff ist übel gewählt, hätte ich es in der damaligen Zeit fertig gemacht, wo ich dieses noch nicht einsah, sondern mir im Gegentheil diese Idee sehr lieb und begeisternd war, so wär es wohl so übel nicht geworden, aber es ist ein entsetzlicher Gedanke einen Stoff zu bearbeiten, für den ich nicht die mindeste Liebe mehr habe. . . außerdem habe ich in dieser Zeit* ‹seit dem letzten Brief an Sprickmann von Oktober 1818?› *nichts Bedeutendes aufzuweisen, außer einer Anzahl Gedichte, wovon verschiedene geistliche Lieder, die ich für meine Grosmutter geschrieben habe, vielleicht die besten sind . . .* Über Pläne zu einem Prosawerk ‹*Ledwina*?›: *ich möchte mich jetzt auch wohl einmahl in Prosa versuchen; und zwar, da ich mich nicht gleich anfangs übernehmen mag, in einer Novelle oder kleinen Geschichte, vorerst, aber, du lieber Gott, wo soll ich einen Stoff finden, der nicht schon. . . hundertfach bearbeitet und zerarbeitet wäre. . .* Die Lektüre von Werken aus der Leihbibliothek habe ihr bewußt gemacht, daß sie mit ihrem Plan, eine Novelle über eine *innerlich schon ganz zerstörte* Heldin zu schreiben, an einen *Lieblingsstoff* ihrer Zeit gelangt sei: *es ist mir aber nun unmöglich, meine Novelle fertig zu machen, da sie schon so viele Schwestern hat. . .* Ausführliche Beschreibung ihrer überreizten Phantasie und ihrer *Sehnsucht in die Ferne*, die sie als *Plagedämon* und *wunderlich verrücktes Unglück* bezeichnet. Gemeint sei damit ihr *unglückseliger Hang zu allen Orten, wo ich nicht bin, und allen Dingen, die ich nicht habe.* Zusendung von *Ich hab ein frommes Ritterkind erzogen. . .*, damit Sprickmann alles besitze, *was auf dieses Werkchen* ‹Walther› *Bezug hat.*

Sprickmann fertigt in der Folgezeit kritische Bemerkungen zum ersten und zweiten Gesang von *Walther* an.

1. März: Brief von Sprickmann: Er bedankt sich überschwenglich für das Epos *Walther*, das er kurz beurteilt. Er kündigt einen ausführlichen Brief mit einem detailierten Urteil an. (Diese Beurteilung stellt Sprickmann nicht fertig. Er läßt den Briefwechsel mit der Droste einschlafen.)

27. März: Ludowine von Haxthausen berichtet Dorothea von Wolff-Metternich aus Hülshoff: „Nette ... sagt alles was sie denkt; spielt uns zu gefalen oft den ganzen Tag am Flügel, läuft einen Tag in Wind und Wetter Spazieren und liegt dafür den ganzen Tag krum zu Bett; schreibt und liest sich einen Tag Blind; und darf dann wieder 3 Wochen kein Buch ansehen. ..“

April: Straube verbringt die Ostertage in Hülshoff. Intensivierung der Zuneigung zwischen der Droste und ihm. Sie erklärt ihm, daß sie ihn wie einen *Bruder liebhabe*. Vermutlich leiht sie ihm die *Scenen aus Hülshoff*. Er wird für den Herbst erneut eingeladen. Möglicherweise kommt es zu einem Briefwechsel.

Nach dem 10. April: Abreise nach Bökendorf, wo die Droste Straube vielleicht wiedersieht.

19. Mai: Anna von Haxthausen teilt Straube mit: „Die Ludowine und ich... schmieren Ihnen dies Butterbrot heute auf der Vorratskammer alleine. Die Nette ist schon früh tages nach Bellersen gelaufen und beichtet ihre Sünden.“ Sie bittet Straube um Rücksendung der *Scenen aus Hülshoff*.

Etwa Juni/Juli: Die Droste unternimmt zur Verbesserung ihrer Gesundheit bis Anfang September eine Kur in Bad Driburg. Gründe für die Kur sind häufige *Leib- und Magenschmerzen*, *Uebligkeiten* und beständiges *Kopfweh*. Sie wird vielleicht eine Zeitlang von Maria Anna von Haxthausen begleitet. In Driburg entsteht: *Bettellied*. Das Gedicht soll entstanden sein, als eine arme Frau aus der Umgebung (Frau Schneeberg) die Droste um Unterstützung gebeten habe.

Etwa 6. September: Rückkehr nach Bökendorf. Begegnung mit Straube, der etwa bis zum 19. bleibt.

Ende September-Mitte Dezember: Besuch im Damenstift in Neuenherse.

Oktober: Die Rückkehr der Droste nach Hülshoff wird auf Frühjahr 1820 verschoben.

20. Dezember: Brief an Therese vDH: *ich möchte ihr* ‹der Stiefgroßmutter Maria Anna von Haxthausen› *so gern zum Weihnachten einige geistliche Lieder machen, wenn ich nur kann...*

Ansicht der Badehäuser in Driburg. Zeitgenössische Lithographie von Ph. Herle.

Das Driburger Bad stand damals in dem Ruf, nicht nur körperliche Gebrechen, sondern auch nervöse Leiden, „hypochondrische und hysterische Zustände", zu heilen. Vielleicht war dies ein zusätzlicher Grund dafür, daß die von Kind an nervlich überreizte Annette von Droste-Hülshoff im Sommer 1819 das Bad besuchte. In Briefen an ihre Eltern schilderte sie, sichtlich begeistert, den Umgang mit den „bedeutenden" Personen des Bades. Ansonsten führen diese Briefe auch manche Klage über das „ungeheuere Geld", das der Besuch verschlinge. Einmal schreibt die Droste an ihre Bökendorfer Verwandten: „Ach liebe Grosmutter und Tanten wenn ihr mir doch wollet ein Bischen Butter schicken, hier zu Lande ist sie sehr theuer und schlecht, . . .wenn ihr mir wollet etwas süßes Brod und einen Käse dazu schicken, dann würde ich euch sehr dankbar seyn. . .". – Im Jahre 1796 hatten Friedrich Hölderlin und Wihelm Heinse das Driburger Bad besucht. Weitere „literarische Gäste" waren u.a. Sophie von La Roche und Johann Caspar Lavater.

Nach dem 20. Dezember: Aufenthalt in Wehrden (Familie von Wolff-Metternich).

Die Droste schenkt ihrer Stiefgroßmutter Maria Anna von Haxt-

„Strubens rechtliche Bedenken“. Heinrich Straube (1794-1847), die Jugendliebe der Droste.

Straube studierte seit 1811 gemeinsam mit August von Haxthausen in Clausthal-Zellerfeld Bergwissenschaft. 1813 wechselten beide zum Studium der „Kameralwissenschaft“ an die Universität Göttingen. Haxthausen führte den mittellosen und nicht sehr studieneifrigen Freund in seine Familie ein, die Straube mehrere Jahre finanziell unterstützte. Die Liebesbeziehung zwischen der Droste und Straube schloß auch das Interesse am literarischen Schaffen des anderen mit ein. Unter Einfluß Straubes nahmen die Texte des „Geistlichen Jahres“ möglicherweise einen existentielleren Charakter an.

hausen zu Weihnachten das sog. „Weweralbum“ (heute verschollen), in das sie die religiösen Gedichte einträgt, die vor Februar 1820 entstanden sind. Möglicherweise entstehen zum Weihnachtsfest 1819 die religiösen Texte *Glaube*, *Hoffnung*, *Liebe*, die die Droste ebenfalls in das Album einträgt. Aus dieser Weiterarbeit entsteht möglicherweise die Idee, der Großmutter zu jedem Fest des Kirchenjahres ein geistliches Lied zu schenken (Plan zum *Geistlichen Jahr*). Bis Ende Januar entstehen für Maria Anna von Haxthausen: *Neujahr*; *Am Feste der hl. drey Könige*; *Am Feste vom süßen Namen Jesus.*

1820

Es entsteht: *Noth.*

Es erscheint das „Frauentaschenbuch für das Jahr 1820 von de la

Annette von Droste-Hülshoff um 1820. Miniatur von Jenny von Droste-Hülshoff.

„Fräulein Sophie gleicht ihrem Bruder auf's Haar, ist aber mit ihren achtzehn Jahren bedeutend ausgebildeter und könnte interessant sein, wenn sie den Entschluß dazu faßte – ob ich sie hübsch nenne? sie ist es zwanzig Mal im Tage und eben so oft wieder fast das Gegentheil, ihre schlanke, immer etwas gebückte Gestalt gleicht einer überschossenen Pflanze, die im Winde schwankt, ihre nicht regelmäßigen und scharf geschnittenen Züge haben allerdings etwas höchst Adliges und können sich, wenn sie meinen Erzählungen von blauen Wundern lauscht bis zum Ausdruck einer Seherin steigern. . ." (autobiographisches Porträt aus „Bei uns zu Lande").

Motte Fouqué" mit „Babylon. Idyllen v. L.M. Fouqué". Die Droste gestaltet das Thema vermutlich Anfang der 20er Jahre in ihrem Libretto *Babylon* eigenständig aus. Als Auszug aus dem Opernentwurf entsteht die Kompositon *Aria* (*Schön und lieb wars auf der Wiesenmatten. . .*). Aus dem „Frauentaschenbuch" vertont die Droste weiterhin den Goethe-Text „Liebe schwärmt auf allen Wegen. . .".

Wilhelmine von Thielmann zieht nach Koblenz.

Um 1820: Die Droste fertigt einen Auszug aus Stolbergs Hexametergedicht in 5 Gesängen „Die Zukunft" an.

1820er Jahre: Vertonung der Goethe-Gedichte: *Offene Tafel*; *Zigeunerlied*; *Hebe selbst die Hindernisse. . .*; *Wer nie sein Brod mit Tränen ass. . .* sowie Brentanos *Wenn die Sonne weggegangen . . .*

Weitere musikalische Arbeiten, zu denen vermutlich auch das Libretto *Der Galeerensklave* (Entwurf der ersten vier Akte) gehört. – Vermutlich lernt die Droste über den Münsterer literarischen Salon der Bernhardine von Wintgens die schriftstellerisch tätigen preußischen Beamten Karl von Puttlitz, Johann Ferdinand Neigebaur und Heinrich Wilhelm Loest kennen.

Etwa Anfang Januar: 8tägiger Aufenthalt in Abbenburg.

23. Januar: Rückkehr nach Wehrden.

26. Januar: Trotz sehr kurzer Vorbereitungszeit erfolgreicher Auftritt in einem Konzert in Höxter. Die Droste singt Duetts und übernimmt die Klavierbegleitung.

28. oder 29. Januar: Übersetzung eines Liedes für Franzisca von Haxthausen.

Es entsteht: *Am Feste Mariä Lichtmeß*.

Brief an Ludowine von Haxthausen: Sie plane, für Maria Anna von Haxthausen ein geistliches Lied zum Lichtmeßtag zu verfassen. Diese solle es jedoch noch nicht in ihr Buch (das „Weweralbum") schreiben, da die Droste für die drei vorhergehenden Feste (Neujahr, Dreikönige und Süßer Name Jesu) ebenfalls Lieder verfaßt habe, die sie noch abschreiben müsse und dann zusenden werde. Sie hoffe, in Zukunft zu jedem kirchlichen Festtag ein geistliches Lied schicken zu können.

Es entstehen bis etwa Ostern (2.4.), vermutlich in relativer zeitlicher Nähe zu den einzelnen Festtagen, aus dem *Geistlichen Jahr*: *Am Aschermittwochen*; *Am vierten Sonntage in der Fasten* (*Josephsfest*); *Am Palmsonntage*; *Am Montage in der Charwoche*; *Am Charfreytage*; *Am Charsamstage*; *Am Ostersonntage*; *Am Ostermontage*.

Februar: Aufenthalt in Hinnenburg (Familie von Bocholtz-Asseburg).

Mitte Februar: 3wöchige *Äquinoktialskrankheit* mit Gewichtsverlust. Wegen starken Hustens Schreib- und Leseverbot.

10. März: Im Anschluß an einen Aufenthalt in Hinnenburg Rückkehr nach Bökendorf.

31. März: In Bökendorf Begegnung mit dem Hamburger Kaufmannssohn Friedrich Beneke. Dieser hält in seinem Tagebuch über die Droste fest: „Endlich mit Gel‹egenheit› Bökendorf, wo ich freundlich empf‹angen› ward. Abends 4 1/2 Uhr. Was von der Familie H‹axthausen› anwesend, bestand: . . . 5) Minette von Drost Hülleshoff, Nichte der beiden Mädchen. Dieses wunderbare, höchst interessante Mädchen ist ganz eigener Art. Was ich ‹über Werner von Haxthausen› von ihr wußte, ehe ich kam, war folgendes:

Ansicht der Hinnenburg bei Brakel. Zeichnung von Ludwig Emil Grimm, 1821.

Auf der Hinnenburg bei Brakel wohnte eine Cousine der Droste, Franzisca („Frenzchen") von Bocholtz-Asseburg geb. von Haxthausen. Bei ihren Aufenthalten im Paderbornischen waren Besuche bei der Familie von Bocholtz-Asseburg und bei ihren anderen Verwandten für die Droste eine oft lästige familiäre Pflichtübung. Am 19. Juli 1838 begründet sie, inzwischen seit über dreieinhalb Monaten in Abbenburg, weshalb sie bis dahin „noch keine Zeile" an Schlüter habe schreiben können: „ich lebe hier noch fortwährend wie auf der Heerstraße, bin nie über 2-3 Stunden an Einem Orte, und da meine immer von vorn beginnende Runde mich durch 9 Orte führt, so komme ich an jeden doch hinlänglich spät um gescholten zu werden, und die kurze Zeit meines Aufenthalts ausschließlich meinen temporairen Herrschaften zuwenden zu müssen, um sie zu besänftigen, es ist wirklich, wo nicht unangenehm, doch mindestens sehr angreifend, allzuviel Verwandte zu haben, die Alle gleiche Ansprüche machen. . ." Ähnlich klagt sie im Brief an Levin und Luise Schücking vom 20. Juni 1844: „Gott gebe, daß wir jetzt nur nicht durchs Paderbörnische müssen, zu einer Rundtour bey allen Verwandten! das würde bis zum Herbst hin-

Schloß Hinnenburg. Lithographie von Ph. Herle 1830/1840.

Vom 13. bis Ende des 18. Jahrhunderts war die Burg im Besitz der Familie von Asseburg. Sie kam dann durch Erbvertrag an die Familie von Bocholtz, die sich fortan Bocholtz-Asseburg nannte.

‚M‹inette› ist überaus gescheut, talentvoll, voll hoher Eigenschaften und dabei doch gutmütig; . . . ist eigensinnig und gebieterisch, fast männlich, hat mehr Verstand wie Gemüt, ist durchbohrend‹?› witzig usw.; sie ist schon izt, 18 Jahr alt, Autorin und arbeitet an einer Oper. Werner von H‹axthausen› ist der einzige, den sie fürchtet, weil er bei jeder Gelegenheit sie demütigt.‘ Demnach hatte ich schon eine Art Widerwillen gegen sie gefaßt, und ich hatte es mir vorgenommen, wo und wann auch ich sie träfe, es wie Werner zu machen. Aber wie hat sich das alles geändert! . . . Den Abend, wie ich ankomme, sehe ich im Vorbeigehen eine

halten und ist ein fatales Hängen zwischen Himmel und Erde,– überall in den allerengsten Beschlag genommen, und doch nirgends heimisch und bequem,– ein Reisesack die stehende Equipage, und keine Minute für sich zum Arbeiten oder Ruhen. . .“ Im Brief an Elise Rüdiger vom 24. Juli 1843 heißt es noch drastischer: „fängt man erst an, so hängen die Visiten aneinander wie ein Kälbergekröse, und ich bin ihrer auch ebenso satt!“

„Bökendorf am Tisch auf der Entrée / Septemb 1827." Karikatur von Ludwig Emil Grimm, 1827.

sehr feine, kleine Figur, sehr stark blond, ein hübsches Gesicht, ein Paar bedeutende blaugraue Augen. Ich denke, eins von den vielen hier seyenden Kammerkätzchen, und nehme nicht weiter Notiz von ihr. Nachdem ich schon ein paar ‹?› Stunden bei Fr. v. H‹axthausen› erzählt habe von Köln, erscheint das kleine Figürchen als ein Fräulein Nichte. Noch immer nehme ich nun a b s i c h t l i c h wenig Notiz. Der Abend kommt, der alte Herr nimmt mich ganz in Beschlag und erzählt nur 50jährige Anecdoten. Nach Tisch entfernt er sich, und die Mädchen setzen sich ins Sofa. Eine neue Conversation beginnt. Ich fahre fort, gegen Minette ganz hoffärtig zu seyn. Das scheint ihre Aufmerksamkeit zu erregen, und als ich endlich sogar etwas, was sie sagte, zu persiffliren begann, sagte sie sehr ruhig: ‚Lieber Herr, Sie scheinen etwas gegen mich zu haben; bitte, sagen Sie mir doch, was

August von Haxthausen, Gitarre spielend und singend. Karikatur von Ludwig Emil Grimm, 1827.

„Die Gesellschaft sitzt Abens in Böckendorff am Camin alles will dem August zuhören, er singt aber die langweilige Arie, Bist'en guter Junge' alle schlafen nach und nach ein, er auch."

halten Sie denn eigentlich von mir?' – Es war schon viel gesprochen, und es schien mir wirklich, als habe sich schon so etwas Gebieterisches, Unweibliches bei ihr ausgesprochen, zumal neben der sanften, etwas schüchternen Louise. Diese Aufforderung kam mir erwünscht, und ohne Schonung antwortete ich ihr: ‚daß es mir schiene, als sey ihr Geist unweiblich.' Sie sah mich recht durchdringend an, in ihrem Blicke war etwas Trauriges, Schmerzhaftes. Sie sagte sehr sanft: ‚Ich verzeihe Ihnen Ihr keckes, hartes Urteil. Sie kennen mich nicht.'

Dann fragte sie späterhin, als wir grade allein waren: ‚Die Hand aufs Herz, kamen Sie nicht mit einem Vorurteil gegen mich hieher?‘ Ich leugnete das aus sehr begreiflichen Gründen. Sie blieb nun sehr sanft, obwohl recht lebhaft. Des anderen Morgens nach dem Frühstück schlug sie einen Spatziergang vor, flüchtig hinzufügend: ‚meine Tanten sind sehr beschäftigt, wir werden allein gehen.‘ ... Das Gespräch war herzlich, aber ohne bestimmte Richtung. Endlich nach vielen Prüfungsfragen forschend, durchdringend, sagte sie: ‚Lieber Herr, ich kenne Sie eigentlich nicht, doch halte ich Sie für gut, und für einen Mann von Ehre; was ich Ihnen erzählen werde, wird Ihnen vielleicht unglaublich vorkomen, aber versprechen Sie mir Verschwiegenheit; ich fühle mich gedrungen, mit Ihnen recht von Herzen zu reden.‘ Es entstand nun ein Gespräch, eins der interessantesten meines Lebens. Ich übergehe, was sie mir über ihre Kindheit, der sie kaum entwachsen, ihre Verwandten-Verhältnisse usw. sagte, eine solche scharfe Klarheit des Verstandes, so unbefangen und tief ist mir selten vorgekommen, und das neben einer so zarten, rührenden Unschuld und Gemüthstiefe, neben so vieler Liebe. Das Ganze gehalten von bedeutender Geisteskultur und Bildung. Sehr schmerzhaft aber ist der Punct mit dem Onkel Werner, mit dem sie in einer vollkommenen Antipathie ist. ‚Ich will ihn so gern lieben‘, sagte sie, ‚aber er beleidigt, er kränkt mich bey jeder Gelegenheit auf das schonungsloseste, er fühlt das selbst und giebt sich oft die sichtbarste Mühe, gütig gegen mich zu seyn, und doch verläßt ihn bei jedem neuen Anlaß aller Tact.‘ Sie erzählte nun Belege. Schon oft habe ich von diesem seltsamen Mädchen früher gehört, wie sehr sie, ohne je magnetisch zu seyn, alle die Erscheinungen habe, die in das Gebiet des ‚Klarsehens‘ gehörten. Sie fing selbst davon an, und nachdem sie mir abermals Verschwiegenheit abgefordert, erzählte sie mir Dinge, die mich fast mit Schauer erfüllten. Ich unterdrücke hier die reichen Details und will nur das Entsetzlichste von Allem erwähnen: ihr erscheint sehr häufig im Traum ein Gesicht, nicht widrig, aber stets das nämliche, sie mit Grauen erfüllend. Es giebt ihr stets Rath zu zauberischen Versuchen, sagt ihr Dinge vorher, die stets eingetroffen, ja beurkundet sich auf die unwidersprechlichste Weise durch kleine Gaben der sonderbarsten Art. Anfangs hat sie sich verleiten lassen, Versuche zu machen, die auf überraschende Weise gelingen. Endlich aber hat sie sich zu Gott gewandt, und lange schon ist der dunkle Geist gewichen, der nun nur noch zuweilen anpocht; izt fühlt sie sich auch körperlich wohler. Ich würde nicht fertig werden, wenn ich nur die Hälfte hiehersetzen würde von den

Geständnissen, die sie mir machte.– Übrigens bin ich keinen Augenblick zweifelhaft, ihren Zustand für den des Magnetismus zu halten. . . Aber doppelt merkwürdig ist das alles bey einam jungen, sonst freylich ‹?› heiteren Mädchen, fern von aller Ziererey ‹?›, Affection und Sentimentalität, bey einem Mädchen von ungemeinem Verstande, von großer Lebendigkeit. – Endlich nach zwey Stunden kehrten wir zurück. Sie war ungetrübt heiter und gesprächig.– Abends setzte sie sich ans Klavier. Ihr Spiel ist fertig, etwas heftig und überschnell, zuweilen etwas verworren. Mit der größten Leichtigkeit spielte sie das Hauptsächlichste des Don Juan, und andere Hauptsachen, durch. Ihre Stimme ist voll, aber oft zu stark und grell, geht aber sehr tief und ist dann am angenehmsten. Wirklich componirt sie izt an einer Oper. Abends nach Tisch bis gegen Mitternacht noch sehr lebhaftes Gespräch mit M. Des andern Morgens – – gestern – . . .gegen Neun Uhr fort. Ich zögerte, um Minette noch zu sehen, aber vergebens, sie erschien nicht mehr. . . . Das Wetter war düster, und auch ich war es, und stark beschäftigt mit der ZauberJungfrau, die – ich gestehe es – einen tiefen, vielleicht nie verlöschenden Eindruck auf mich hinterlassen hat.“

Etwa 2. April (Ostern): Weiterarbeit am *Geistlichen Jahr*. Die Droste gibt ihren Plan, ihre geistliche Gedichte an ihre Stiefgroßmutter zu adressieren, auf. Der Zyklus erlangt vielmehr persönlichen Bekenntnischarakter. Retrospektiv erscheinen ihr die nun entstehenden Gedichte *völlig unbrauchbar* für die Großmutter. Sie schreibt später: *Die wenigen zu jener mislungenen Absicht ‹Texte für die Großmutter zu schreiben› verfertigten Lieder habe ich ganz verändert, oder wo dieses noch zu wenig war, vernichtet. . .* Mitverantwortlich für die Konzeptionsänderung könnte der Einfluß Straubes sein, der die Osterferien in Bökendorf verbringt und sich selbst mit religiösen Gedichten beschäftigt. Nachdem die Droste zunächst nur Gedichte auf die kirchlichen Festtage verfaßt hat, bezieht sie nun auch die Sonntage des Kirchenjahres in den Gedichtzyklus ein. Die Neukonzeption äußert sich auch darin, daß sie den nun entstehenden Texten – ähnlich wie Straube bei seinen Gedichten – einen Evangelientext voranstellt, den sie im Gedicht poetisch ausgestaltet. Es entstehen: *Am dritten Sonntage nach h. drey Könige*; *Am vierten Sonntage nach h. drey Könige*; *Am fünften Sonntage nach h. drey Könige*; *Fastnacht*; *Am ersten Sonntage in der Fasten*; *Am zweyten Sonntage in der Fasten*; *Am dritten Sonntage in der Fasten*; *Am fünften Sonntage in der Fasten*; *Am Feste Mariä Verkündigung*; *Am*

„Der Anna ‹von Haxthausen› ihr Zimmer in Böckendorff." Zeichnung von Ludwig Emil Grimm, 1827

Der Gitarrenspieler im Mittelpunkt des Bildes ist Ferdinand von Droste-Hülshoff, Bruder der Droste. Begleittext: „um 3 Uhr / Nach Tisch hat er auf die Jagd / gehn wollen jetzt ists bald 1/2 7. u ist noch unentschlossen / was er thun will dafür / singt / der edle Ferdinand / Schlumre Sanft, etc: / oder / Wie wars doch so anders / als du mir zur Seite. . ." In einem eigenen Karikaturenheft hat Ludwig Emil Grimm den Bökendorfer Romantik-Kreis szenisch porträtiert.

Dienstage in der Charwoche; *Am Mittwochen in der Charwoche*; *Am Grünendonnerstage.*

Intensivierung der Liebesbeziehung zu Straube, der noch bis etwa Mitte April bleibt. Beim Abschied hoffen beide auf ein Wiedersehen

August von Arnswaldt (1789-1855), Zeichnung aus dem Jahre 1823.

August von Arnswaldt, der einer hannoverischen, protestantischen Adelsfamilie entstammt, schlug nach dem Studium in Göttingen die juristische Laufbahn ein. In seiner Studienzeit verfolgte er daneben theologische und literarische Interessen mit einer besonderen Vorliebe für die Literatur und Sprache des Mittelalters und der Romantik. Er war damals Mitglied des von seinem Studienfreund August von Haxthausen mitbegründeten romantischen Dichtervereins „Die poetische Schusterinnung an der Leine", in dessen Publikationsorgan „Die Wünschelruthe" er unter dem Pseudonym „Hans auf der Wallfahrt" Gedichte veröffentlichte. Die Droste lernte Arnswaldt 1820 in Bökendorf kennen, als er im Einvernehmen mit seinem Freund Heinrich Straube nach Bökendorf kam, um die Liebe der Droste zu Straube auf die Probe zu stellen. An dieser Intrige zerbrach die Beziehung der Droste zu Straube.

◁ *Straube auf der Entenjagd. Karikatur von Ludwig Emil Grimm, 1818.*

Die vorliegende Karikatur (linke Seite) entstand am 30. September 1818 in Abbenburg. Im Vormonat, am 23. August, hatte Jenny Droste ihrer Mutter aus Bökendorf berichtet: „Straube war ein paar Tage hier und ist jetzt in Apenburg, er gefällt uns nicht übel, etwas ganz eigenes hat er."

im September 1820. Bekanntschaft mit dem 28jährigen Kasseler Architekten Johann Heinrich Wolff. Mit ihm näheres, aber für sie unbedeutendes Freundschaftsverhältnis, über das sie sich mit Straube ausspricht.

Juni: Es entsteht: *Wie sind meine Finger so grün. . .*

Wie sind meine Finger so grün
Blumen hab ich zerrissen
Sie wollten für mich blühn
Und haben sterben müssen
Wie neigten sie um mein Angesicht
Wie fromme schüchterne Lieder
Ich war in Gedanken, Ich achtets nicht
Und bog sie zu mir nieder
Zerriß die lieben Glieder
In sorgenlosem Muth
Da floß ihr grünes Blut
Um meine Finger nieder
Sie weinten nicht, sie klagten nicht,
Sie starben sonder Laut
Nur dunkel ward ihr Angesicht
Wie wenn der Himmel graut
Sie konnten mirs nicht ersparen
Sonst hätten sie's wohl gethan,-
Wohin bin ich gefahren!
In trüben Sinnes Wahn!
O thöricht Kinderspiel!
O schuldlos Blutvergießen!
Und gleichts dem Leben viel,
Laßt mich die Augen schließen,
Denn was geschehn, ist geschehn
Und wer kann für die Zukunft stehn!

Die Droste soll dieses Gedicht Anna von Haxthausen aus dem Stegreif diktiert haben.

Sommer: Begegnung mit August Heinrich Hoffmann von Fallersleben, der auf einer Wanderung, die ihn über Unna, Soest und Paderborn nach Höxter führt, von Driburg aus einen Abstecher zur Familie von Haxthausen in Bökendorf unternimmt.

Die Droste, August von Arnswaldt (links) und Heinrich Straube. Karikatur von Ludwig Emil Grimm, 1820.

Der Text lautet: „einen kus aus eurem Munde meine Seele gäb ich drum“. Die Szene illustriert die sog. Arnswald-Straube-Affäre. Arnswaldt und Straube werben um die Gunst der Droste, die sich in dieser Doppelneigung unglücklich verstrickte.

Etwa Mitte Juli: August von Arnswaldt kommt nach Bökendorf. Mit ihm möglicherweise Diskussionen über theologische Fragen, die auf die Texte des *Geistlichen Jahres* und deren existentielle Aussage Einfluß genommen haben könnten.

Nach Absprache mit August und Anna von Haxthausen sowie Straube, der bereits nach Göttingen zurückgekehrt ist, soll Arnswaldt die Liebe der Droste zu Straube auf die Probe stellen. Im Brief an Anna von Haxthausen von Dezember 1820 schreibt die Droste rückblickend: *ich hatte Arns‹waldt› sehr lieb, auf eine andre Art wie St‹raube› St‹raubens› Liebe verstand ich lange nicht, und dann rührte sie mich unbeschreiblich und ich hatte ihn wieder so lieb, daß ich ihn hätte aufessen mögen, aber wenn Arns‹waldt› mich nur berührte, so fuhr ich zusammen, ich glaube, ich war in Arns‹waldt› verliebt, und in Str‹aube› wenigstens nicht recht, aber das Erste ist vergangen, noch eh er abreiste, da er sich ein Paarmahl, wohl um mich zu prüfen, etwas sehr unfein ausdrückte, ich sagte es ihm auch noch den letzten Morgen, eh' er abreiste, daß ich ihn zu lieben geglaubt, aber seine Äußerungen, es plötzlich gestört hätten... ich... war durch dies Gefühl und Bekenntniß sehr erleichtert und wartete nunmehr mit Angst und Sehnsucht auf den September, denn ich hatte die dunkle Idee St‹raube› Alles zu sagen... ich sagte es auch Arns‹waldt›, vor dem Weggehen, daß er mir nicht schreiben, und mich doch auch lieber nicht zu Hülshoff besuchen möchte, wie er zu wollen vorgab, er bestand auf beydes... Arnswaldt muß mich von Anfang an gehaßt haben, denn er hat mich behandelt wie eine Hülse, die man nur auf alle Art drücken und brechen darf um zum Kern zu gelangen – er hat mir eine unabsichtlich durchscheinende Neigung auf alle Weise bewiesen... ein wahrscheinlich sehr herbey geführtes Mißverständniß ließ mich glauben, daß Arns‹waldt› mir seine Neigung gestanden und ich stand keinen Augenblick an, auch meine Gesinnungen offen zu gestehen, das glaubte ich irrig zu dürfen, da ich fest entschlossen war, ihm meine Hand zu verweigern, wenn er sie fordern sollte, ich entdeckte ihm deshalb mein Verhältniß zu St‹raube› nun entfaltete er das Mißverständniß und ich fühlte mich beschämt aber nicht erniedrigt, da er sich hierbey mit der äußersten Feinheit und Freymüthigkeit benahm, und mich aufs Wärmste seine Freundinn nannte, nun fragte er noch wegen St‹raube› ich konnte ihm nicht Alles sagen und wollte doch nicht lügen, so verwirrte ich mich und er ängstete mich dermaßen durch seine Fragen, daß ich doppelsinnige Antworten gab und so noch endlich das Ganze äußerst verstellt und verändert dastand ich habe überhaupt, auch oft*

Die Taxuswand.

Ich stehe gern vor dir,
Du Fläche schwarz und rauh,
Du schartiges Visier
Vor meines Liebsten Brau;
Gern mag ich vor dir stehen,
Wie vor grundirtem Tuch,
Und drüber gleiten sehen
Den bleichen Traumeszug;

Als mein die Krone hier,
Von Händen die nun kalt;
Als man gesungen mir,
In Weisen die nun alt;
Vorhang am Heiligthume,
Mein Paradiesesthor,
Dahinter Alles Blume,
Und Alles Dorn davor.

Denn jenseits weiß ich sie,
Die grüne Gartenbank,
Wo ich das Leben früh
Mit glühen Lippen trank,
Als mich mein Haar umwallte
Noch golden wie ein Strahl,
Als noch mein Ruf erschallte,
Ein Hornstoß durch das Thal.

Die Taxuswand, Faksimile der Reinschrift für die Ausgabe der „Gedichte“ 1844.

Es wird angenommen, daß der Text unmittelbare Bezüge zum „Arnswaldt-Straube-Erlebnis“ aufweist und sich auf den Garten in Bökendorf oder Abbenburg bezieht.

vielmehr zu ihm gesagt, wie ich sollte, aber dieser stille tiefe Mensch hatte für die Zeit eine unbegreifliche Gewalt über mich und zudem ließ mich sein Betragen glauben, daß er mich im Grunde doch liebte, aber gegen sein Wollen, mit mir stand es ebenso und dies verkehrte Verhältniß, gab mir eine Verwirrung und Schmerz, die wohl keiner ahndete. . .

Ende Juli/Anfang August: Rückkehr der Droste nach Hülshoff.

Etwa 6. August: August von Arnswaldt und Heinrich Straube kündigen der Droste brieflich ihre Freundschaft auf. Arnswaldt erklärt, es sei seine einzige Absicht gewesen, seinen Freund Straube vor der Droste „zu retten", was ihm leicht gefallen wäre, weil Straube bereits fast gerettet gewesen sei.

Der Brief wird am 6.8. durch von Arnswaldt an August von Haxthausen nach Bökendorf geschickt, der ihn über Caroline von Haxthausen der Droste zukommen lassen soll: „Straube ist f r e i – Keiner von uns wird wohl jemals nach Hülshoff gehen – Dieser Brief bricht alles ab. Wie? Das frage nie, . . . nur auf dem eingeschlagenen Wege kann gerettet werden, was noch zu retten ist. . ."

Etwa Anfang September: Caroline von Haxthausen beschreibt August von Haxthausen die Reaktion der Droste auf den Absagebrief Straube/Arnswaldts: „Ich habe den Brief an Nette besorgt. Sie schüttelte vielmals den Kopf unterm Lesen und, als sie von der unbescheiden scheinenden Gegenwart befreit war, hörte ich sie noch lange auf ihrem Zimmer auf und ab heftig gehen. Andern Morgens war sie aber wie immer, und es scheint mir kein bleibender Eindruck davon geblieben."

Der Droste werden in der Folgezeit, insbesondere von Carl, August und Anna von Haxthausen, wegen ihres Verhaltens gegenüber Straube und Arnswaldt schwerwiegende Vorwürfe gemacht. Ihre Beziehung zu August von Haxthausen bricht für mehrere Jahre ab. Sie vermeidet bis 1837 Besuche in Bökendorf. Wie Straube leidet sie jahrelang unter der Trennung. Es kommt zu keiner weiteren Begegnung. Im Brief an Anna von Haxthausen von Dezember 1820 heißt es: *Anna ich bin ganz herunter, ich habe keine auch nur mäßig gute Minute. . . .ich denke immer nur an St‹raube›.* Sie habe mehr als drei Monate unvorstellbar gelitten und nehme an, daß dieser Zustand lebenslang anhalte. Weiter heißt es: *Ich bin zuweilen etwas wild, wenn ich mal nicht an St‹raube› denke . . . aber das kömmt selten, denn ich denke Tag und Nacht an Str‹aube› ich habe ihn so lieb, daß ich keinen Namen dafür habe, er steht mir so mild und traurig vor Augen, daß ich oft die ganze Nacht weine und ihm immer in Gedan-*

Anna von Haxthausen (1801-1877), verheiratete von Arnswaldt, 1829. Zeichnung von Ludwig Emil Grimm.

Anna von Haxthausen war die jüngste von acht Töchtern des Werner Adolf von Haxthausen. Bereits 10jährig war sie eine eifrige Beiträgerin zu den Märchensammlungen der Grimms. Sie war die nächste Vertraute der Droste in der sogenannten „Straube-Affäre". Wegen ihrer doppeldeutigen Rolle - die Droste wollte wieder mit Straube in Kontakt treten, was Anna von Haxthausen jedoch verhinderte - kam es zum Freundschaftsbruch. 1827 erfolgte in Hülshoff eine Aussprache, die unversöhnlich endete. Am 20. November 1830 heiratete Anna von Haxthausen den an der „Affäre" beteiligten August von Arnswaldt, mit dem sie in Hannover lebte.

ken vielerley erkläre, was ihm jetzt fürchterlich dunkel sein muß. . .

In dieser Zeit Weiterarbeit am *Geistlichen Jahr*, um den ersten Teil des Zyklus zum Namenstag Therese vDHs (15.10.1820) zum Abschluß zu bringen. Im Brief an Anna von Haxthausen von etwa März 1821 heißt es: *Sie* ‹die geistlichen Lieder› *sind zu einer Zeit geschrieben, wo ich durch die mir überall bewiesene Liebe und Hochachtung noch unendlich niedergedrückter war, wie jetzt, wo ich mich ermuthigt habe, auch diese gewiß schwere Prüfung mit Kraft zu tragen. – Der Zustand meines ganzen Gemüthes, mein zerrissenes schuldbeladenes Bewußtsein liegt offen darin dargelegt, doch ohne ihre Grün-*

de... Zur Weiterarbeit am Gedicht zu Gründonnerstag heißt es später in einem Brief an Anna von Haxthausen vom Herbst 1821: *vorzüglich ist das Lied am Gründonnerstage zu einer Zeit, wo sehr heftige Kopfschmerzen mir zuweilen eine solche Dumpfheit zuzogen, daß ich meine Geisteskräfte der Zerrüttung nahe glaubte, unter den schrecklichsten Gefühlen geschrieben...*

9. Oktober: Brief an Therese vDH (Widmungsbrief zum ersten Teil des *Geistlichen Jahres „An meine liebe Mutter*'): *Du weißt, liebste Mutter, wie lange die Idee dieses Buchs in meinem Kopfe gelebt hat, bevor ich sie außer mir darzustellen vermochte... So habe ich geschrieben, immer im Gefühl der äußersten Schwäche, und oft wie des Unrechts, und erst seitdem ich mich von dem Gedanken, für die Grosmutter zu schreiben völlig frey gemacht, habe ich rasch und mit mannigfachen, aber immer erleichternden Gefühlen gearbeitet, und, so Gott will, zum Segen. – Die wenigen zu jener mislungenen Absicht verfertigten Lieder habe ich ganz verändert, oder wo dieses noch zu wenig war, vernichtet, und mein Werk ist jetzt ein betrübendes aber vollständiges Ganzes, nur schwankend in sich selbst, wie mein Gemüth in seinen wechselnden Stimmungen.*

15. Oktober: Die Droste schenkt ihrer Mutter zum Namenstag das *Geistliche Jahr*. Vermutlich plant sie eine spätere Weiterarbeit an dem Text. Therese vDH liest die Gedichte *sehr aufmerksam und bewegt* durch, läßt das Buch dann aber für längere Zeit unbeachtet, so daß die Droste es wieder an sich nimmt. Therese vDH erkundigt sich später nicht weiter nach den Gedichten.

Dezember: Brief an Anna von Haxthausen: Die Droste zieht Anna von Haxthausen über die Vorgänge des Arnswaldt-Straube-Erlebnisses ins Vertrauen und rekapituliert den Verlauf der Ereignisse aus ihrer Sicht. Sie habe große Schuld auf sich geladen und liebe Straube immer noch. Inständige Bitte an Anna von Haxthausen, zwischen ihr und Straube zu vermitteln.

Etwa 20. Dezember: Die von der Droste gewünschte Vermittlung wird von Anna von Haxthausen in der Folgezeit nicht geleistet. Sie schickt Straube den Brief der Droste vom Dezember 1820 und rät ihm, nicht von sich aus den Kontakt wieder anzuknüpfen: „Lieber Straube, nein, ich glaube nicht, daß es gut ist, wenn Nette Ihnen schreibt. Wär' sie schon ganz fest in ihrer Besserung, ja dann würde es mich selbst erfreuen. Aber sie ist noch ein zartes Pflänzchen, das wir pflegen müssen, und so fürchte ich, daß es nicht gut wäre, wenn sie ‹die Droste› glauben könnte, sich mit Ihnen versöhnt zu haben

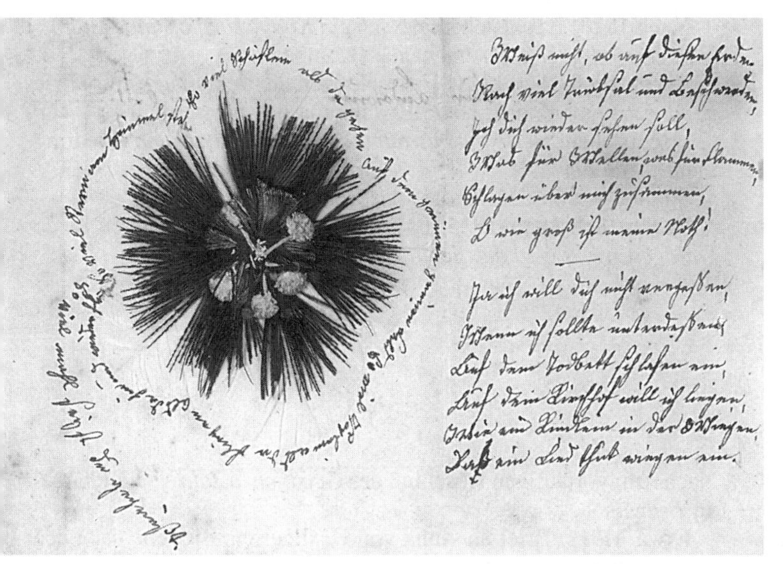

Eines von mehreren „frommen" Albumblättern, wie sie die Droste für Mitglieder ihrer Familie verfaßte.

(getilgt: die große Schuld, die sie gegen Sie hat). ‹Die Droste› muß zu ihrer Buße noch oft den Vorwurf in sich fühlen, wie schlecht sie gegen Sie gehandelt hat – glaubt sie aber sich gegen Sie gerechtfertigt, oder auch nur ganz Verzeihung, dann möchte sie am Ende auch glauben, gegen den Himmel nichts mehr verbrochen zu haben und wie kann sie das?"

24. Dezember: Zum Weihnachtsfest 1820 Rückgabe des „Wewer-Albums" an Maria Anna von Haxthausen mit dem Eintrag weiterer Gedichte aus dem *Geistlichen Jahr*. Im Gegensatz zur Reinschrift für die Mutter stellen die Texte *nur eine kleine veränderte Auswahl* dar. Die Droste trägt nur diejenigen Gedichte ein, die noch keinen existentiellen Bekenntnischarakter tragen.

Herbst/Winter: Die Droste widmet Franzisca von Bocholtz-Asseburg „Jubel der Seele", eine Übersetzung aus Friedrich von Spee zu Langenfelds „Trutz-Nachtigall" – Lektüre: Johann Gottwert, gen. Müller von Itzehoe: Siegfried von Lindenberg (1790).

Nach 1820: Es entstehen: *Als ich ein Knabe sorglos unbewußt. . .*; *Farben sind genug beisammen. . .*(Komposition)

Vermutlich 1820/1821: Erste Notizen zur *Judenbuche*, überwiegend zum Judenmord; kurze Erwähnung des Förstermordes.

Es entstehen: *Herbstnachttraum* (Liedfragment); *Iduna* (Liedfragment); *Ach der Lenz ist bald verflossen. . .* (Liedfragment).

Straube widmet der Droste das Sonett „Letztes Mittel".

Vermutlich 1820–1825: Es entstehen die mehrstimmigen Lieder *Waldgesang*; *Sonne des Schlaflosen*; *Treue*.

1821

Nach dem vorläufigen Abschluß des *Geistlichen Jahres* Weiterarbeit an *Ledwina*.

Etwa März: Brief an Anna von Haxthausen: Sie lebe nach dem Arnswaldt-Straube-Erlebnis sehr zurückgezogen. Sie sei zwar noch niedergeschlagen, aber innerlich gefestigter. Sie bezichtigt sich selbst einer *bösen Richtung* ihres Charakters. Die unerbittliche Bestrafung, die sie erfahren habe, sei gerechtfertigt. Über ihre Arbeit am *Geistlichen Jahr*: *Ich habe diesen Winter ein ganzes Buch geistlicher Lieder geschrieben, von denen die der Mutter geschickten nur eine kleine veränderte Auswahl sind. Du hast recht, sie sind für mich selber gemacht, und du wirst nicht denken, für wen noch mehr? – für meine Mutter. . . .ich wollte geradezu versuchen, wie viel ein mütterliches Herz verzeihen kann, oder vielmehr, mir meine Strafe holen. . .*

Sommer: Ausflug nach Hamm (Familie von Böselager, Familie von Wolff-Metternich).

Juli-September: Maximilian vDH schenkt der Droste sein selbstverfaßtes handschriftliches Werk: „Einige Erklärungen über den General-Baß und die Tonsetzkunst überhaupt – in der Kürze zusammengefaßt. . ."

In der Folgezeit längeres intensives Studium des Buches, das zur Grundlage des weiteren kompositorischen Schaffens der Droste wird. Zuvor waren der Droste bereits andere Generalbaßschulen bekannt.

Vermutlich 1821–25: Es entsteht: *Die Wiedertäufer* (Operntext).

Maximilian von Droste-Hülshoff (1764-1840), Bruder des Vaters der Droste. Steindruck eines unbekannten Künstlers, um 1830.

Maximilian von Droste-Hülshoff wurde als Komponist über die Grenzen Westfalens hinaus bekannt. Noch heute wird seinem Schaffen Aufmerksamkeit geschenkt. Sein musikalisches Vorbild war Joseph Haydn, mit dem er befreundet war. Maximilian von Drostes selbstverfaßtes „Generalbaßbuch" lieferte die Grundlage für das kompositorische Schaffen der Droste. Maximilian von Droste-Hülshoff sollte ursprünglich Geistlicher werden und wurde 1782 Domherr zu Münster. 1788 legte er dieses Amt jedoch nieder und heiratete die Bürgerliche Bernhardine Engelen. Die Heirat stieß in der Familie und weiten Kreisen des Adels auf Kritik. Maximilian Droste und auch seine Frau wurden enterbt. Der Familie stand lediglich eine bescheidene jährliche Rente von 300 Reichstalern zur Verfügung.

Herbst: Brief an Anna von Haxthausen: *Ich schreibe jetzt zuweilen an der L e d w i n a, die gut werden wird, aber so düster, daß mich das Abschreiben daran jedesmal sehr angreift.*

In der Folgezeit bricht die Droste die Beziehung zu ihren Jugendfreundinnen Anna von Haxthausen und Therese von Wolff-Metternich wegen des „Nachspiels" des Arnswaldt-Straube-Erlebnisses ab. Hierauf bezieht sich möglicherweise die folgende Stelle im Brief an Elise Rüdiger vom 17.6.1845: *Ich aber habe mich schon seit so vielen Jahren von meinen Jugendbekannten zurück gezogen, daß ich eigentlich nur leere und unbedeutende Erinnerungen mit ihnen theile...*

Die Droste als Komponistin. Eigenvertonung des geistlichen Liedes „Am Grünendonnerstage". Meersburger Nachlaß der Droste. Die Kompositionen der Droste weisen zwar eine originelle melodische Erfindungsgabe auf, verbleiben insgesamt aber im Rahmen konventioneller Hausmusik. Neben zahlreichen Liedkompositionen, hauptsächlich auf Texte fremder Autoren, hat sich die Droste auch an vier eigenen Opern versucht, die allerdings Fragment blieben.

Ein geplanter Besuch bei Wilhelmine Thielmann in Koblenz kommt nicht zustande und wird auf Frühjahr 1822 verschoben.

Herbst/Winter: Antonetta de Galliéris berichtet Ludowine von Haxthausen: „Du solltest mal hören liebe Tante wie schön die 4händigen Sachen lauten die Nette und ich zusammen spielen, unter anderen eine Ouverture aus der Vestalin. . ." Man habe häufig gemeinsam „hübsche Chöre" gesungen. „Wir leben hier abwegens recht stille, wenn wir den ganzen Tag recht fleißig gearbeitet haben, so erzählt der Werner den Abend von seiner Schweitzer Reise, das amusirt uns alle. . ." Vielleicht empfängt die Droste durch diese Schilderungen Werner vDHs Anregungen für ihr Versepos *Das Hos-*

piz auf dem großen St. Bernhard. Auch ein Einfluß auf *Ledwina* ist möglich.

1821–1825: Es ensteht: *Am Grünendonnerstage* (mehrstimmiges Lied zum gleichnamigen Gedicht aus dem *Geistlichen Jahr*).

1822

Möglicherweise Reise ins Sauerland.

Die Droste und Jenny vDH entwerfen Muster, Farbe und Ausstattung eines Fahnentuchs für die Roxeler Schützenbruderschaft und führen in monatelanger Arbeit die Bestickung durch.

28. Januar: In Hülshoff wird (wie auch am 1.2.) aus E.T.A. Hoffmanns „Lebensansichten des Katers Murr nebst fragmentarischer Biographie des Kapellmeisters Johann Kreisler" (2 Bde., 1820–1822) vorgelesen.

Frühjahr: Erneutes Scheitern des Plans, Wilhelmine von Thielmann in Koblenz zu besuchen.

Ab 1. April: Konzertbesuche in Münster (1.4.; 5.11.; 22.11.: Haydn „Die Schöpfung"; 6.12.: Probe von „Don Giovanni"; 8. und 10.1.1823: „Der Freischütz"; 17.1.: „Don Giovanni"; 6.2.: „Der Freischütz").

Herbst/Winter: Häufige Gesangsdarbietungen.

Nach 1822: Es entsteht: *Die Meerfey* (Komposition).

1823

8.–10. Januar: Aufenthalt in Münster.

6. Februar: Besuch von „Der Freischütz" in Münster.

28. April: Aufenthalt in Münster.

29. April: Aufenthalt in Hamm.

10. August: Therese vDH berichtet in einem Familienbrief: „Nette ist nicht recht wohl, sie hustet zwar nur wenig, aber sie klagt oft über Schmerzen in der Brust, Joseph Droste behauptet zwar es kähme von keinem Fehler in der Lunge, sondern vom Andrange des Bluts, aber seine Arzneyen haben bis jetz (!) nur wenig geholfen. . .'

Dezember: 8tägiger Aufenthalt in Münster, um die berühmte Sängerin Nina Corega zu hören.

Nach 1823: Es entsteht: *Der blaue Cherub* (Opernkomposition; vor 4.8.1837).

Haus Gevelinghausen, Lithographie von Ph. Herle 1830/1840.

Haus Gevelinghausen, ein altes Lehnsgut des Stifts Meschede, war eines der Ziele, das die Droste auf ihrer Sauerlandreise 1824 besuchte. Hier wohnte Caroline von Wendt-Papenhausen, die 1826 ihre Schwägerin wurde.

1824

Aufzeichnungen Jenny von Laßbergs zufolge habe sich die Droste von 1824 bis 1831 fast ganz der Musik, besonders dem Gesang, zugewandt und nur wenig literarisch gearbeitet. Sie habe in dieser Zeit bei dem „alten Herrn Steinmann" und einer „italienischen Sängerin, Madame Corega, Gesangsstunden genommen", wodurch ihre Stimme sehr gewonnen habe.

16. September: Aufbruch zu einer fast zweimonatigen Reise ins Sauerland. Die Fahrt führt vermutlich über Heessen (Familie von Böselager) und Hamm (von Wolff-Metternich). Besuch der Familien von Wendt-Papenhausen in Gevelinghausen und von Dücker in Rödinghausen.

Die Droste sammelt auf dieser Reise lokale Kenntnisse, auf die sie bei ihrer späteren Mithilfe am *Malerischen und romantischen Westphalen* und bei ihren *Westphälischen Schilderungen* zurückgreift. In

Caroline von Droste-Hülshoff geb. von Wendt-Papenhausen (1802-1881). Zeichnung von Ludwig Emil Grimm, 1821.

Sie sei „sehr angenehm, munter und liebenswürdig" hielt Ludwig Grimm anläßlich eines Besuchs in Bökendorf fest. Außerdem bescheinigte er der damals noch unverheirateten Caroline von Wendt-Papenhausen, die aus Gevelinghausen im Sauerland stammt, „ausgezeichnete Schönheit". Für die Droste war ihr „liebstes Linchen" ein „gutes, harmloses Geschöpf". Nach der Heirat zwischen Caroline von Wendt-Papenhausen und Werner von Droste-Hülshoff im Mai 1826 wuchs in Hülshoff eine vielköpfige Familie heran. Die Droste kam nur noch selten auf die Burg, weil ihr dort die Muße zu literarischer Arbeit fehlte: „Und jeden Abend muß ich erzählen, / Sollen die kleinen Rangen nicht todt mich quälen, / Sieben sind Ihrer an der Zahl, / Noch klein und wirrig allzumahl, / Doch da Jedes meines Blutes Zweig, / Muß ich contre Coeur lieben das grüne Zeug, / Die Geschichten, bey Gott, sind ein langes Seil, / Gemacht zu tödten durch Langeweil'." (aus ihrem Brief an Schlüter, 18. November 1837)

diesen Werken beschreibt sie aus ihrer Erinnerung Büren, Alme, Brilon, Antfeld, Ostwig, Rannsbeck, Bruchhausen (Bruchhauser Steine), den Arnsberger Wald, das Ruhrufer, Pleisterlegge (Wasserfall), Velmede, Meschede, Arnsberg, Fröndenberg (Frauenstift), Menden, Klusenstein. Vermutlich besichtigt sie auch das Felsenmeer bei Hemer.

Gevelinghausen im Sauerland, Wohnsitz der Familie von Wendt-Papenhausen. Zeichnung aus dem Familienkreis, 1831.

Herbst/Winter: Übernahme des Unterrichts von Amalie von Heereman-Zuydtwyck. Im Familienkreis werden die Romane Walter Scotts vorgelesen.

1825

Vermutlich 1825 oder 1826: Es entsteht: *Brockenhaus.*

12. Juni: Therese vDH teilt in einem Familienbrief mit, daß sie es unmöglich wagen könne, „von Hause zu gehen. Du weißt wie wenig Nette zur Hausfrau paßt. . ."

Nach 16. Juli: Werner und Betty von Haxthausen besuchen Bökendorf und Münster. Es wird ein Besuch der Droste in Köln vereinbart. Ärzte sollen der Droste aus gesundheitlichen Gründen zu einer neuen Umgebung geraten haben.

Werner von Haxthausen (1780-1842), Zeichnung von Ludwig Emil Grimm, um 1821.

Für die Droste war Werner von Haxthausen eine ungeliebte literarische Familienautorität. Freiexemplare der Gedichtausgabe von 1838 wollte sie ihm nicht zusenden, weil er „gar ein paar Stunden dran" setzen würde, „mir alles vom ersten bis zum letzten so niederträchtig zu machen, daß es kein Schwein fressen sollte". (Brief an Sophie von Haxthausen vom 6. Februar 1838) Die Droste erzählte 1818 dem Kaufmannssohn Friedrich Beneke, daß sie von diesem Onkel „bei jeder Gelegenheit auf das schonungsloseste" beleidigt und gekränkt werde. Später entspannte sich die Beziehung, es blieben jedoch auf seiten der Droste Vorbehalte gegen das weltmännische Auftreten ihres dominanten Onkels.

18. September 1825: Die Familie vDH kauft für 12 300 Reichsthaler den vom westfälischen Baumeister Johann Conrad Schlaun erbauten Landsitz Rüschhaus samt zugehöriger fünf Kotten. Das Gebäude, eine Mischung aus Bauernhof und Herrensitz, liegt etwa 4,5 Kilometer von Hülshoff entfernt in der Bauerschaft Nienberge.

Oktober: Abreise zu einem Aufenthalt am Rhein.

13.-16. Oktober: Aufenthalt in Bonn. Besuch der Familie von Moritz von Haxthausen und der Familie von Clemens vDH. Die Droste macht u.a. die Bekanntschaft August Wilhelm von Schlegels. Im Brief an Jenny vDH vom 21.2.1826 bemerkt sie, daß sie sich mit *ihm übrigens recht gut* stehe.

17. Oktober: Weiterreise nach Köln. Sie wird Zeugin der Schiffstaufe und Festfahrt der „Friedrich Wilhelm". Wohnung bei Werner

Haus Rüschhaus. Zeichnung von Anna von Haxthausen, 1827.

Das Rüschhaus wurde von dem westfälischen Baumeister Johann Conrad Schlaun (1695-1773) in den Jahren 1745 bis 1749 als Sommersitz umgebaut. Es stellt eine gelungene Verbindung einer maison de plaisance mit einem Bauernhaus dar. 1825 wurde es vom Vater der Droste als Witwensitz erworben.

von Haxthausen. Haxthausens Hoffnung, die Droste würde mit seiner Frau ein zurückgezogenes, häusliches Leben führen, erfüllt sich nicht. Sie wird von Betty von Haxthausen in zahlreiche Kölner Gesellschaften eingeführt. Zwischen dem 17. und 25.10. über Werner von Haxthausen Bekanntschaft mit der reichen Bankiersgattin Sibylle Mertens-Schaaffhausen, deren Haus Mittelpunkt eines Künstlerkreises ist. Sie ist wie die Droste eine begeisterte Sammlerin und Musikliebhaberin. Es kommt zu einer nahen Freundschaft.

18. Oktober: Brief an Therese vDH: Bitte um Zusendung von *Ledwina* und musikalischer Werke, insbesondere des „Generalbaßbuches" von Maximilian von Droste-Hülshoff.

25. Oktober: Besuch bei der seit dem 10.10.1824 verwitweten Wilhelmine von Thielmann in Koblenz. Die Droste wird in deren Kreis eingeführt und gefällt dort durch ihr Unterhaltungstalent und ihr Erzählen von Schauergeschichten. Bekanntschaft mit Caroline

Werner von Haxthausen mit seiner Ehefrau Elisabeth („Betty") von Harff (1787-1862) und seiner Tochter Marie (1826-1880). Ölgemälde von Ludwig Emil Grimm, um 1840.

Im Hause Werner von Haxthausens verbrachte die Droste den Winter 1825/26. „Zu beobachten ist die gar nicht der Zeitmode entsprechende Tracht, . . .die in ihrer ‚altdeutschen' Art ganz mit dem übereinstimmt, was wir sonst über die dem deutschen Mittelalter zugewandten Liebhabereien

von Lombard, die später in Münster im Kreis von Christoph Bernhard Schlüter verkehrt. Der ursprünglich für 14 Tage geplante Aufenthalt zieht sich fast sechs Wochen hin. Vermutlich diskutiert die Droste mit Wilhelmine von Thielmann den Plan zu ihrem Epos *Das Hospiz auf dem großen St. Bernhard*. Auf die Stoffwahl wirkt sich möglicherweise aus, daß Wilhelmine von Thielmann im Vorjahr eine Erholungsreise in die Schweiz unternommen hat und ihr Bruder (Onkel?), ein Salinendirektor in Bex an der Rhone, nicht weit vom St. Bernhard entfernt wohnt. Der Umstand, daß Wilhelmine von Thielmann seit einiger Zeit verstärkt an einer Gemütskrankheit und Anfällen von Geistesgestörtheit leidet, ist möglicherweise eine Quelle für *Des Arztes Vermächtniß*.

9. November: Werner vDH berichtet Therese vDH, daß die Droste für den Umgang seiner Frau ein großer Gewinn sei.

Nach ihrer Rückkehr von Koblenz (4. Dezember) unternimmt die Droste täglich Spaziergänge mit Betty von Haxthausen. Häufige Besuche bei der Familie des Freiherrn Cornelius von Gey(e)r und der Familie des Geheimrats Carl Joseph Freiherr von Mylius. Freundschaft mit dessen Frau Walburga, die eine Tochter des Altgermanisten Eberhard von Groote ist. Häufige Besuche bei Sibylle Mertens, in deren Kreis die Droste Proben ihres Gesangstalents gibt und ihre Gedichte vorträgt, die sehr gefallen. Das Unterhaltungstalent der Droste wird allgemein bewundert. In einer späteren Aufzeichnung ihrer Schwester heißt es, sie habe durch ihre Aufenthalte am Rhein ihr Talent für Gesang und Unterhaltung bedeutend herausgebildet. Im Kreis um Sibylle Mertens und Werner von Haxthausen nimmt die Droste künstlerische und kunstgeschichtliche Anregungen verschiedener Art auf. Im Hause Werner von Haxthausens Bekanntschaft mit zahlreichen Gelehrten, u. a. mit den Brüdern Sulpiz und Melchior Boisserée. Ein näherer Kontakt ergibt sich zu dem Kunsthistoriker Matthias de Noel. Die Gesundheit der Droste bessert sich.

Die Arbeit an *Ledwina* wird nur unwesentlich fortgesetzt.

25. Dezember: Die Droste bekommt zu Weihnachten ein kostbares Ballkleid geschenkt. Sie begleitet ihre Geschenke mit „niedlichen Versen“ (*Mit Geschenken*).

des von Haxthausenschen Kreises und insbesondere des Grafen Werner wissen“ (Margarete Lippe). Haxthausen war ein leidenschaftlicher Sammler alter Kunst und Handschriften. In Köln legte er gemeinsam mit Professor Wallraf eine Sammlung an.

Werner von Haxthausen (1780-1842), Ölbild von Ludwig Emil Grimm, 1841.

Der verzweigte Lebenslauf des hochbegabten, jedoch von seinen vielen (überwiegend unausgeführten) Ideen zerrissenen Werner von Haxthausen (1770-1842) kann hier nur angedeutet werden. Er wurde in Münster von Graf Friedrich Leopold von Stolberg erzogen, studierte Jura, orientalische Sprachen und Medizin (Prag, Paris, Göttingen, Halle), wurde Dom- und Gerichtsherr, nahm am Dörnbergschen Aufstand gegen Jérôme Bonaparte teil, mußte über Schweden nach London fliehen, lebte dort unter dem Namen Dr. Albrock als Arzt, zunächst in einem Londoner Krankenhaus, dann als Schiffsarzt der Ostindischen Companie, plante auszuwandern, nahm dann aber als Major an den Freiheitskriegen teil, verkehrte 1814 in Paris in einflußreichen Kreisen, nahm 1814/15 am Wiener Kongreß teil und schloß dort Freundschaft mit Joseph von Laßberg; in Wien erhielt er den Grundstock seiner Sammlung neugriechischer Volkslieder, zu deren Herausgabe er mehrfach von Goethe ermutigt wurde. Seit 1815 versah er wenig glücklich eine Stelle als Regierungsrat in Köln, aus der er 1826 entlassen wurde. Im Jahr zuvor hatte er die vermögende Kölnerin Betty von Harff geheiratet. Durch diese Heirat rettete er die verschuldeten Familiengüter vor dem Ruin. Er löste seinen Bruder August bei der Verwaltung der Familiengüter in Bökendorf ab. Ende 1833 veröffentlichte er die antipreußische Schrift „Über die Grundlagen unserer Verfassung", die ihn der politischen Verfolgung aussetzte. Anfang April 1837 erwarb er das Gut Neuhaus in Oberfranken. Vom bayrischen König Ludwig I. in den Grafenstand erhoben, lebte er abwechselnd in Bayern und Bökendorf oder brachte seine Zeit mit Reisen zu.

1826

1. Januar: Entlassung Werner von Haxthausens aus seiner Stellung als preußischer Regierungsrat in Köln. Er zieht im Frühjahr mit seiner Familie nach Bökendorf um.

Betty von Haxthausen berichtet Maria Anna von Haxthausen: „. . .Anna war begierig, wie Nette mit der Mertens harmonieren würde, und dieses geht ganz vortrefflich; sie fühlten sich in geistlicher Hinsicht wechselseitig angezogen; die Mertens, welche leider sehr kränkelt, wird durch Nette sehr erheitert; und Herr Mertens ist ganz charmirt in sie und möchte sie in seinem Hause etabliert sehen, um sich an ihren lebendigen Erzählungen ergötzen zu können; auch mir, liebe Mutter, gefällt Nette bei näherer Bekanntschaft immer besser; sie mag wohl manche frühere Schwäche abgelegt haben und zeigt sich jetzt nur von einer wirklichen gutmüthigen und liebenswürdigen Seite; sie ist voller Gefälligkeit und Aufmerksamkeit für uns; sie ist eben beschäftigt einige Ordnung unter Werners Bücher zu bringen, der mit der größten Behaglichkeit zusieht. Da sie nicht tanzt, so lassen wir die vielen Thees dansants, die hier gegeben werden, mehrentheils unbeachtet, und bleiben dafür hübsch zu Hause, wo wir in allen Sprachen uns wechselseitig vorlesen. . .“

2. Januar: Erster Besuch eines Gesellschaftsballs in Bonn.

Nach 2. Januar: Teilnahme an weiteren Gesellschaften und Bällen, die die Droste als *äußerst* brillant bezeichnet (*Die Tante geht in alle Gesellschaften, und da muß ich fast immer weiße Schuh und seidne Strümpfe tragen*).

Februar: Teilnahme an Karnevalsveranstaltungen (*viele kleine Gesellschaften* und ein *musikalisches Kränzchen*).

6. Februar: Teilnahme am Rosenmontagszug. Anschließend Besuch einer großen Tanzfeierlichkeit.

Nach Mitte Februar: Mit Werner von Haxthausen bis zum 20.2. Aufenthalt in Bonn.
Begegnung mit Guido Görres.

Ab 21. Februar: Die Droste pflegt die erkrankte Sibylle Mertens in deren Haus.

23. April: Rückkehr nach Hülshoff. Die Droste setzt den Unterricht von Amalie von Heereman-Zuydtwyck fort und beginnt mit dem Unterricht ihrer Cousine Josephine von Droste-Stapel.

Nach April: 3wöchiger Aufenthalt in Münster. Erkrankung an „Bellerose“.

Das große Dampfschiff, ursprünglich „de Rijn" genannt, wurde nach einer Reise mit dem preußischen König in „Friedrich Wilhelm" umgetauft. Kupferstich von Johann Schlappels.

„So bin ich gestern recht im Papstmonat hier angekommen, da das neue Dampfschiff, ‚Friedrich Wilhelm', das größte und schönste Schiff, wie man sagt, was noch den Rhein befahren hat, vom Stapel gelassen, probirt und getauft wurde. – Das Erstere sah ich nicht, denn es war schon auf dem Wasser, als wir uns durch die Volksmenge gearbeitet hatten; dann aber sahen wir es ganz nah, wir standen auf der Schiffsbrücke, mehrere Male eine Strecke des Rheins herauf und herunter mit türkischer Musik und beständigem Kanonenfeuer durch die Schiffsbrücke segeln mit einer Schnelligkeit, die Einen schwindeln machte. – . . .Ein so großes Dampfschiff ist Etwas höchst Imposantes, man kann wohl sagen, Fürchterliches." (Brief an die Mutter vom 18. Oktober 1825) Die Droste fuhr mit diesem Schiff von Köln nach Koblenz.

11. Mai: Heirat Werner vDHs mit Caroline von Wendt-Papenhausen. Sie beziehen das von der Familie gepachtete Gut Wilkinghege.

21. Mai: Vermutlich mehrtägiger Aufenthalt bei der Familie von Twickel in Havixbeck. Dort leichte Erkrankung.

Nach 4. Juli: Gelegentliche Weiterarbeit an *Ledwina*.

19. Juli: Gesangsvortrag.

25. Juli: Plötzlicher Tod des von der Droste geliebten Vaters Clemens August vDH. Therese vDH, Jenny vDH und die Droste verzichten auf ihr Erbteil und begnügen sich mit einer Abfindung, die im Fall der Droste eine „Leibrente" von jährlich 300 Taler beträgt. Im September ziehen Therese vDH, Jenny vDH und die Droste nach Haus Rüschhaus um. Werner vDH verlegt seinen Wohnsitz wieder nach Hülshoff und übernimmt die Bewirtschaftung des Familienbesitzes. Ferdinand vDH kehrt vorübergehend nach Hülshoff zurück. Er tritt nach Absolvierung seiner Forstlehre in anhaltische Forstdienste ein.

Ende September/Oktober: Im Rüschhaus muß die Droste die Berichte der Dienstboten anhören und ihrer Mutter persönlich zur Verfügung stehen, was sie, nach eigener Angabe, *manchen gelungenen Reim* gekostet habe. Im Brief Therese vDHs an Laßberg vom 27.9.1840 heißt es dagegen: „Gemächlichkeit ist ein Hauptzug des Charakters ‹der Droste›, und diesem Hange kann sie nirgens so ungestört folgen, wie in Rüschhaus, wo sie (besonders jetzt) vollkommen souverain herrscht. . ."

5. November: In einem von Rüschhaus aus geschriebenen Familienbrief heißt es: „‹Annette, die mit› grosser Zärtlichkeit von Dir spricht, finde ich doch auch zu ihrem Vorteil sehr verändert, sie ist wirklich viel besser geworden und hier bei den ihrigen hat sie auch einen festen bestimmten Lebensweg, sie hängt mit so grosser Liebe an ihrer Schwester, dass auch deshalb nichts als Gutes aus ihr werden muss. . ." „. . . jetzt, wo das Wetter so sehr unfreundlich ist, sind die Wege auch gleich recht schlecht, und sie gehen hier ungern aus und mir ist das auch so recht lieb; es wird alle Tage recht viel Musik gemacht. Nette spielt und singt fleissig und Ferdinand singt und spielt die Guitarre, wo wir alle des Abends mitsingen; seit einigen Tagen wird des Abends vorgelesen, da wir recht viel aus Münster haben können ‹Bücher aus der Leihbibliothek Theissing›; an Besuchen fehlte es uns bis jetzt auch nicht, Bekannte aus Münster und hier aus der Nähe. . ."

20. November: Jenny vDH berichtet Wilhelm Grimm, daß auch er die Droste nun „liebgewinnen" würde, da sie „viel herzlicher" und „sanfter" geworden sei.

1827

Vermutlich 1827 - Frühjahr 1828: Erste Arbeitsphase am *Hospiz*. (Entwurf zum ersten Gesang); verschiedene Hintergrundlektüre.

15. April: Therese vDH berichtet Sophie von Haxthausen: „Nette ist schon seit 10 Tagen in Havixbeck, ich hoffe nur Frau von Twickel läßt sie heute gehn, wer reitet uns sonst morgen den Braunen vor?"

April/Mai: Lektüre: J.F. Cooper: Der letzte Mohikaner (1826, dt. Übers. 1826).

Ab 20. Mai: Erneuter Aufenthalt bei der Familie von Twickel in Havixbeck.

Etwa September: Beginn der Freundschaft zwischen Sibylle Mertens und Adele Schopenhauer, der Schwester des Philosophen Arthur Schopenhauer und späteren Droste-Freundin. Adele Schopenhauer, die im Frühjahr 1829 nach Bad Godesberg zieht und im Sommer 1829 mit ihrer Mutter, der Salonschriftstellerin Johanna Schopenhauer, den Mertensschen Zehnthof in Unkel bewohnt, verkehrt später fast täglich im Haus von Sibylle Mertens in Bonn-Plittersdorf.

27. Oktober: Jenny vDH teilt Sophie von Haxthausen mit, daß sie um den Gesundheitszustand der Droste sehr besorgt sei. Diese sei oft selbst sehr in Angst und nehme sich gesundheitlich mehr in acht. Längere schwere Erkrankung der Droste. In einer Aufzeichnung ihrer Schwester heißt es, daß die Droste infolge eines Brustleidens ihre schöne Stimme verloren habe. Es habe die Droste sehr traurig gemacht, daß sie „uns ihre gewöhnlichen alten Lieder aus eigenen Kompositionen nicht mehr vortragen konnte und durfte, dadurch verlor sie ihre Lust zur Musik und wandte sich der Dichtkunst zu". Es ist möglich, daß sich die zeitlich nicht präzisierte Beschreibung auf Herbst 1827 bezieht.

Nach 1827: Es entsteht die Komposition: *Wenn ich träume du liebst mich. . .* (nach Byron).

1828

Lektüre zahlreicher Werke aus der Leihbibliothek Theissing. Ein von fremder Hand angelegter Katalog dient ihr zur Weiterbenutzung für eigene Lektürebemerkungen. Aus dem Bestand, der zum Großteil aus Gespenster-, Ritter-, Räuber-, Liebes-, Ehe- und Schicksals- sowie historischen Romanen besteht, läßt sich die Lektüre folgender Autoren nachweisen: Caroline Ahlfeld, Willibald Alexis (d. i. Wilhelm Häring), Vicomte D' Arlingcourt, M. Blackford, Adolph Büren, John Galt, Gerhard Anton von Halem, Therese Huber, Jordens,

K.L.M. Müller, Jean François Harmontel, W.A. Lindau, Sophie May, Louis Benoit Picard, Caroline Pichler, Anna Porter, Julie von Richthofen, Amalie Schoppe, Friedrich von Sydow, Fanny Tarnow, James Thomson, Franz von der Velde, L.M. von Wedell.

15. Januar: Jenny vDH teilt Wilhelm Grimm mit, daß die Droste von ihrer schweren Krankheit genesen sei.

7. Mai: Mit Werner vDH Abreise zu einem Besuch in Bonn (Familie von Moritz von Haxthausen). Umgang: Die Bonner Bekannten des Besuchs von 1825/26, insbesondere Sibylle Mertens und ihr Kreis. Die Droste besucht Sibylle Mertens vermutlich in ihrem neuen Wohnsitz in Bonn-Plittersdorf. Sie kann entgegen ihrer Absicht die inzwischen nach Bad Godesberg verzogene Wilhelmine von Thielmann nur kurz besuchen. Mit ihr Gespräche über das *Hospiz*. Die Droste läßt sich von Wihelmine von Thielmanns Tochter, Julie von Thielmann, das Kloster auf dem St. Bernhard beschreiben, hat jedoch keine Gelegenheit, die Angaben schriftlich festzuhalten. Die Abreise von Bonn tritt unerwartet ein. Die Droste macht vielleicht schon während dieses Aufenthalts in Bonn die Bekanntschaft Adele Schopenhauers.

Sommer/Herbst: Entwurf zum zweiten Gesang des *Hospiz*. Die Weiterarbeit wird durch ein Augenleiden, die Haushaltsführung (Abwesenheit Therese vDHs und Jenny vDHs) und Besucher behindert.

11. September: Amalie Hassenpflug bemerkt gegenüber Anna von Haxthausen, daß ihr die Droste immer interessanter werde: „. . .ich habe mich recht in ihre Lieder ‹das *Geistliche Jahr*?› herein gelesen und versteh sie manchmal mehr wie mir lieb ist.

12. November: Brief an Wilhelmine von Thielmann: Die Droste erbittet von Julie von Thielmann Auskünfte für ihre Arbeit am *Hospiz* (Beschreibung des Klosters; Kleidung der Mönche etc.).

Die erwünschten Antworten bleiben jedoch in der Folgezeit aus.

1829

Arbeit am *Hospiz*. Teilentwurf in Prosa zum 3. Gesang (vor Sommer 1832).

Januar: Jenny vDH berichtet in einem Familienbrief: „Nette macht ein langes Gedicht ‹das *Hospiz*› was sehr gut wird, Abends nach Tisch spielen sie Whist, Mama mit Wilmsen, als ein Vorzug,

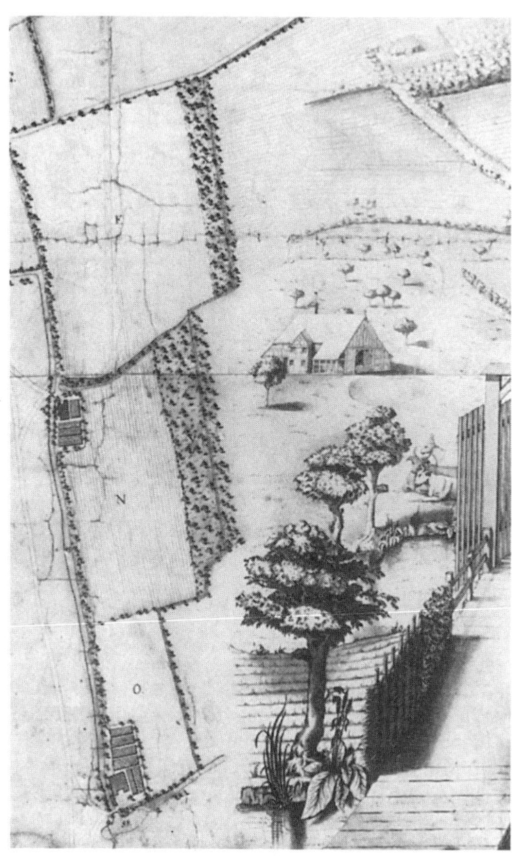

Das alte Rüschhaus,
Ausschnitt aus der Vermessung von 1743.

Zur Zeit der Droste wurde das Rüschhaus noch landwirtschaftlich genutzt. Zu dem Gebäude gehörte ein Grundbesitz von 220 Morgen. Angebaut wurden Getreide, Flachs und Kartoffeln. Es wurden Kühe, Schweine und ein vielleicht sogar mehrere Pferde gehalten. Der Garten war ein verwilderter Nutzgarten. Heute präsentiert er sich - nach den schlaunschen Plänen gestaltet - als barocker Ziergarten. Das Innere des Gebäudes entspricht in etwa dem Zustand zur Zeit der Droste. Das Rüschhaus ist heute eines von wenigen weitgehend originalgetreu erhaltenen deutschen Dichtermuseen.

Das „Schneckenhäuschen“ der Droste, ihr Wohn- und Arbeitszimmer, von ihr selbst gezeichnet.

„Wenn schlechtes Wetter oder gar Winterschnee diese Streifereien ‹zu den umliegenden Bauernhöfen› unmöglich machten, flossen die Stunden nicht minder darum mit Windeseile vorüber, verplaudert in dem stillen Stübchen, das Annette ihr ‚Schneckenhäuschen‘ nannte und das so bürgerlich schlicht eingerichtet war wie möglich.“ (Levin Schücking). „. . .für Vertraute aber wurde das eigentliche Wohnzimmer der Dichterin geöffnet. Es war merkwürdig charakteristisch; sie nannte es selbst ihr ‚Schneckenhäuschen‘. Klein, schmal und niedrig, lag es im Entresol wie ein Versteck, an dem man auf der breiten Treppe ahnungslos vorüberging, wenn man nicht in seine Geheimnisse eingeweiht war. Vier kleine Fenster öffneten sich nach dem Waldrevier; es war die Westseite und die Dichterin liebte es besonders, allabendlich den Sonnenuntergang durch die Bäume schimmern zu sehen. Die Schwalben nisteten an den Fenstern und flogen im Zimmer frei umher, als gehörte es zu ihrem Neste; sie wußten, daß sie hochwillkommene Gäste waren. Eine Reihe von Bildnissen hing an den Wänden, lauter befreundete Gesichter; . . . Glasmalereien, Wappenschilder und Heiligenbilder zierten die Stube, aber die sonstigen Geräte waren ärmlich und alt. Ein winzig kleiner Flügel, noch aus der Kindheit der Klaviatur stammend, der wegen seines leisen Harftentones sich besonders zur Begleitung des Gesanges eignete und deshalb von der Dichterin geliebt wurde, stand neben einem großen häßlichen Sofa und einem unpo-

Das „Schneckenhäuschen“, Innenaufnahme. Heutiger Zustand.

weil er doch noch klüger ist als Phine ‹von Droste-Stapel›, mit der Nette spielt, so lange diese hier ist.“

Februar: Längerer Aufenthalt in Münster, um dort die erkrankte Caroline vDH zu pflegen. Sie wird von Therese vDH nach Rüschhaus zurückgeholt, da sie die Krankenpflege überanstrengt.

lierten Tische, auf demselben befanden sich stets mehrere Porzellanschalen mit frisch gepflückten Feldblumen und Heidekräutern. Ein Schreibzeug hatte kümmerlich zwischen ihnen Raum; Briefcouverts und Papierschnitzel lagen daneben, um zu Konzepten für die herrlichen tiefsinnigen Gedichte verwendet zu werden. Mit völlig unleserlichen kleinen eigensinnigen Buchstaben wurden diese niedergekritzelt, eine Runenschrift, die von der Schreiberin selbst kaum entziffert werden konnte. Auf dem großen schwarzen Sofa pflegte sie mit untergeschlagenen Füßen zu sitzen, um abwechselnd zu träumen, zu dichten und zu schreiben.“ (Elise Rüdiger)

Der „Gartensaal“ des Rüschhauses, heutiger Zustand. An der hinteren Wand ist ein aufklappbarer Hausaltar eingelassen, an dem zur Zeit der Droste der Hülshoffer Hausgeistliche Caspar Wilmsen (1769-1841) die Messe las.

März: Amalie von Heereman-Zuydtwyck erkundigt sich bei Jenny vDH: „Zeichnet Nette auch noch? Ihre Sachen machen mir große Freude daß sage ihr und ich ließ sie herzlich grüßen.“

Frühjahr: Vermutlich Ausflug zum Damenstift in Freckenhorst (Felicitas von Böselager).

5. April: Bei einem Festessen im Haus des akademischen Lehrers Johann Theodor Katerkamp in Münster bittet Therese vDH den Dozenten der Philosophie an der Akademie Münster, Christoph Bernhard Schlüter, das literarische Talent der Droste zu fördern. Sie wisse sonst niemanden, der dafür in Frage komme. Als Werkprobe erhält Schlüter bald darauf das Epos *Walther*. Schlüter äußert sich negativ. Er empfindet das Werk „süßlich, leer, ja zum Teil affektiert“ und sieht eine zu deutliche Nachahmung Wielands. Er lehnt eine Förderung ab.

Das „Italienische Zimmer" des Rüschhauses, heutiger Zustand. Die originalen, 1825 angebrachten französischen Tapeten mit italienischen Motiven sind eine besondere Kostbarkeit.

Mai: Rückkehr des nun 80jährigen Sprickmann von Berlin nach Münster. Die Droste sucht ihn mehrfach auf.

In der Folgezeit: Nach 16 Jahren Wiederbegegnung mit Catharina Schücking.

15. Juni: Tod Ferdinand vDHs. Die Droste hat ihn zuvor fünf Wochen gepflegt. Der Tod ihres Lieblingsbruders ruft bei ihr eine erneute, lange Krankheitsphase hervor.

Ab 13. Juli: Mindestens 14tägiger Aufenthalt in Münster, um in ständiger Nähe eines Arztes zu sein. Der Droste soll nötige Zerstreuung zuteil werden.

5. September: Die Droste wird, als keiner ihrer Ärzte mehr Rat weiß, in einem „schwindsuchtartigen Zustand" an den homöopathischen Arzt Clemens Maria von Bönninghausen überwiesen. Sie ist

die erste Patientin von Bönninghausens, der über keine medizinische Ausbildung verfügt, allerdings ein versierter Botaniker ist. Den Behandlungsverlauf beschreibt er in seinen Krankentagebüchern. Darin heißt es u.a.: „Fräulein A.v.D. Einige 30 Jahr alt, blond und sehr aufgeregten Gemüthes, mit ungewöhnlichem Verstande und ausgezeichneten Talenten für Poesie und Musik, litt seit längerer Zeit an Engbrüstigkeit, und hatte sich fest in den Kopf gesetzt, daß sie durch die Pflege ihres im letzten Frühjahre an der Schwindsucht verstorbenen Bruders ebenfalls von dieser Krankheit angesteckt sei. Auch ihr Arzt. . . erklärte sie für schwindsüchtig, und stellte ihr eine sehr ungünstige Prognose.“ Die Droste habe die Idee einer homöopathischen Behandlung mit „gewohnter Lebhaftigkeit“ aufgenommen. In einem ersten Krankheitsbild führt von Bönninghausen als Symptome u.a. an: „große Niedergeschlagenheit und Hofnungslosigkeit hinsichtlich der Genesung“. Auf die erste Behandlung tritt allmähliche Besserung ein. Die Droste bleibt der Homöopathie zeitlebens treu.

◁ *Amalie von Heereman-Zuydtwick (1809-1853). Zeichnung von Ludwig Emil Grimm, 1827.*

Aus familiärer Verpflichtung hatte die Droste – neben Krankenpflegediensten – die Unterrichtung ihrer Cousinen zu übernehmen. So auch seit Herbst/Winter 1824 im Fall der zeichnerisch talentierten Amalie von Heereman-Zuydtwyck. Diese war seit ihrem 18. Lebensjahr durch ein Brust- und Nervenleiden lange Jahre lebensgefährlich erkrankt. Sie lebte 1814 in Köln (wo sie vermutlich die Bekanntschaft Ludwig Grimms machte), ab Sommer 1815 mit ihrer Mutter in Bökendorf und später gelegentlich in Kassel, wo sie den Grimms und Amalie Hassenpflug nahestand. Letztere porträtierte sie in ihrem Roman „Margarethe Verflassen. Ein Bild aus der katholischen Kirche. Von A.H. (2. Aufl. Hannover 1871) in der Figur der Veronica. Längere Begegnungen zwischen der Droste und Amalie von Heereman-Zuydtwyck lassen sich – außer für den Winter 1824/25 – für Frühjahr 1826 und Winter 1827/28 nachweisen, als Amalie, gesundheitlich stark geschwächt, mehrere Monate im Rüschhaus zubrachte. Im Juli 1835 trat sie eine fast dreijährige Nizzareise an, auf der sie ihre Gesundheit so weit zurückerlangte, daß sie wieder gehen und kleine Ausflüge unternehmen konnte. Sie starb als Ordensfrau des „Ordens vom Heiligen Herzen Jesu“ in Graz.

Ende September: Rückkehr ins Rüschhaus, um sich dort auszukurieren.

6. November: Von Bönninghausen trifft die Droste im Rüschhaus bei verschlechterter Gesundheit an. Er führt in seinem Krankheitsbild u.a. an: „Große Beängstigung, immerwährend – . . .Große Schwermuth, mit Furcht vor einer Gemüthskrankheit, Todesgedanken, Verzweiflung an der Genesung, und den Kopf voller Sterbescenen u.d.gl."

7. Dezember: Jenny vDH teilt von Bönninghausen mit, daß die Besserung ihrer Schwester „täglich gute Fortschritte" mache.

18. Dezember: Krankenbesuch von Bönninghausens im Rüschhaus.

19. Dezember: Therese vDH teilt in einem Familienbrief mit: „Du kannst wohl denken daß ich wegen Nette nicht viel von hier ‹Rüschhaus› seyn kann und mag. . .'

Ende der 20er Jahre/Anfang der 30er Jahre: Die Droste legt zumeist wahllos Stoff- und Motivsammlungen mit kleinen Handlungskernen an. Einzelnes daraus verwertet sie später im *Hospiz* und in *Des Arztes Vermächtniß* sowie Entwürfen zur Judenbuche.

◁ *Clemens Maria von Bönninghausen (1785-1864), Gemälde von S. Simon.*

Von Bönninghausen befaßte sich erst kurze Zeit mit der Homöopathie, als die Droste im Zustand lebensgefährlicher Erkrankung im Jahre 1829 an ihn überwiesen wurde. Bönninghausen konnte zu diesem Zeitpunkt bereits auf einen bewegten Lebenslauf zurückblicken – abgeschlossenes Jurastudium an der Universität Groningen mit Promotion am 30.8.1806, Tätigkeit an verschiedenen holländischen Obergerichten, nebenamtliche Anstellung als königlicher Bibliothekar, Bewirtschafter seines Gutes Darup im Kreise Coesfeld, Landrat im Kreise Coesfeld. Seit den 20er Jahren hatte er sich zusehends seinen naturwissenschaftlichen Interessen, insbesondere der Medizin und Botanik, gewidmet und auf ausgedehnten Reisen seine Studien vertieft; 1824 war er dank seiner Schrift „Prodomus florae Monasteriensis" zum Direktor des botanischen Gartens in Münster ernannt worden. Von 1824 bis 1828 und von 1829 an lehrte er als Privatdozent an der Akademie Münster. Seit 1828 widmete er sich vornehmlich der Homöopathie, die zum Gegenstand zahlreicher seiner Schriften wurde. Eine Lizenz zur Ausübung seiner homöopathischen Heilkunst erhielt er als nicht promovierter Arzt jedoch erst durch eine Kabinettorder Friedrich Wilhelm IV. am 11.6.1843. Die Droste, die mit von Bönninghausen seit ihrer Jugendzeit bekannt und später gut befreundet war, blieb der Homöopathie zeitlebens verbunden.

1929/30: Entwurf mit ausführlicher Einleitung zur *Judenbuche*. Umfangreiche Ausführung des ersten Teils bis zum Ende der Förstermordszene.

1830

Bei Besuchen in Münster um 1830 näherer Umgang mit der Herzogin Charlotte von Looz-Corswarem, Felicitas von Böselager und den Fräulein von Hamm. „Wenn das Fräulein ‹die Droste› nach Münster kam, so besuchte sie, nachdem sie bei uns eingesprochen,. . . gewöhnlich zuerst die Herzogin von Looz, eine feine, sehr gebildete, für Musik und Literatur sich interessierende Frau von entschieden religiösem Sinn und ernsten sittlichen Grundsätzen. . ." (Aufzeichnung Christoph Bernhard Schlüters).

Clemens Maria von Bönninghausen veröffentlicht eine verkürzte Krankengeschichte der Droste im „Archiv für die homöopathische Heilkunst".

Anfang der 30er Jahre: Motivsammlung mit Gedanken zur Schlußkonzeption von *Ledwina*.

Februar: Therese vDH teilt in einem Familienbrief mit: „Jänny und Nette zeichnen den ganzen Tag. . . Nette zeichnet jetzt so allerliebste Bilder, daß Ihr euch wundern würdet, und alles aus der Phantasie. Ich habe meine große Freude daran. Sie zeichnet jetzt ein ganzes Büchelchen voll für Karl ‹von Haxthausen›. . . Ich bin gewiß, daß es dir und Ludowine gefallen wird. Ihr stellt es Euch so hübsch nicht vor."

Etwa März: Werner von Haxthausen plant eine längere Italienreise, die über Nizza und Rom führen soll. Er fragt an, ob Therese vDH mit ihren Töchtern teilnehmen wolle. Die Droste ist von dem Plan begeistert.

Die Planung der Reise ändert sich in der Folgezeit wiederholt. Zwischenzeitlich wird erwogen, daß die Droste zurückbleiben solle, da die Reisestrapazen für sie zu groß seien. Eine Zeitlang steht die Reise ganz in Frage. Es werden alternative Reiseziele erwogen. In diesem Zusammenhang steht ein Brief der Droste an Jenny vDH, in dem sie mitteilt, daß sie sich nicht spontan für ein neues Reiseziel entscheiden könne. Sie lehne einen Aufenthalt in Mannheim ab, das ihr zu provinziell erscheine und dessen Theater im Vergleich mit dem in Mailand, Florenz, Wien oder Paris zu unbedeutend sei; dagegen sage ihr eine Reise nach München zu, da Stadt und Theater bedeutender seien. Gegenüber Mannheim würde sie lieber Köln oder Bonn wählen oder ganz auf die Reise verzichten.

Etwa Mitte März: Gesundheitsverschlechterung durch „Schreck mit Betrübnis" und eine leichte Vergiftung.

21. Juli: Jenny vDH bittet Sophie von Haxthausen, nicht von der Italienreise zurückzutreten. Die Droste, für die die Reise von großem gesundheitlichen Nutzen sei, sei über die eventuelle Absage „recht in Not".

24. oder 25. Juli: Behandlung durch von Bönninghausen. Er konstatiert „viel Besserung".

28. Juli: Ausbruch der Revolution in Paris.

25. August: Beginn der belgischen Revolution.

September: Mehrere Mitglieder der Familie von Haxthausen treten die Italienreise an. Auf der Hinreise besuchen sie in Eppishausen (im Thurgau) Joseph von Laßberg, den späteren Schwager der Droste. Fortsetzung der Reise nach Rom. Es ist geplant, daß Therese vDH und ihre Töchter nachreisen. In einem Familienbrief vom 15.9.1830 teilt Therese vDH mit: „sollte sich dann wider Vermuthen gegen den Frühling alles ‹die politische Lage› zum Beßern wenden, so folgen wir Euch, das seyd gewiß, laßt uns doch immer wissen wo ihr seyd. . ."

Anfang September: Ausbruch von Volksunruhen in Leipzig (2.9.), Kassel (6.9.) und Dresden (9.9.).

Ende September/Anfang Oktober: Abreise der Droste zu einem Besuch in Bonn. Jenny vDH berichtet in einem Familienbrief vom 16.11.1830: „Es freute mich sehr, dass diese Reise so schnell auf's Tapet kam, denn Nette fing schon wieder an zu klagen. Früherhin hatte sie die Hoffnung der Reise ‹nach Italien› beschäftigt, und jetzt war sie auf einmal ausgespannt, wann sie wiederkommt ist noch nicht bestimmt. . ." Auf der Hinreise zieht sich die Droste einen länger andauernden Katarrh zu, der ihre Augen angreift. In Bonn wohnt sie bei der Familie von Clemens vDH. Häufige Besuche bei der Familie von Moritz von Haxthausen. Bei Clemens vDH Bekanntschaft mit mehreren (namentlich nicht mehr vollständig zu ermittelnden) Gelehrten, die die Droste jedoch für wenig interessant hält. Vermutlich Umgang mit den Bekannten der beiden früheren Aufenthalte am Rhein sowie mit Johanna Mockel (spätere Matthieux und Kinkel) und Gertrud Ostler (spätere Frau des Germanisten Carl Simrock, die im selben Haus wie Clemens vDH wohnt). Vermutlich

Die Familie des Bonner Kirchenrechtlers Clemens von Droste-Hülshoff. Ölgemälde von Jakob Götzenberger.

„An seinem Denkmal saß ich, das Getreibe / Des Lebens schwoll und wogt' in den Alleen, / Ich aber mochte nur zum Himmel sehn, / Von dem ihr Silber goß die Mondenscheibe. . .// Wer könnte unter diesen Gräbern wandeln, / Der ihn gekannt wie ich, so manches Jahr, / Der seine Kindheit sah, so frisch und klar, / Des Jünglings Glut, des Mannes kräftig Handeln?" (aus: „Clemens von Droste", 1843)
Clemens von Droste-Hülshoff (1793-1832), Vetter der Droste, lehrte seit 1818 an der Universität Bonn Natur-, Straf- und Kirchenrecht. Der Verfasser rechtsphilosophischer und kirchenrechtlicher Arbeiten war ein bedeutender Vertreter der rationalen Glaubensrichtung des „Hermesianismus", den sein Freund Georg Hermes (1775-1831) begründet hatte. Im Haus ihres Vetters lernte die Droste weitere „Hermesianer" kennen, die sie gegenüber Angriffen ihrer Familie in Schutz nahm. Clemens von Droste-Hülshoff, der während seiner Kinder- und Jugendzeit häufig nach Hülshoff gekommen war, wird in den Briefen der Droste mehrfach freundschaftlich erwähnt.

Sibylle Mertens-Schaaffhausen (1797-1857). Miniatur eines unbekannten Künstlers

Die Beziehung der Droste zu der reichen Bankiergattin, Sammlerin und Kunstmäzenin Sibylle Mertens-Schaaffhausen gestaltete sich wechselhaft. Die 1825 geknüpfte Freundschaft wurde vor allem von Mißtönen überschattet, als die Droste mutmaßte, Sibylle Mertens habe sich nicht genügend für einen Verlag ihrer Epen eingesetzt. Sibylle Mertens' Haus in Plittersdorf, das sie seit 1824 bewohnte, war Mittelpunkt eines regen geselligen Lebens. Dort gingen namhafte Wissenschaftler der jungen Bonner Universität ein und aus. Ein weiterer Gast war Werner von Haxthausen, der den Kontakt zwischen der Droste und Sibylle Mertens vermittelt hatte.

Begegnung mit Wilhelm Smets. Näherer Umgang mit Adele und Johanna Schopenhauer. Nach nicht anzuzweifelnden Angaben soll ein rheinischer Gutsbesitzer von der Droste das Jawort zu einer Ehe erhalten, bald aber wieder verwirkt haben. Man versucht die Droste zu überreden, sich eine neue Garderobe zuzulegen und Gesellschaften zu besuchen, was sie jedoch ablehnt. Sie kauft ein Theaterabonnement, schreibt sich in die Leihbibliothek ein, besucht ein Studentenkonzert und wird Ehrenmitglied eines musikalischen Kränzchens. Nach ihrer Ankunft dreitägiger Aufenthalt in Bonn-Plittersdorf, um die erkrankte Sibylle Mertens zu pflegen. Diese will eigens in Bonn eine Wohnung mieten, um in der Nähe der Droste zu sein. In Plitters-

Sibylle Mertens-Schaaffhausen, genannt „Die Rheingräfin“, Zeichnung von L. Krewel.

Plittersdorf bei Godesberg, Wohnsitz der Sibylle Mertens-Schaaffhausen, alter Zustand.

dorf Umgang mit Adele Schopenhauer. Es liegen aus der Zeit des Aufenthalts der Droste in Bonn mehrere undatierte Billets Adele Schopenhauers an die Droste vor, in denen es häufig um Verabredungen geht. In einem Fall bittet Adele Schopenhauer die Droste darum, ihr eines „jener hübschen Märchen“ zu erzählen.

Der Aufenthalt in Bonn wirkt sich günstig auf die Gesundheit der Droste aus. Sie hofft, im Frühjahr 1831 die Reise nach Italien nachzuholen. Während des Aufenthalts in Bonn liefert sie für Johanna Schopenhauer den Entwurf für eine Beschreibung der St. Columba-Kirche in Köln, den Johanna Schopenhauer z.T. wörtlich in ihrer Novelle „Der Bettler von Sankt Columba“ verwertet (Der Bettler von Sankt Columba. Erzählung, in: Penelope. Taschenbuch für das Jahr 1832; Wiederabdrucke: 1. in: Der Sammler, Wien, Nr. 138–148, 1831; 2. in: Der Bettler von Sankt Columba. Margarethe von Schottland. Zwey Novellen, 1836).

10. Oktober: Gesundheitsbesserung.

17. Oktober: Brief von Wilhelm Smets: Auf Wunsch der Droste Übersendung von Christian von Zedlitz‘ Gedicht „Die nächtliche Heerschau“ und Heines „Grenadieren“ (aus „Buch der Lieder“). Er fügt Alphonse de Lamartines „Dernier chant du pèlerinage d‘ Harold“ (1825) bei.

November: Jenny vDH berichtet in einem Familienbrief, daß die Droste in Bonn „sehr munter“ sei und gut aussehe: „Wir können noch gar den Gedanken nicht fassen, daß ihr Lieben jetzt wirklich in dem schönen Italien seid.“

20. November: Heirat des am Arnswaldt-Straube-Erlebnis beteiligten August von Arnswaldt mit der früheren Freundin der Droste, Anna von Haxthausen.

23. November: Adele Schopenhauer berichtet Ottilie von Goethe: „Die Droste ist jetzt hier, das geistreiche Geschöpf von welcher ich dir oft erzählte, ihre Gegenwart wirkt belebend oft auch sehr betrübend auf mich, ein wunderschönes Leben u Wesen in sich zerstört, theilweise vernichtet, doch lebt mein Geist am ihren auf.“

27. Dezember: Therese vDH berichtet in einem Familienbrief: „Dass unsre Nette immer noch in Bonn ist, sich sehr wohl befindet und ‹es› ihr dort überhaupt ganz vortrefflich geht, muß ich dir. . . doch auch noch sagen. Sie schreibt oft von Wiederkommen, aber es bleibt immer noch dabei, da Pauline ‹vDH, die Ehefrau von Clemens vDH› sie sehr ungern missen will.“

Vermutlich in den Jahren 1831–1833 entstehen weitere Notizen zur *Judenbuche*.

Johanna Schopenhauer, die Mutter des Philosophen Arthur Schopenhauer, mit ihrer Tochter Adele; Ölgemälde.

Adele Schopenhauer (1797-1849) wuchs in Weimar in der Umgebung Goethes auf, mit dem sie bis 1831 im Briefwechsel stand und mit dessen

1831

30. Januar: Sibylle Mertens verletzt sich durch einen Stoß am Kopf so sehr, daß sie eine lebensgefährliche Gehirnerschütterung davonträgt. Sie bittet die Droste, sie in Plittersdorf zu pflegen. Die Droste übernimmt in Plittersdorf neben der Krankenpflege auch die Kinderbetreuung und Haushaltsführung. Durch ihre nahe Beziehung zu Sibylle Mertens zieht sie sich die Eifersucht Adele Schopenhauers zu, was zu Spannungen führt. Durch die Krankenpflege kann die Droste ihr Theaterabonnement in Bonn nicht wahrnehmen. Anders als 1826 nimmt sie nicht am Kölner Karneval teil.

Nach 7. Februar: Die Krankheit von Sibylle Mertens verschlimmert sich derart, daß die Droste sie fast Tag und Nacht pflegt. Sie kommt bis Mitte März nur ein Mal nach Bonn.

2. März: Adele Schopenhauer berichtet Ottilie von Goethe über Sibylle Mertens' Erkrankung: „Die Droste ist bei ihr und nimmt sich gut." Sie selbst sei zu krank, um nach Plittersdorf zu gehen.

Jenny vDH berichtet in einem Familienbrief: „Nette ist noch in Bonn, sie ist sehr vergnügt... Am Schreiben tut sie sich nicht weh."

Nach 11. März: Die Droste wird von Adele Schopenhauer bei der Krankenpflege abgelöst. Rückkehr nach Bonn. Als sich die Droste weigert, ihrerseits Adele Schopenhauer abzulösen und statt dessen Wilhelmine von Thielmann besuchen will, kommt es mit Adele

Schwiegertochter Ottilie sie befreundet war. Mit ihrer Mutter Johanna (1766-1838), einer in ihrer Zeit bekannten Salonschriftstellerin, unternahm sie, zeitlebens gesundheitlich geschwächt, ab 1819 ausgedehnte Badereisen. Im Frühsommer 1829 siedelte sie mit Hilfe von Sibylle Mertens-Schaaffhausen, mit der sie seit Januar 1828 befreundet war, nach Bonn über. Im Winter 1830/31 kam es zu einer näheren Bekanntschaft mit der Droste. Obwohl der persönliche Umgang von manchen Spannungen belastet war, wurde Adele Schopenhauer für die Droste zu einer wichtigen literarischen Ansprechpartnerin. In Weimar und Jena vermittelte sie Rezensionen der Gedichte 1838 und die Aufnahme von Texten in Anthologien. Seit 1841/42 war Adele Schopenhauer selbst schriftstellerisch tätig. Die Briefe der Droste an Adele Schopenhauer sind sämtlich verschollen, die Gegenbriefe bis auf wenige Fälle unzureichend überliefert. Auch aus diesem Grund wird die Bedeutung Adele Schopenhauers als „literarisches Gewissen der Droste" (Clemens Heselhaus) unterschätzt.

Schopenhauer zum Streit. Ende April geht die Droste erneut nach Plittersdorf. Der Besuch bei Wilhelmine von Thielmann kommt vermutlich nicht zustande.

April/Mai: Brief an Therese vDH: Die Droste bittet um die Zustimmung zu einer gemeinsam mit Sibylle Mertens geplanten Reise nach Vevey.

Therese vDH drängt die Droste hierauf zu einer baldigen Rückkehr ins Rüschhaus. Sie verweigert nachdrücklich ihr Einverständnis zu der geplanten Reise. In einem späteren Familienbrief kommt sie noch einmal auf die Reise nach Vevey zurück. Sie behauptet, daß die Droste unmöglich ohne „Vormund" und „Geschäftsführer" in der Welt bestehen könne. Im Rüschhaus sei dies Jenny vDH, in Bonn Pauline vDH.

An der geplanten Reise nach Vevey entzündet sich erneut die Eifersucht Adele Schopenhauers auf die Droste. Es kommt zwischen ihr und Sibylle Mertens zum Streit. Adele Schopenhauer berichtet Ottilie von Goethe: „. . .Inconsequenz, Launen, Muthlosigkeit, grenzenlose Härte gegen mich, abwechselnd mit Vertrauen u Hingebung, das waren die Früchte des Umgangs mit Annetten." Die Droste sei ein „inconsequentes Geschöpf".

Nach April/Mai: Es entsteht die Komposition: *Indisches Brautlied.*

3. Juni: Stammbucheintrag für Johanna Mockel.

9. Juni: Rückkehr ins Rüschhaus.

Nach 9. Juni: Der 16jährige Gymnasiast Levin Schücking, mit dessen Mutter Catharina geb. Busch die Droste 1813 befreundet war, wird von der Droste ins Rüschhaus eingeladen. Er erzählt seiner in Ludmillenhof lebenden Mutter später von dieser Begegnung, was diese dazu veranlaßt, erneut mit der Droste Kontakt aufzunehmen (-›8.10.1831).

Etwa Ende Juni: Jenny vDH reist den aus Italien zurückkehrenden Mitgliedern der Familie von Haxthausen entgegen. Zusammentreffen in Konstanz. Man wohnt auf Schloß Berg bei der Familie von Thurn-Valsassina. Gemeinsamer Ausflug zum nahegelegenen Eppishausen, dem Wohnsitz Laßbergs. Bis zum 3.10. gemeinsame Ausflüge, u.a. zum Rigi, wo Laßberg Jenny vDH seine Liebe erklärt.

Anfang September: Mehrtägiger Besuch in Hülshoff.

Herbst: Arbeit am *Hospiz.*

8. Oktober: Brief von Catharina Schücking: Sie beschreibt ihre isolierte Lebensweise und fragt an, ob das *Hospiz* inzwischen gedruckt vorliege.

Johanna Kinkel, geb. Mockel, gesch. Matthieux (1810-1858). Holzstich eines Reliefporträts von Grass.

„Liebstes Hannchen, gedenken Sie meiner zuweilen so freundlich und mit so herzlicher Zuneigung, als sich ihrer immer erinnern wird/Annette Fr. Droste zu Hülshoff." (Eintrag der Droste im Stammbuch der Johanna Mockel am 3. Juni 1831) Die Droste hatte nach eigener Aussage Johanna Kinkel „früher sehr genau" gekannt. Die Bekanntschaft wurde 1825/26 vermutlich im Salon der Sibylle Mertens geschlossen. Während des zweiten längeren Aufenthalts der Droste am Rhein 1830/31 fand sie eine Fortsetzung. Später distanzierte sich die Droste von der Freundin, nachdem diese in zweiter Ehe den Liberalen Gottfried Kinkel geheiratet hatte. Die Eheschließung sorgte in Bonn für Aufsehen, weil Kinkel nach der Bekanntschaft mit Johanna Matthieux seine theologische Laufbahn aufgegeben hatte, um sich bis 1848 fast ausschließlich der Kunst und Ästhetik zuzuwenden.
Johanna Mockel wurde schon früh als musikalisches Talent gefeiert. Nach unglücklicher, nur fünfmonatiger Ehe (1832) mit dem Kölner Musikalienhändler Matthieux lebte sie 1838/39 in Berlin, wo sie sich zur Pianistin ausbildete, musikpädagogisch wirkte, mit Mendelssohn-Bartholdy befreundet war und im Kreise Bettina von Arnims und des Justizministers von Savigny verkehrte. Nach Bonn zurückgekehrt, wurde sie als musikalisches Phänomen bestaunt. Sie prägte das musikalische Leben der damals 30 000 Einwohner zählenden Stadt durch den im elterlichen Hause zusammentreffenden „Bonner Gesangverein" mit. Hier verkehrte auch ihr späterer Mann Gottfried Kinkel (1815-1882). Beide gründeten 1840 den spätromantischen Dichterverein „Der Maikäferbund". An der Hinwendung ihres Mannes zur Politik im Jahre 1848 soll Johanna Kinkel entscheidendend mitgewirkt haben. 1851 mußte sie wegen der politischen Verfolgung ihres Mannes mit ihren vier Kindern nach London fliehen, bevor die Familie 1866 nach Zürich ging, wo Kinkel eine Professur für Kunstgeschichte innehatte.

Levin Schücking (1814-1883), Zeichnung von Ph. Schilgen, 1834.

Er sei „lapsig und aufgeblasen", konstatierte die Droste 1837, sie bedauere, „für einen Menschen, der im Grunde so vortreffliche Eigenschaften" habe, und „den alle seine Freunde so liebten", durchaus kein eigentliches Wohlwollen fassen zu können, weil das Eitle und Zuversichtliche in seinem Wesen sie immer wieder zurückstoße. Trotz dieser Schwächen war sie jedoch entschlossen, den Sohn ihrer früheren Freundin Catharina Busch „nie im Stiche zu lassen", sie sorgte für ihn gleichsam wie für einen Adoptivsohn. In der „Heckenschriftsteller-Gesellschaft" Elise Rüdigers besaß Schücking – so die Droste – „ohne Zweifel das feinste Urteil von allen Teilnehmern". Hier wurde die Bekanntschaft vertieft. Schücking begann, die Droste regelmäßig dienstags im Rüschhaus zu besuchen, es entspann sich ein intensiver Briefwechsel. Schücking beteiligte die Droste an seinen literarischen Projekten („Das malerische und romantische Westfalen", 1840/41), sie profitierte bei ihrer Meersburger Gedichtproduktion des Winters 1841/42 von seiner Rolle als Ansprechpartner und kritischer Förderer („Weiß der Henker was Du für eine inspirierende Macht über mich hast. . . wärst Du noch hier, mein Buch wäre längst fertig, denn jedes Wort von Dir ist mir wie ein Spornstich"). Nachdem Schücking Meersburg verlassen hatte, seine eigene Karriere verfolgte und sich mit der Schriftstellerin Luise von Gall verheiratet hatte, wuchs die Entfremdung. Vollends zum Bruch kam es nach der Veröffentlichung von Schückings Roman „Die Ritterbürtigen" im Jahre 1846, in dem Schücking Insiderkenntnisse über den westfälischen Adel, die von der Droste stammten, literarisch verwertet hatte („Schücking hat an mir gehandelt wie mein grausamster Todfeind. . .").

22. Oktober: Behandlung durch von Bönninghausen wegen „psorischer Beschwerden".

2. November: Tod Catharina Schückings. Als die Droste hiervon erfährt, bittet sie Schücking, ins Rüschhaus zu kommen. Sie habe die Todesnachricht in dem Moment erhalten, als sie Catharina Schükkings Brief vom 8.10.1831 beantworten wollte. Schücking schreibt später in seinem „Lebensbild" der Droste und seinen „Lebenserinnerungen", daß die Droste es als ihre Verpflichtung angesehen habe, sich fortan um ihn zu kümmern. Er habe die Droste zu dieser Zeit öfter gesehen. Sie habe ihm aus dem *Hospiz* vorgelesen.

Die Droste bemüht sich später wiederholt, aber erfolglos, Schücking über Ludwig Hassenpflug und August von Haxthausen eine Stelle als Privatsekretär zu vermitteln.

18. November: Jenny vDH schreibt Laßberg, bezogen auf den zweiten Gesang des *Hospiz*: „Ich habe auch noch eine Bitte; meine Schwester wünscht so sehr, recht genaue Nachricht über das Kloster auf dem St. Bernhard zu haben, Sie sagten mir schon einiges über das Kloster und die Kirche, aber das ist ihr nicht genug, wollten Sie mir wohl Alles schreiben was Sie davon wissen? Die Bauart des Klosters

Die Briefe der Droste an Schücking aus der ersten Nachmeersburger Zeit sind voller Vertraulichkeiten. Als Beispiel ihr Brief vom 5. Mai 1842: ich habe schon zwey Stunden wachend gelegen, und in einem fort an dich gedacht, ach, ich denke immer an dich – immer, . . . schreib mir nur oft – mein Talent steigt und stirbt mit deiner Liebe – was ich werde, werde ich durch dich und um deinetwillen, sonst wäre es mir viel lieber und bequemer mir innerlich allein etwas vorzudichten. . . – Wir haben doch ein Götterleben hier geführt. . ." Nur zu gern wurde aufgrund solcher Zeugnisse die Beziehung der Droste zu Schücking zu einer Liebesromanze verklärt. Die Wirklichkeit sah jedoch anders aus. Schücking schätzte die Droste als seine „allerliebste Seelenfreundin"; an eine darüberhinausgehende Beziehung war jedoch nicht zu denken. Seiner Braut schrieb er offen: „es gibt kein innigeres und wohltuenderes Verhältnis wie das zwischen ihr ‹der Droste› und mir, wie es kein angenehmeres Leben für mich gegeben, wenn ich bei ihr auf ihrem einsamen Waldschlößchen mich habe verwöhnen lassen. . . Sie brauchen deshalb nicht eifersüchtig zu werden, meine teure Braut, wenn es Ihnen dessen auch wert scheinen sollte. Die Droste wird stark in den Vierzigern sein, und sieht noch älter aus, weil sie kränklich ist: da kann man jemanden wohl sehr lieb haben, aber – eifersüchtig braucht man doch nicht darauf zu sein." (Brief vom 11. Dezember 1842)

Levin Schücking, Gemälde von Elisabeth Jerichau-Baumann, 1847.

Levin Schücking war der Sohn des Richters und Amtmanns Paul Modestus Schücking und der Droste-Freundin Catharina Schücking geb. Busch. Er wurde in Meppen geboren und verbrachte seine Jugend auf Schloß Clemenswerth, wo die Familie 1815 eine Dienstwohnung bezogen hatte. Seit 1829 besuchte er das Gymnasium Paulinum in Münster. Nach dem Tod seiner Mutter (1831) zog er nach Osnabrück, wo er 1833 den Gymnasialabschluß ablegte. Hieran schloß sich das Jurastudium in München, Heidelberg und Göttingen an. 1837 kehrte er nach Münster zurück. Aufgrund seiner hannoverischen Staatsangehörigkeit war es ihm nicht möglich, an einem preußischen Obergericht sein juristisches Examen abzulegen. Er schlug sich daraufhin als Privatlehrer und mit schriftstellerischer Arbeit (Mitarbeit u.a. an Gutzkows „Telegraph für Deutschland" und am „Westphälischen Merkur") notdürftig durch. Mehrere Versuche Annette von Droste-Hülshoffs, ihm in den Jahren 1839 bis 1841 zu einer gesicherten Anstellung zu verhelfen, schlugen fehl. Durch Vermittlung der Droste wurde er für einen Winter lang (1841/1842) Bibliothekar bei ihrem Schwager Joseph von Laßberg auf der Meersburg am Bodensee. Ferdinand Freiligrath, mit dem Schücking seit 1839 befreundet war und für den er 1841 das „Malerische und romantische Westphalen" zum Abschluß brachte, verhalf ihm im Frühjahr 1842 zu einer Hofmeisterstelle beim Fürsten Wrede in Ellingen (Bayern) und Mondsee bei Salzburg. Von Mondsee aus, wo Schücking unter Isolation und der für ihn ungeeigneten Stellung litt, verlobte er sich mit seiner späteren Frau, Luise Schücking geb. von Gall, ohne dieser zuvor begegnet zu sein. Nach seiner Hei-

und der Kirche, die Gebräuche und Kleidung der Patres wüßte sie gern; Sie thun mir wohl den Gefallen alles aufzuschreiben, was Sie dort gesehen haben. . ."

Mitte Dezember: Augenbeschwerden.

24. Dezember: Die Droste verbringt wie gewöhnlich die Weihnachtstage in Hülshoff, um an der Bescherung mitzuwirken.

1832

Etwa Januar: Brief an Laßberg: Die Droste stellt detaillierte Fragen zum *Hospiz* (Informationen über Sitten und Gebräuche der Bevölkerung Savoyens, zur Flora und Fauna usw.).

7. Januar: Therese vDH berichtet in einem Familienbrief, daß die Droste gesund sei und „seit kurzem hübsche Sachen ‹*Hospiz*› geschrieben" habe. Sie wisse „eine Menge neuer Lieder".

Etwa 26. Januar: Besuch Schückings im Rüschhaus.

Etwa Februar: Laßberg antwortet ausführlich auf die Anfragen der Droste zum *Hospiz*.

6. April: Behandlung durch von Bönninghausen.

Nach 6. Juli: Ludowine von Haxthausen übernimmt die Waisenanstalt „Up der Brede" bei Brakel. Im dortigen sog. „Klösterchen"

rat 1843 war er für zwei Jahre Redakteur bei der Cottaschen Augsburger „Allgemeinen Zeitung". Von 1845 bis 1852 leitete er das Feuilleton der „Kölnischen Zeitung", unterbrochen von journalistischer Tätigkeit in Ostende, Paris, Rom und Neapel. 1852 wurde er entlassen. Er zog sich hierauf als freier Literat mit seiner Familie auf das von ihm erworbene Familiengut in Sassendorf bei Warendorf zurück. 1864 wurde er in Gießen zum Dr. phil. h.c. promoviert. 1857 verlegte er, unter beständiger Finanznot und Vereinsamung (insbesondere nach dem Tod seiner Frau) leidend, seinen Wohnsitz vorübergehend nach Münster. Seit 1874 verbrachte er den Winter in Italien. Er starb am 31. August 1883 in Bad Pyrmont.
Schücking verfügte über weitreichende Kontakte zu Personen des Literaturbetriebs. Die Geschichte seines literarischen Aufstiegs „ist die Geschichte seiner Freundschaften" (M. Schier). Die Droste sprach ihm ein augezeichnetes kritisches, jedoch nur mäßiges literarisches Talent zu. Schücking hinterließ ein etwa 150teiliges, qualitativ ungleiches Werk, das alle Sparten der Literatur umfaßt (Romane, Erzählungen, Dramen, essayistische Arbeiten). In der zweiten Hälfte des 19. Jahrhunderts zählte er zu den meistgelesenen deutschen Erzählern.

hält sich bis 1835(?) auch die häufig in den Briefen der Droste erwähnte Ordensfrau und Freundin Margarethe Verflassen auf.

11. August: Tod Clemens vDHs. Als die Droste die Todesnachricht erhält, will sie sogleich nach Bonn zu Pauline vDH reisen, was Therese vDH jedoch wegen gesundheitlicher Bedenken nicht zuläßt.

Oktober: Eine Augenschwäche hindert die Droste an der Abfassung von Briefen und literarischer Arbeit.

November: Arbeit am dritten Gesang des *Hospiz.*

5. November: Behandlung durch von Bönninghausen wegen „psorischer Beschwerden“.

24. November: Jenny vDH berichtet in einem Familienbrief: „Nette ist wieder fleißig am St Bernhard zu schreiben, Laßberg hat ihr viel ausführliche Notizen geschickt, so daß sie jetzt wohl fertig werden kann. . .“ ‘ich kann ächt nicht begreifen wie Nette so fortleben kann ohne Briefe zu bekommen und zu schreiben, mir wäre es unmöglich, so wie mich Jahrelang von meinen Bekannten fast ganz loszusagen, und dann auf einmahl ‹?› mit Heftigkeit die alte Freundschaft fortzuführen, um sie bald darauf wieder zu vergessen.“

27. November: Behandlung durch von Bönninghausen.

17. Dezember: Jenny vDH teilt in einem Familienbrief mit: „Nette schreibt fleißig am St. Bernhard, ich hoffe es soll bald fertig seyn. . .“

Nach 1832: Es entsteht die Komposition: *Der Tanhuser.*

1833

Es erscheint das von Friedrich Arnold Steinmann herausgegebene „Taschenbuch für vaterlaendische Geschichte“. Die Droste bezieht hieraus Material für ihr Epos *Die Schlacht im Loener Bruch* und die Ballade *Die Stiftung Cappenbergs*, vermutlich auch für den *Das Autograph* überschriebenen Teil des Gedichts *Ein Sommertagstraum.*

Elise Rüdiger, spätere Freundin der Droste, zieht nach der Versetzung ihres Mannes, des preußischen Oberregierungsrats Carl Ferdinand Rüdiger, von Minden nach Münster.

4. Januar: Brief von von Bönninghausen: Arzneiübersendung. „Glück auf mit dem Eintritt in das Schriftsteller-Wesen!“

Januar/Februar: Vorläufiger Abschluß der Arbeit am *Hospiz*.

24. Februar: Therese vDH berichtet in einem Familienbrief, daß die Droste die Arbeit am *Hospiz* abgeschlossen und bereits eine Reinschrift angefertigt habe. Sie bezeichnet das Werk als „sehr schön". Die Droste habe „tüchtig gestrichen", denn es sei stellenweise zu lang gewesen.

24. März: Amalie von Heereman-Zuydtwyck bittet Jenny vDH im Namen Amalie Hassenpflugs um Kompositonen der Droste: „Wenn es. . . Nette recht ist, so könntest Du vielleicht im May etwas von ihr mitbringen, aus einer der Opern oder von ihren Liedern."

15. Juni: Beginn eines mehrtägigen Aufenthalts bei Sophie von Fürstenberg in Münster.

2. Juli: Aufenthalt in Hülshoff. Anschließend erneuter mehrtägiger Besuch bei Sophie von Fürstenberg.

Nach Mitte Juli: Angegriffener Zustand infolge einer Krankenpflege von Antonia Catharina Plettendorf (ihrer früheren Amme).

Ende Juli/Anfang August: Mehrtägige Erkrankung und Unwohlsein.

12. August: Gesundheitsbesserung.

20. August: Die Droste verbringt drei *widerliche* Tage mit der Familie de Galliéris in Münster. Besuch im Hause Katerkamps.

23. August: Nach der Rückkehr ins Rüschhaus 5wöchiger Aufenthalt in Hülshoff, um dort eine Krankenpflege zu übernehmen.

Ende September: Mehrtägiger Aufenthalt in Münster, um sich dort von der Krankenpflege zu erholen. Besuch bei der Herzogin von Looz-Corswarem. Die Droste steht ihr beim Tod einer Angehörigen bei. Besuch einer Kunstausstellung. Begegnung mit dem literarisch interessierten Carl Carvacchi. Der Freund August von Haxthausens ist damals Steuerrat bei der preußischen Regierung. Er wird später Mitglied der im Winter 1838/39 von Elise Rüdiger gegründeten *Hecken-Schriftsteller-Gesellschaft*, der auch die Droste angehört.

30. September oder 1. Oktober: Rückkehr ins Rüschhaus. Mehrtägiges starkes Kopfweh und Unwohlsein. Besuch des Gottesdienstes in Nienberge.

4. oder 5. Oktober: Beginn eines längeren Aufenthalts in Hülshoff.

20. Oktober: Behandlung durch von Bönninghausen wegen „Seitenstichen".

Etwa 31. Oktober: Brief an von Bönninghausen: Klage über *Stiche in der Brust*.

22. November: Tod Sprickmanns.

Nach 26.: Notizen zur Weiterarbeit am zweiten Gesang des *Hospiz*. Die Droste fertigt Lektüreauszüge an.

29. und 31. Dezember: Behandlung durch von Bönninghausen wegen „Fiebers".

1834

Vor 1834: Bekanntschaft mit dem Altertumsforscher Heinrich Engels, den die Droste später finanziell unterstützt.

Es entstehen: *Des Arztes Tod*; *Des Arztes Vermächtniß*.

1. Januar: Behandlung durch von Bönninghausen.

2. Januar: Behandlung durch von Bönninghausen wegen „Blutauswurfs".

21.-28. Januar: Aufenthalt in Hülshoff.

23. Februar: Behandlung durch von Bönninghausen wegen eines „Katarrhs".

25. Februar: Teilnahme am „literarischen Tee" bei Werner von Haxthausen in Münster. Dort vermutlich erste Begegnung mit Christoph Bernhard Schlüter. Gespräche über Goethe und Schiller. In der Folgezeit ergibt sich ein näherer Kontakt zu Schlüter, seiner Mutter Catharina und seiner Schwester Therese. Über Schlüter Bekanntschaft mit Wilhelm Junkmann, der Schlüter seit 1831/32 nahesteht.

Nach Erinnerungen Schlüters sei die Droste bei ihren Besuchen immer zuerst in seinem Hause eingekehrt und habe Neuigkeiten von Rüschhaus und Hülshoff erzählt. Anschließend habe sie die Herzogin Looz, das Haus Katerkamps und verschiedene Goldschmiede und Antiquare aufgesucht. Sie habe im Hause Schlüter sehr häufig vorgesungen. Die Droste sei stets „möglichst einfach, ja schlecht" gekleidet gewesen.

1. März: Erster Besuch der Droste bei Schlüter. Sie singt Minne- und Volkslieder vor, u.a. „Gott grüß mir die im grünen Rock", „Ich habe gemeint" und „Wohin soll ich mit euch gehen?"

März-Oktober: Arbeit am dritten Gesang des *Hospiz*.

9. April: Die Droste liest bei Schlüter aus dem *Hospiz*. Sie singt Minne- und Volkslieder zum Klavier. Möglicherweise Gespräche über *Des Arztes Vermächtniß*.

Ende April–Anfang Mai: Es entsteht der Zyklus *Die Elemente*.

Christoph Bernhard Schlüter (1801-1884), Bleistiftskizze, wohl eines Studenten, 1852.

Christoph Bernhard Schlüter wurde in Warendorf als Sohn eines Advokaten und Stadtrichters geboren. Um 1810 war er durch ein physikalisches Experiment halb erblindet. 1815 zog die Familie nach Münster um, nachdem Schlüters Vater an das Oberlandesgericht versetzt worden war. Dort

28. Mai: Besuch bei Schlüter. Die Droste rezitiert aus *Die Elemente*, die gut gefallen. Sie lädt Schlüter ins Rüschhaus ein.

Sommer: Es entsteht: *Nicht wie vergangner Tage heitres Singen...* (Widmungsgedicht zu *Des Arztes Vermächtniß* für Sibylle Mertens)

Brief an Sibylle Mertens: Die Droste übersendet ihr die *einzige und zugleich leserliche und richtige Abschrift* des *Hospiz* und von *Des Arztes Vermächtniß*. Die Abschriften sind zum Druck bestimmt und sollen von Eduard D'Alton, Adele Schopenhauer und Sibylle Mertens kritisch durchgesehen werden. Sie fragt bei ihr (indirekt aber bei Johanna Schopenhauer?) an, an wen sie sich wegen des Verlags wenden solle und wie sie dabei vorzugehen habe. Beilage: *Nicht wie vergangner Tage heitres Singen...*

Sibylle Mertens beantwortet die Zuschrift *enthusiastisch* und *überaus dienstwillig*. Ein von ihr angekündigter weiterer Brief, auf den die Droste *mit ängstlicher Spannung* wartet, bleibt jedoch aus, vermutlich weil Sibylle Mertens die Gedichte für nicht druckreif hält. Hierauf wiederholt die Droste ihre Anfrage.

Vor Juli: Notizen zur *Judenbuche*.

14. Juli: Erster Besuch Christoph Bernhard und Therese Schlüters im Rüschhaus. Die Droste rezitiert aus ihren Gedichten, die anschlie-

bildete das Haus der Schlüters den Mittelpunkt eines regen geistigen Lebens. Schlüter besuchte das Gymnasium Paulinum in Münster. Seit 1821 war er völlig erblindet. Von 1821 bis 1823 studierte er in Münster Philologie und Philosophie. 1824 absolvierte er die Prüfung für eine Anstellung als Lehrer am Gymnasium Paulinum mit so großem Erfolg, daß er als Dozent für Philosophie an der Akademie Münster vorgeschlagen wurde. Seit 1824 war er Mitglied von Benedikt Waldecks Literaturzirkel „Die Haimonskinder". 1826 hielt er seine Antrittsvorlesung an der Akademie. 1827 begann er mit Vorlesungen in Geschichte und Philosophie. In seinem Elternhaus betreute Schlüter daneben seit 1827 einen hauptsächlich aus Theologiestudenten bestehenden literarischen Schülerkreis. 1827 habilitierte er in Philosophie. 1843 wurde er zum Ehrendoktor der Universität Würzburg und 1848 zum ordentlichen Professor der Akademie Münster ernannt. Er starb am 4. Februar 1884.
Schlüter verfügte über ein breites philosophisches und literarisches Wissen. Er veröffentlichte u.a. über Spinoza, Aristoteles und Baader. Vor allem beschäftigte er sich mit Augustinus, über den er mehrfach publizierte. Maßstab seiner Philosophie aber blieb die Bibel. Daneben veröffentlichte er anonym in westfälischen Taschenbüchern formstrenge religiöse Gedichte.

Christoph Bernhard Schlüter, Fotographie, um 1864.

Der fast vollständig überlieferte Briefwechsel zwischen der Droste und Schlüter verdeutlicht, daß die Autorin Schlüter menschlich schätzte, obwohl sie sich oft an seiner Philisterhaftigkeit stieß; die Briefe bezeugen andererseits, daß die Beziehung nie ungezwungen war. Unter Einfluß des weltoffeneren Levin Schücking entfremdete sich die Droste von Schlüter und seiner katholisch-restaurativen Literaturauffassung. In ihren letzten Lebensjahren kam es zu einer neuerlichen Annäherung. In literarischer Hinsicht wurde Schlüters Einfluß auf die Dichterin lange Zeit überschätzt. Schlüter hatte jedoch Anteil daran, daß die Droste nach fast 20jähriger Unterbrechung die Arbeit am „Geistlichen Jahr" wiederaufnahm. Dieses Werk gab Schlüter 1851 im Auftrag der Droste heraus. Eine ähnliche Rolle als Freund und Förderer wie für die Droste spielte er auch für Luise Hensel und Antonie Jüngst.

ßend diskutiert werden. Sie zeigt Gegenstände aus ihrer Sammlung und macht zahlreiche Geschenke.

17. Juli: Erster Brief an Schlüter: Zusendung von Arbeiten des Altertumsforschers Heinrich Engels, die die Droste über Friedrich Arnold Steinmann zum Druck befördern lassen will.

11. August: Mehrtägiger Aufenthalt in Münster. Wohnung bei Sophie von Fürstenberg. Die Droste läßt sich für Sibylle Mertens von dem Maler L. Krevel porträtieren (Bildnis nicht überliefert).

16. August: Behandlung durch von Bönninghausen wegen „Erkältung".

In der Folgezeit: Aufbruch zu einer Reise in die Niederlande. Der Anstoß zu dieser Reise geht vielleicht auf die Beziehung der Familie vDH zur Familie de Galliéris zurück. Die Abreise erfolgt, Notizen der Droste zufolge, an einem Montag. Der Reiseverlauf stellt sich wie folgt dar: Montag: Fahrt über Velen und Borken nach Rhede. Dienstag: Fortsetzung der Fahrt über Bocholt und Hengelo (bei Zutphen) nach Zutphen, wo man Quartier nimmt. Freitag: Tagesausflug über Dieren, Schloß Rozendaal, die Landgüter Klarenbeck und Angelstein und die Stadt Velp nach Beekhuisen. Samstag: Erneute Stadtbesichtigung von Zutphen (St. Walburgakirche, Bibliothek). Begegnung mit der Gräfin von Ginkel. Auf Haus Baak Treffen mit der Familie von Heiden und anderen ansässigen Adelsfamilien. Sonntag: Kirchgang. Tagesausflug zum Königsschloß Het Loo. In der Folgezeit möglicherweise Fortsetzung der Reise zum Schloß Aldengoor und in Teile des heutigen Belgien, nach Verwier. Im Schloß Arcen bei Venlo Zusammentreffen mit Isabella von Wymar, möglicherweise mit Maria Caroline von Wymar (verh. von Dalwigk-Lichtenfels) und „Lorchen“ von Dalwigk. Die Reise regt die Droste zu ihrer Novelle *Joseph* an.

Etwa Ende August/Anfang September: Rückkehr ins Rüschhaus.

Mitte September: Josef von Laßberg trifft zur Vorbereitung seiner Heirat mit Jenny vDH (18.10.) im Rüschhaus ein. Er stellt in Aussicht, einen Verleger für das *Hospiz* zu finden.

21. Oktober: Aufenthalt in Hülshoff.

23. Oktober: Mit Therese vDH Aufenthalt in Hülshoff, um sich dort von den Hochzeitsgästen zu verabschieden.

Brief an Jenny von Laßberg: Die Droste plant, im Frühjahr oder Sommer 1835 Eppishausen zu besuchen. Ankündigung eines weiteren Briefes: ...*dann schicke ich Dir auch Auszüge aus dem St. Bernhard und Des Arztes Vermächtniß, die dein guter Laßberg ja besorgen will* (Verlagsvermittlung).

Nach 23. Oktober: Anfertigung der erwähnten Abschrift. Es ist nicht sicher, ob sie für einen Abdruck im „Morgenblatt für gebildete Leser“, dessen Redakteur, Gustav Schwab, ein naher Bekannter Laßbergs ist, bestimmt sind oder ob sie Proben für eine geschlossene Veröffentlichung darstellen.

28. Oktober: Carl Carvacchi berichtet August von Haxthausen über seine Bekanntschaft mit der Droste. Sie sei die „einzige geistreiche Natur“, der er in Münster begegnet sei.

29. Oktober: Brief an Jenny von Laßberg: Übersendung der erwähnten Abschriften: *Laßberg wird sagen die Hälfte oder das Drittheil sey genug gewesen, aber ich wollte meinem unbekannten Gönner in spe, dem Herrn Docktor Schwab, eine Auswahl lassen ...* Laßberg oder Schwab sollten die Orthographie und Interpunktion der zugesandten Gedichte besorgen.

Oktober-Anfang Dezember: Die Droste ist durch einen Familienbesuch und eine Erkrankung Anna Catharina Plettendorfs in Anspruch genommen.

Ende Oktober–Mitte Dezember: Werner von Haxthausen versucht, die Droste und Therese vDH zu überreden, nach dem Wegzug Jenny von Laßbergs für immer nach Bökendorf zu ziehen.

Ende Oktober/Anfang November: Umzug von Rüschhaus nach Hülshoff.

8. November: Schlüter berichtet Junkmann über das *Hospiz* und *Des Arztes Vermächtniß*: „O wie werden Sie staunen und sich wundern und mit innigem Anteil zugleich bewundern!" Er hebt die Nähe des *Hospiz* zur Dichtung Byrons hervor.

13. November: Brief von Schlüter: Zusendung von Allan Cunningham: Biographische und kritische Geschichte der englischen Literatur von Samuel Johnson bis zu Walter Scott's Tode. Aus dem Englischen übersetzt von A. Kayser (1834). Hinweis auf das Erscheinen des ersten Teils einer Übersetzung von Edward Bulwer-Lytton „Last Days of Pompeji" (1834). Vermutlich über das *Geistliche Jahr* heißt es: „Endlich muß ich Ihnen noch erzählen ... daß Ihr köstliches Depositum unterdeß vielfältigen Zins der höheren Ergötzung und eines seltneren ungewöhnlichen Interesses wie es nur der Schauer des wahrhaft Erhabenen und Großartigen in einer männlichen Brust zu erregen pflegt und vielleicht noch andern höhern Wucher eingetragen und mir mit mehreren, denen ich was mich so sehr anzog mittheilte, schon manche tief genußreich schöne Stunden bereitet hat." Er werde bald eine Sammlung größerer erzählender Gedichte von Mickiewicz erhalten, die er der Droste leihen könne. Jeder Brief, den er von Junkmann erhalte, handle ausführlich von der Droste.

November-Januar: Es entstehen auf 14 Quartseiten Exzerpte aus dem Buch von Cunningham. Darunter sind drei Texte, die vermutlich ebenfalls auf Kaysers Übersetzung beruhen, aber eigenständigen Charakter besitzen: Übersetzung von Walter Scotts „Pibroch of Donuil Dhu" (Strophe I, III und IV); Samuel Rogers „Jacqueline" (12

Verse) sowie Robert Southeys „Roderick, The Last of the Goths“ (17 Zeilen).

Dezember: Besuch bei Schlüter.

5. Dezember: Brief an Schlüter: Urteil über das Buch von Cunningham.

Schlüter läßt der Droste in der Folgezeit Jean Pierre Friedrich Ancillon: Zur Vermittlung der Extreme in den Meinungen. Zweiter Teil. Philosophie und Poesie (1831) zukommen.

Mitte Dezember: Mehrtägiger Aufenthalt bei Sophie von Fürstenberg in Münster.

Herbst/Winter: *. . .ich arbeite jetzt Nichts, gar Nichts, so gern ich dran möchte – die Tage sind zu kurz, und die wenigen Stunden zu besetzt,– wenn ich des Morgens mich gekleidet, gefrühstückt und die Messe gehört habe bleibt mir bis Mittag kaum Zeit genug zum Unterricht meiner kleinen Cousine, da wird Geschichte, französisch, und viel Musik getrieben, bis wir Beyde ganz verduselt zu Tische gehn, – Nachmittags erst ein wenig spatziert, dann eine Stunde Clavier, eine Stunde Gesang, nämlich wieder Unterricht und dann ists Abend, wo ich mein Zimmer verlasse, und bey meiner Mutter bleibe. . .* (Brief an Schlüter vom 2.1.1835)

Winter/Frühjahr: Es entsteht: *Entzauberung*

1835

2. Januar: Brief an Schlüter: Urteil für das Buch von Ancillon. Über ihren nächsten Besuch bei Schlüter: *auch den* ‹zunächst von Schlüter sehr kritisch beurteilten› *Walther werde ich noch mitbrigen. – erschrecken Sie nicht! es sind nur einzelne Stellen, etwa in jedem Gesange drey oder vier Strophen die ich Sie nochmahls anzuhören bitten möchte – . . .das Gedicht ist i m G a n z e n sehr misglückt und matt, i m E i n z e l n e n aber nicht immer.*

Nach 2. Januar: Besuch bei Schlüter. Die Droste macht ihm den ersten Teil des *Geistlichen Jahres* zum Geschenk. Erkrankung an *Wechselfieber* und einem rheumatischen Kopfweh.

11. Januar: Brief von Schlüter: Das *Geistliche Jahr* habe ihn tief beeindruckt. Seine Freunde und er seien vom dritten Gesang des *Hospiz* “entzückt“. Übersendung eines Gedichtmanuskripts seines Freundes Kleutgen, Adam Müllers „Von der Idee der Schönheit“ (1809), Gedichten und Briefen Thomas Grays sowie von zwei nie-

Wilhelm Junkmann (1811-1886), Gemälde.

Wilhelm Junkmann wurde in Münster als Sohn eines Schuhmachermeisters und Stadtverordneten geboren. Von 1822 bis 1829 besuchte er das Gymnasium Paulinum. Nach der Reifeprüfung studierte er in Münster, Bonn (ab Mai 1830) und wiederum Münster (ab August 1831) Geschichte und Philologie. Seitdem war er Vorleser und Freund des erblindeten Christoph Bernhard Schlüter, mit dem er literarisch zusammenarbeitete. 1833 legte er mit mittelmäßigem Erfolg das Staatsexamen für das Lehramt an höheren Schulen ab und erhielt eine Lehrbefugnis für die unteren Klassen in Griechisch, Deutsch, Geschichte, Mathematik und Religion. Da sein Zeugnis nicht für eine Anstellung als Oberlehrer ausreichte, entschloß er sich, zur Promotion nach Berlin zu gehen. Hier geriet er wegen Zugehörigkeit zu einer Burschenschaft während seiner Studienzeit in Bonn in die Demagogenprozesse und wurde von Ende April bis Juli 1835 inhaftiert. Die Abbüßung der gegen ihn verhängten Strafe (sechs Jahre Festungshaft und das Verbot, je ein Staatsamt in Preußen zu bekleiden) wurde ihm infolge eines Gnadengesuchs erlassen. Im Sommer 1837 wurde er Hauslehrer bei der Familie von Droste zu Senden in Münster. Seit Herbst 1837 absolvierte er ein Probejahr als Lehrer am Gymnasium Paulinum, bevor er im Mai 1839 Hilfslehrer in Coesfeld wurde. Nach einem Zerwürfnis mit dem Schulleiter kehrte er - ohne Aussicht auf eine neue Stelle - nach Münster ins Haus seiner Eltern zurück. Er war damals Mitarbeiter am „Katholischen Magazin“ (Münster) und Cottas Augsburger „Allgemeiner Zeitung“. Im September 1844 begann ein zweiter Studienaufenthalt in Bonn, wo sich Junkmann auf die Promotion in Geschichte

derdeutschen Gedichten Junkmanns („Münsterland“: 1. „Die Erscheinung“, 2. „Die Vorgeschichte“), die die Droste ins Hochdeutsche übertragen solle. Er bietet der Droste weiterhin als Lektüre an: Gedichtübersetzungen Melchior von Diepenbrocks in der „Charitas 1834“, den von Diepenbrock herausgegebenen „Geistlichen Blumenstrauß aus christlichen Dichtergärten den Freunden der christlichen Poesie dargeboten von Melchior Diepenbrock“ (1829) sowie eine Übersetzung von Luise Vaz de Camôes „Os Lusiadas“ (1572).

(1847) und eine spätere Habilitation (1851) vorbereitete. Er trat hier dem literarisch freigeistigen „Maikäferbund“ Gottfried und Johanna Kinkels bei, in dem seine in Versform verfaßte Idylle „Der Meyer“ 1846 mit dem jährlich vergebenen Preis ausgezeichnet wurde. Darüber hinaus pflegte Junkmann Umgang mit Levin Schücking, Willibald Alexis und Gustav Kolb, dem Chefredakteur der Augsburger „Allgemeinen“. In Bonn scheiterte Junkmanns Plan, Redakteur einer projektierten „katholischen Zeitung großen Stils“ zu werden. Nach bestandener Promotion hoffte er vergeblich auf eine Anstellung beim Kultusministerium in Berlin oder an einer Hochschule. Er arbeitete weiterhin an Zeitungen und Zeitschriften sowie an verschiedenen Lexika mit. Zu dieser Zeit faßte er den Plan, Priester zu werden. Die politische Gärung der Zeit begünstigte jedoch den Beginn seiner politischen Laufbahn. 1848/1849 war er Abgeordneter in der Nationalversammlung in Frankfurt, 1849 bis 1852 Abgeordneter der Zweiten Kammer in Berlin und 1850 im Volkshaus zu Erfurt. 1851 habilitierte er in Münster in Geschichte und wurde als Privatdozent tätig. Er war in dieser Zeit Hilfsmitarbeiter im dortigen Provinzialarchiv. 1854 wurde er außerordentlicher Professor für Geschichte am Lyzeum in Braunsberg. 1855 erhielt er eine ordentliche Professur für Geschichte an der Universität Breslau. Er starb am 3. November 1886 in Breslau. – Junkmann verfaßte epigonale, der Dichtung Höltys und Klopstocks nahestehende Lyrik, die häufig westfälische Themen aufgriff. Die Droste beschrieb Junkmann als widersprüchliche, schwermütige Natur. Seinen Gedichten bescheinigt sie viel Talent und eine eindringliche Sprache. Junkmann verfüge über eine glänzende Phantasie und tiefe Wahrheit des Gefühls, er könne jedoch eine gewisse münsterische Steifheit nicht ablegen. Junkmanns schriftstellerische Tätigkeit endete mit Beginn seiner politischen Laufbahn. – Die Droste fand in Junkmann seit 1837, als er begann, regelmäßig Rüschhaus zu besuchen, einen „treuen Kumpan“. Lange Zeit war sie seine Vertraute bei seiner unglücklichen Liebesbeziehung zu Therese Schlüter. Als er sich in Bonn dem liberalen „Maikäferbund“ anschloß, wähnte sie ihn den „Demagogen“ verfallen und fürchtete, daß er „bürgerlich zugrundegehe“ (Brief an Elise Rüdiger, 30. Januar 1846). Besondere Verdienste erwarb sich Junkmann an der postumen Edition des „Geistlichen Jahres“ (1851).

Mitte Januar-März: Schlüter läßt der Droste einen Teils von Tiecks „Phantasus"-Sammlung (3 Tle. 1812–1816) zukommen. Zusammentreffen mit Schlüter. Gespräche über Kleutgens Gedichte und die niederdeutschen Texte Junkmanns. Die Droste berichtet Schlüter, sie bearbeite einen „martialischen Stoff" ‹vermutlich ist der Entwurf von *Die Schlacht im Loener Bruch* gemeint›. Lektüreerwähnungen, -notizen, Motivaufzeichnungen bzw. Exzerpte aus bzw. zu Werken u.a. von Frances d'Arbley, Edward Bulwer-Lytton, Samuel Butler, Goethe („Wilhelm Meisters Wanderjahre oder Die Entsagenden", 1821), Wilhelm Hauff, Ludwig Tieck (Teile der „Phantasus"-Sammlung), Wieland, Walter Scott.

3. Februar: Behandlung durch von Bönninghausen wegen „Wechselfiebers".

18. Februar: Behandlung durch von Bönninghausen.

19. Februar: Brief an Sibylle Mertens: Die Droste wirft Sibylle Mertens vor, ihr Versprechen, das *Hospiz* und *Des Arztes Vermächtniß* zu begutachten und sich um einen Verleger zu kümmern, nicht eingehalten zu haben: *ich würde nicht so allen Muth und Lust verloren haben, je wieder Etwas zu unternehmen. . .*

Die Droste läßt in der Folgezeit mehrere Briefe von Sibylle Mertens unbeantwortet.

Anfang März: Andauern der Erkrankung.

15. März: Therese vDH berichtet Jenny von Laßberg, daß die Droste jeglichen Briefkontakt mit ihren Verwandten abgebrochen habe.

20. März: Gesundheitsbesserung. Es bleiben jedoch ein Schmerz und eine Steifheit im Knie, was die Droste an Besuchen in Münster hindert.

27. März: Brief an Schlüter: Rücksendung und Urteil über Tiecks „Phantasus"-Sammlung. Urteile über das von Schlüter entliehene Buch von Adam Müller und die niederdeutschen Gedichte Junkmanns, von denen sie eine hochdeutsche Übertragung beilegt. Sie nehme nur ungern an einer bevorstehenden Reise nach Eppishausen teil. Sie leide häufig an psychischen Krisen.

Die Droste fertigt auf Bitte des Pastors Heilmann aus Nienberge eine schwierige Ausschneidearbeit an („Flucht der Bürger über die Aa").

28. März: Brief von Schlüter: Er spricht ihr Mut und Trost zu. Zusendung vermutlich von Ludwig Auerbach (Hrsg.): Perlenschnüre. Sprüche nach dem Angelus Silesius (1823; 2. Aufl. 1831) sowie von Angelius Silesius (d. i. Johannes Scheffler): Der cherubinische Wandersmann (1674). Er entdecke in der Droste „viel Metaphysik“ - Beilage: 12 Sonette Schlüters „An Annette von Droste-Hülshoff“.

Eduard D'Alton verfaßt ein kritisches Gutachten über das *Hospiz* und *Des Arztes Vermächtniß*. Er kann einen Abdruck nicht empfehlen. Sibylle Mertens leitet das Gutachten vermutlich aus persönlicher Rücksichtnahme nicht an die Droste weiter. Ein entsprechendes Gutachten Adele Schopenhauer fällt dagegen positiv aus.

April: Weitere Nachwirkungen der Erkrankung.

Mitte April: Mehrtägiger Aufenthalt in Hülshoff.

Mai: Behandlung durch von Bönninghausen.

31. Mai: Brief von Schlüter: Er sei von Bettine von Arnims „Goethes Briefwechsel mit einem Kinde“ (1835) begeistert. Anfrage, ob die Droste Bettine von Arnim persönlich kenne. Er legt Grundauffassungen seines Katholizismus dar und fordert die Droste auf, ein Gedicht über Angelus Silesius zu verfassen.

2. Juni: Gesundheitsbesserung. Die Droste fühlt sich jedoch noch *ungemein aufgeregt und nervenschwach* und zu *großer Phantasie-, Gefühls- und Gedanken-Anspannung. . . gezwungen.*

4. Juni: Brief an Schlüter: Über die bevorstehende, für sie unerfreuliche Reise nach Eppishausen. Sie werde ihm das Gedicht *Nach dem Angelus Silesius* bald zusenden. Es sei bis jetzt noch nicht begonnen: *als ich zu schreiben anfing war mir's leid, daß meine Zeit so beschränkt wär, jetzt freut mich's - ich bin sehr bewegt, aber nicht fröhlich - die Gedanken und Bilder strömen mir zu, aber sind wie scheugewordne Pferde, die nur um so unerbittlicher dahin rasseln, je kräftiger und kühner ihre angeborne Natur ist. . . gebe ich mich hin, so treibts mich um, wie der Strudel ein Boot, oder wie der Wind die Haidflocken treibt, will ich ruhn, so summen und gaukeln die Bilder vor mir wie Mücken-Schwärmer, - wollte ich jetzt dichten, so würde es vielleicht das Beste was ich zu leisten vermag, indessen besser ists, ich. . . versuche zu schlafen.*

4. oder 5. Juni: Es entsteht nach Vorstudien der Gedankenwelt Schefflers: *Nach dem Angelus Silesius*. Die Droste entwirft zunächst eine Prosavorfassung.

8. Juni: Besuch Christoph Bernhard und Therese Schlüters im Rüschhaus. Die Droste stellt ihnen ihre Gedichte und Arbeitsmanuskripte vor. „Das Fräulein war überaus freundlich, gutherzig und überlebendig. . . Das Fräulein unterhielt uns vortrefflich.“ (Tagebuch Schlüters).

Mitte Juni: Mehrtägiger Aufenthalt in Hülshoff, um dort die erkrankte Caroline vDH zu pflegen.

16. Juni: Aufenthalt in Münster.

17. Juni: Behandlung durch von Bönninghausen.

30. Juni: Besuch bei Schlüter. Die Droste schenkt ihm einen Ring.

10. Juli: Behandlung durch von Bönninghausen. Er konstatiert „Gesichtsschmerzen" und „Ziehen im Unterkiefer".

11. Juli: Besuch Christoph Bernhard und Catharina Schlüters im Rüschhaus. Die Droste verspricht Schlüter, ihre in Eppishausen entstehenden Werke für ihn aufzubewahren.

15. Juli: Mit Therese vDH Abreise nach Eppishausen. Die Droste nimmt ihr „fuchsiges Buch" mit, das die Reinschrift ihrer Epen enthält.

20. Juli: Zwischenstation in Bonn. Wohnung bei Moritz von Haxthausen. Die Droste hofft, in Bonn *die einzige zugleich leserliche und richtige* Abschrift ihrer Epen bei Sibylle Mertens vorzufinden, die jedoch nach Italien abgereist ist. Sie erfährt, daß Adele Schopenhauer und Eduard D'Alton positive Gutachten über die Epen verfaßt hätten (das Urteil D'Alton war im Gegenteil sehr kritisch), die Sibylle Mertens nicht an sie weitergeleitet hätte. Während des Bonn-Aufenthalts knüpft Joseph Braun für die Droste Kontakt mit dem Verleger DuMont Schauberg an. Bei Abreise von Bonn kann die Droste das Versprechen mitnehmen, daß der Verleger *nicht säumen* werde, sobald eine neue Abschrift der Epen vorliege. Das Buch soll zu Ostern 1836 erscheinen.

Begegnung mit Adele Schopenhauer, über die jene am 16.1.1836 an Ottilie von Goethe schreibt: „Die Droste war hier, im Sommer, ich habe mich überwunden sie zu sehen, und nun liegt auch das hinter mir, und das Leben hat einen Popanz weniger!"

Nach 1. August: Weiterreise nach Eppishausen, wo man am 11. August eintrifft. Der Aufenthalt verläuft für die Droste hinsichtlich ihrer literarischen Arbeit und interessanter Bekanntschaften enttäuschend. Sie nimmt nur geringen Anteil an den zahlreichen Gelehrtenbesuchen bei Laßberg. Sie genießt die weitgehende Befreiung von Verpflichtungen und führt ein *wahres geistiges Schlaraffenleben*. Sie unternimmt ohne Begleitung zahlreiche ausgedehnte Spaziergänge und, soweit es ihre Gesundheit erlaubt, auch Kletterpartien. Der Droste wird das Angebot unterbreitet, das *Hospiz* fortsetzungsweise in einer Zeitung abzudrucken, was sie jedoch ablehnt. In

Joseph von Laßberg (1770-1855), Schwager der Droste. Zeichnung von Leonhard Hohbach, 1846.

Joseph von Laßberg wurde am 10. April 1770 als Sohn eines Fürstenbergischen Geheimen Rats und Oberjägermeisters in Donaueschingen geboren. Nach dem Besuch des Gymnasiums in Donaueschingen trat er 1777 eine Schulstiftstelle in dem Kloster Salm an. Nachdem er für kurze Zeit im Militärdienst (1785) tätig war, entschloß er sich, der Familientradition folgend in den Forstdienst einzutreten, in dem er seit 1792 eine Stelle als Oberförster versah. 1795 Heirat mit Maria Anna Ebinger von der Burg (1774-1814). 1798 Erwerb der ritterlichen Besitzung Helmsdorf bei Immenstaad, mit der Laßberg die Reichsritterschaft in Schwaben erlangte. 1804 wechselte er als Landesforst- und Jägermeister an die Fürstenbergische Zentralverwaltung. Im folgenden Jahr war er Gründungsmitglied der „Gesellschaft der Freunde vaterländischer Geschichte an den Quellen der Donau". Seit dieser Zeit verband ihn eine nahe Freundschaft, später Liebe mit der in Donaueschingen lebenden verwitweten Elisabeth von Fürstenberg geb. Prinzessin zu Thurn und Taxis. Seit 1809 unterstützte Laßberg sie bei der Landesverwaltung. Mit ihr nahm er 1814/1815 am Wiener Kongreß teil. Dort erwarb er die sog. Handschrift C des Nibelungenliedes, des wertvollsten Stückes seiner später berühmten Sammlung. 1812 kaufte er Schloß Eppishausen, auf das er sich – als 1818 durch die Volljährigkeit und den Regierungsantritt des Fürsten Carl Egon von Fürstenberg seine politische Mission endete – als Oberjäger und von der Fürstin mit einer Pension bedacht zurückzog. Nach dem Tode seiner Gönnerin am 21. Juli 1822 verschlechterte sich seine finanzielle Lage, die Gunst des jungen Fürsten ermöglichte ihm jedoch die Bewirtschaftung Eppishausens. Auch

Jenny von Laßberg, Zeichnung von Leonhard Hohbach, 1848.

ging der größte und wichtigste Teil seiner mit Hilfe der Fürstin aufgebauten Sammlung, die später aus 11 000 gedruckten Bänden, davon 3 120 aus dem Gebiet der Literatur, bestand, in seinen Besitz über. Von den zahlreichen Freunden, mit denen Laßberg die Vorliebe für altdeutsches Literaturgut teilte, seien stellvertretend die Namen Ludwig Uhland, Gustav Schwab, Justinus Kerner und Jacob Grimm genannt, die bei ihren Forschungen häufig in Eppishausen und später Meersburg einkehrten.
Die persönliche Beziehung zwischen der Droste und Laßberg war lange Zeit nicht unbelastet. Die Droste zweifelte zwar nicht an Laßbergs Wohlwollen, stieß sich aber an manchen Eigenheiten und häuslichen Wunderlichkeiten des Eigenbrötlers, besonders an seiner Umständlichkeit, die (nicht nur) ihr nach Pedanterie aussah. Für Laßberg wiederum war die Droste, wie er am 6. Dezember 1838 seinem Freund Leonhard Hug schrieb, ein „entsetzlich gelehrtes Frauenzimmer". Im Bereich der Literatur war kaum eine Annäherung möglich. Laßbergs Urteil über die erste Gedichtausgabe der Droste von 1838 im Brief an Franz Pfeiffer vom 24. Juni 1841 fiel denn auch wenig günstig aus. Die Droste ihrerseits hatte wenig Sinn für Laßbergs glühende Begeisterung für die Literatur des deutschen Mittelalters. Mit ironischem Unterton schildert sie einmal ihrer Mutter (Brief vom 26.1.1842), wie Laßbergs Literaturliebhabereien den ganzen Tagesablauf bestimmten; man habe sich dem regelrechten Kult, den er mit seinen Manuskripten betrieb, kaum entziehen können. Mehrfach versuchte Laßberg, die Droste für eigene Projekte zu gewinnen, etwa für eine hochdeutsche Übertragung seines „Liedersaals" oder des Gedichts „Kaiser Otto mit dem Barte". Schücking schrieb der Droste diesbezüglich am 11. Januar 1844: „Den Liedersaal übersetzen? Das kann nicht

Eppishausen Lektüre ihres Lieblingsbuches: Johannes David: Veredicus christianus (1606).

Die Droste stellt vielleicht bei diesem Besuch in Eppishausen eine Liste mit 38 Anfängen altdeutscher Lieder mit Nachweis der Komponisten auf. Sie wird von Laßberg mit der Abschrift des von Hans Ferdinand Maßmann angefertigten ‚Faksimiles' der Handschrift des „Lochamer Liederbuches" (38 Lieder) betraut. Die Arbeit erstreckt sich – im Kontakt mit Laßberg – über mehrere Monate. Die Droste schenkt Laßberg sechs in ihrem Besitz befindliche Liedersammlungen der Komponisten Leonhard Lechner, Jakob Regnart, Franz Joachim Brechtel, Gregorio Turini und Otto-Siegfried Harnisch. Es entstehen die Kompositonen (nach fremden Texten): *Gott grüß mir die im grünen Rock...*; *Dass ihr euch gegen mir...*; *Minnelied* (*Ich habe g'meint...*); *Mein Freud' möcht' ich wohl mehren...*; *All' meine Gedanken...*; *Mein Mut ist mir betrübet gar...*; *Wach auf, mein Hort...*; *Reihenlied* (*Ich spring an diesem Ringe...*).

Aus *Trägheit* beginnt die Droste die neue Abschrift ihrer Epen für DuMont Schauberg nicht vor Ende November 1835. Vor den Aufenthalt in Eppishausen sind zahlreiche Lektürenotizen zu datieren, u.a. zu Lukian von Samosatas rhetorischen Schriften. Während des Aufenthalts entstehen Lektüreerwähnungen, -notizen, Motivaufzeichnungen bzw. Exzerpte zu Werken von Honoré de Balzac, Victor Hugo, Victor Joseph Jouy, Louis Benoit Picard, Alain René Le Sage und Richard Brinsley Sheridan u.a.

23. August: Ausflug ins Appenzeller Land,[1] der nach Weissbad führen soll. Wegen schlechten Wetters Abbruch der Fahrt in Gais. Rückkehr am Abend des 25.8.

Bekanntschaft mit Carl Heinrich Imhoff, einem Freund Laßbergs. In der Folgezeit kommt es mit ihm möglicherweise zu einer literarischen Zusammenarbeit. Die Droste fertigt kurze Auszüge aus 16 später von Imhoff nicht mehr veröffentlichten Gedichten an.

10. September: Ausflug nach Schloß Berg (Familie von Thurn-Valsassina).

Ihr Ernst sein! Ich bitte Sie!!!" Während des letzten Aufenthalts der Droste auf der Meersburg erfuhr das persönliche Verhältnis eine merkliche Besserung.

[1] Die im folgenden aufgeführten Besuche fanden in der Regel in Begleitung von Jenny und Joseph von Laßberg und/oder von Therese vDH statt. Nicht verzeichnet sind im folgenden die häufigen Besuche von Gottesdiensten in Sulgen, Bischofszell oder Biessenhofen.

Schloß Eppishausen im Thurgau, im Vordergrund Joseph von Laßberg. Zeichnung Jenny von Laßbergs.

Schloß Eppishausen im Thurgau. Eine weitere Zeichnung Jenny von Laßbergs.

Das Thurnsche Gut auf Schloß Berg. Ausschneidearbeit aus Papier von Hand der Droste.

Johann Fidel Graf von Thurn-Valsassina (1768-1836) war ein naher Freund Joseph von Laßbergs. Das Gut lag nur zwei Stunden von Eppishausen entfernt.

19. September: Laßberg teilt Werner von Haxthausen mit, daß die Droste große Lust zu einem Ausflug über die Alpen habe und gern Mailand besuchen würde.

Oktober (Herbst): Es entsteht: *Am Weiher.*

6. Oktober: Sibylle Mertens kauft in Genua Marmorproben für die Droste.

6.-9. Oktober: Aufenthalt auf Schloß Berg.

20. Oktober: Ausflug nach Zihlschlacht.

22. Oktober: Beginn eines ausführlichen Briefs an Schlüter (Abschluß 19. November).

23.-29. Oktober: Aufenthalt auf Schloß Berg. Die Droste ist stark beeindruckt von einem Alpenglühen.

Ende Oktober/Anfang November: Es entsteht auf Bitte der Familie von Thurn-Valsassina: *Schloß Berg.*

Maria Emilia (Emma) von Thurn-Valsassina, später verheiratete von Gaugreben (1809-1871). Ölgemälde von F. Mosbrugger, 1829.

Emma von Gaugreben heiratete 1836 den westfälischen Freiherrn Carl von Gaugreben zu Bruchhausen in Westfalen. Die Droste war an der Eheanbahnung maßgeblich beteiligt. Ein Zeugnis der Sympathie, die sie für Emma von Gaugreben empfand, ist ihr Gedicht „Die junge Mutter". Auf Wunsch der Familie Thurn verfaßte sie außerdem das Gedicht „Schloß Berg".

17. November: Es entsteht: *Die rechte Stunde.*

19. November: Brief an Schlüter: Die Droste beschreibt ihre Lebensweise in Eppishausen. Idyllische Schilderung Eppishausens und seiner Umgebung. Kritische Bemerkungen über die Gelehrtenbesuche bei Laßberg. . . .*mein St. Bernhard ‹Hospiz› und sein Compagnon werden sich noch in diesem Jahre, den Kritikern stellen,– es ist gut, daß andre Leute für mich handeln, ich selbst weiß doch allzu wenig mir zu helfen,– bald bin ich schüchtern, bald zuversichtlich, und Beydes ohne Grund,– Ehrgeiz habe ich wenig, Trägheit im Uebermaß*. . . Sie habe ohne eigenes Zutun einen bedeutenden Verleger in Bonn (DuMont Schauberg) gefunden. Abschrift von *Die rechte Stunde.*

In der Folgezeit (vor März 1836): Brief an Braun: Übersendung einer neu angefertigten Abschrift ihrer Epen für die geplante Ausgabe bei DuMont Schauberg. Bitte um ein Urteil über die Texte.

Brief der Droste an Christoph Bernhard Schlüter vom 19. November 1835.

Hatte die Droste etwa Hintergedanken, als sie Schlüter, nachdem die persönliche Beziehung zu ihm eher schleppend in Gang gekommen war,

Ende November–Mitte Dezember: Es entsteht: *Des alten Pfarrers Woche.*

4. Dezember: Ottmar Schönhuth stellt der Droste seine Gedichte vor. Schönhuth, Freund Laßbergs und Uhlands, lebt als Pfarrverweser auf dem Hohentwiel. Er ist Herausgeber von 55 Volksbüchern und schreibt Städtechroniken, Dramen, Erzählungen und Gedichte. Er druckt später *Schloß Berg* in seiner „Alpina" ab.

Herbst/Winter: Mit Therese vDH Pflege Jenny von Laßbergs, deren Zustand durch die bevorstehende Geburt ihrer Zwillingstöchter (5.3.1836) den ganzen Winter über kritisch ist.

Es entsteht: Mein theurer *Freund! schlaf nicht zu dieser Frist. . .* (Komposition)

1835/36: Es entstehen: *Bajazet; Der Säntiss.*

1835/36 (?): Es entsteht (in Eppishausen): *Die Kohla sind verloscha. . .* (Lied)

1836

Es entsteht: *Der Graf von Thal.*

1836(?): In Eppishausen längere fieberhafte Erkrankung.

25. Januar: Jenny von Laßberg berichtet in einem Familienbrief, daß die Anwesenheit der Droste für sie „ein großer Trost" sei.

8. Februar: Brief von Schlüter: Zusendung seines der Droste gewidmeten Sonetts „Ist öd die Welt und bin ich selbst so ledern. . ." Vielfacher Dank für den langen Brief der Droste vom 19.11.1835, der Junkmann und ihn begeistert habe. Er sei erfreut über den baldi-

jenen seitenlangen Brief, einen wahren Kunstbrief, aus Eppishausen schrieb? Sie machte mit diesem Brief viel vergessen: Etwa Schlüters Unfähigkeit, die Rolle eines menschlichen Beraters einzunehmen – sie hatte ihm zuvor wiederholt ihren kritischen Gemütszustand gebeichtet, Schlüter aber sich irritiert zurückgezogen. Mit der langen Epistel aus Eppishausen bahnte sich ein entkrampfterer Neuanfang der Beziehung an, ein Neuanfang, von dem die Droste literarisch profitierte. Sie hatte, kurz bevor sie den Brief schrieb, erfahren, daß eine Inverlagnahme ihrer Gedichte in Bonn gescheitert war. Nun trat sie mit ihrem Eppishausen-Brief, dem ausführlichsten Brief ihrer Korrespondenz überhaupt, einen wesentlichen Schritt auf Schlüter zu. Bald darauf bot er sich als Betreuer ihrer Gedichtausgabe an, die 1838 bei Aschendorff in Münster erschien.

gen Druck ihrer Epen. Urteil über *Die rechte Stunde*. Über den dritten Gesang des *Hospiz*: „Nur daß das köstliche Savoyen, welches mich hinreißt und außer mir bringt, so oft ich daran denke... nicht miterscheinen soll, das kann ich nicht verschmerzen. Überlegen Sie es doch noch jetzt." Sein Freund ‹der Göttinger Universitätsrat und philosophische Schriftsteller› Albert Kreuzhage und er seien vom *Geistlichen Jahr* sehr angetan.

18. Februar: Heirat Carl von Gaugrebens mit Emma von Thurn-Valsassina. Der Plan der Droste, das Ehepaar auf deren Hochzeitsreise nach Mailand zu begleiten, gelangt nicht zur Ausführung.

25. Februar: Teilnahme an einer gemeinsamen Schlittenfahrt.

5. März: Geburt Hildegard und Hildegunde von Laßbergs. Die Droste ist fortan durch die Pflege der Kinder stark in Anspruch genommen.

19. März: Es entsteht um den 19.3.1836 (Geburtstag Joseph von Laßbergs): *Deine Seele ist voll Sorgen...*(Lied)

5. April: Amalie von Heereman-Zuydtwyck lädt die Droste nach Genua ein.

28. April: Ausflug nach Konstanz.

9. Mai: Bei einem mit Jenny und Joseph von Laßberg unternommenen Ausflug nach Heiligenberg kommt es in Altnau zu einem Pferdegespann-Unfall. Laßberg trägt eine lebenslängliche Gehbehinderung davon. Die Droste erleidet eine Ohnmacht und wird am Hinterkopf verletzt. Folgewirkung sind bei ihr eine 8tägige fieberhafte Erkrankung und eine längere Appetitlosigkeit. Die gesundheitliche Schwächung hält bis Juni an.

Mai/Juni: Schlechtes Wetter verhindert erneut einen Ausflug ins Appenzeller Land.

14.-27. Juni: Aufenthalt auf Schloß Berg, um sich gänzlich von dem Unfall am 9.5. zu erholen.

Ende Juni: Sibylle Mertens kehrt von ihrer Italienreise nach Bonn zurück.

5. Juli: Brief von Joseph Braun: Er berichtet, daß dem Druck der Epen seitens des Verlegers (DuMont Schauberg) nichts mehr im Wege stehe. Kritische Beurteilung von zwei kleineren Gedichten der Droste und einzelnen Stellen aus dem *Hospiz* und aus *Des Arztes Vermächtniß*. Er wolle die Gedichte mit der Droste durchsprechen, wenn sie auf der Rückreise von Eppishausen in Bonn Station mache. Er schlägt vor, die Zahl der kleineren Gedichte zu erhöhen.

Ende Juli: Beginn eines Aufenthalts in Schloß Berg.

Die Zwillinge Hildegard und Hildegunde von Laßberg, Nichten der Droste. Zeichnung von J. Grause, 1839.

Von den Zwillingsschwestern Hildegard und Hildegunde von Laßberg, die beide unverheiratet blieben, unternahm Hildegunde von Laßberg (1836-1914) zahlreiche Reisen und korrespondierte mit Gelehrten ihrer Zeit. Beide Schwestern hatten maßgeblichen Anteil am Zustandekommen der Droste-Biographie Hermann Hüffers (1. Aufl. 1877, 2. Aufl. 1880), der ihnen das Buch zueignete. Hildegunde von Laßberg, die von schwächlicher Gesundheit war, führte auf der Meersburg ein zurückgezogenes Leben. Ihr Interesse galt weniger der Literatur als der Musik und ihrer eigenen Ausbildung als Malerin. Die Droste brachte ihren Nichten eine vielfach bekundete Sympathie entgegen.

9. August: Ausflug ins Appenzeller Land. Besuch des „Wildkirchli".

21. August: Laßberg übersendet Ludwig Uhland für dessen Sammlung „Alte hoch und niederdeutsche Volkslieder" (1844–46) die von der Droste besorgten Liederabschriften aus dem „Lochamer

Liederbuch“. Die Droste habe zu jedem Lied einen Baß gesetzt, so daß sich die Lieder gut mit Klavierbegleitung spielen ließen.

27. August: Jenny von Laßberg berichtet Joseph von Laßberg über einen Besuch der Familien Gaugreben und Stanz in Eppishausen: „Nette war recht in ihrem Element, da sie recht viel erzählen konnte, und alles witzig gefunden wurde. . .‘

Etwa September/Oktober: Erneuter Besuch Ottmar Schönhuths in Eppishausen.

Oktober: Es entsteht: *Am grünen Hang ein Pilger steht. . .*

29. Oktober: Abreise von Eppishausen. Station in Sigmaringen.

1. November: Weiterreise bis Heidelberg (Übernachtung). Die Reise wird über Mainz fortgesetzt.

6. November: Ankunft in Bonn. Wohnung bei Pauline vDH. Weiterer Umgang: Die Familie von Moritz von Haxthausen, Adele und Johanna Schopenhauer, Sibylle Mertens, Joseph Braun, Eduard D'Alton sowie Bekannte aus den früheren Bonn-Aufenthalten. Im Kreis von Sibylle Mertens Bekanntschaft mit der Berliner Schriftstellerin Henriette Paalzow, zu der sich ein gespanntes Verhältnis ergibt. Nähere Beziehung zu Adele Schopenhauer, die ihre schwer erkrankte Mutter Johanna Schopenhauer pflegt.

Regelmäßiger Tagesablauf. Vormittags Besuche bei Adele und Johanna Schopenhauer, Sibylle Mertens und der Familie von Böselager, am häufigsten bei der Familie von Moritz von Haxthausen. Nachmittags ausgedehnte Spaziergänge mit Pauline vDH. Die Droste bleibt größeren gesellschaftlichen Anlässen fern. Ihre Gesundheit bessert sich, sie leidet jedoch an einer Augenschwäche.

Das Herausgabeprojekt bei DuMont droht zu scheitern: *in Bonn angekommen, finde ich denjenigen Professor ‹Braun›, der sich mit der Besorgung der Sache beladen hatte, gänzlich zerfallen mit dem Verleger ‹DuMont›, der bis dahin auch der S e i n i g e gewesen war, die guten Leute schrieben sich die furchtbarsten Injurien, und werden wohl kaum, auf dem Wege der Güte, mehr auseinander zu bringen seyn,– ich sah das eine Weile an, dann fing es doch an, mir höchst fatal zu werden, daß zwey Menschen, die einander nicht nennen hören konnten. . . m e i n e t w e g e n noch sollten, und vielleicht längere Zeit hindurch, mit einander verkehren müssen, ich sagte das dem Professor,– er wollte das leichthin nehmen – seiner Verbindlichkeit durchaus nicht entlassen seyn – sagte der Verleger habe noch neulich geäußert, daß er die baldige Zurückgabe des Manuscripts, und die Bestimmung der Bedingungen wünsche. . .* (an Laßberg vom 18.3.1837)

7. November: Wiedersehen mit Sibylle Mertens, die die Droste zu sich einlädt. Das gespannte Verhältnis bleibt bestehen. Es kommt mit ihr zum Streit, als Sibylle Mertens erklärt, sie halte die Gedichte der Droste für nicht druckreif.

6. Dezember: Laßberg berichtet Leonhard Hug, daß die Droste, ein „entsetzlich gelehrtes Frauenzimmer", in Eppishausen zu Besuch gewesen sei.

1837

1837 (?): Es entstehen Notizen zu Topographie und Geschichte des *Hospiz* (1. und 2. Gesang).

6. Januar: Therese vDH berichtet in einem Familienbrief, daß die Droste, die „abscheuliche Blage", ihr keine Nachricht aus Bonn zukommen lasse.

8. Januar: Brief von Therese vDH: Sie fordert die Droste zur Rückkehr nach Rüschhaus auf.

4. Februar: Adele Schopenhauer teilt Ottilie von Goethe mit, daß die Droste, die einst „ihr böser Genius" gewesen wäre, nun ihr „einziger Trost und ihre Stütze" sei.

5. Februar: Abreise von Bonn, ohne daß es zu einer Klärung mit Braun über den Verlag ihrer Epen bei DuMont Schauberg gekommen ist: *da ich aber gar nicht zweifeln kann, daß beyde Herrn ‹Prof. Braun und der Verleger› nur aus Point d'Honneur* ihr Verlagsangebot aufrecht erhielten, *so habe ich mein Manuscript binnen behalten, und bin damit abgereist* (Brief an Laßberg vom 18.3.1837).

Fahrt bis Köln. Grippeerkrankung mit starken Kopf- und Zahnschmerzen. Aus Verpflichtung gegenüber Familienangehörigen Teilnahme am Karneval.

8. Februar: Abreise von Köln. Fahrt bis Wesel. Starke Grippeerkrankung mit Kopfschmerzen, Erschöpfungszuständen und einer Augenschwellung.

9. Februar: Weiterfahrt bis Schermbeck. Übernachtung in schlechtem Quartier. Starke Zahnschmerzen.

10. Februar: Ankunft in Münster. Dort grassiert eine Grippeepidemie, die zahlreiche Todesopfer fordert; *höchst miserabler* Aufenthalt im Rüschhaus, wo alle erkrankt sind. 8tägige starke Grippeerkrankung mit Nachwirkungen.

Ab etwa **20. Februar:** Etwa 14tägiger Aufenthalt in Münster. Umgang im Schlüterkreis. Vermutliches Wiedersehen mit Junkmann. Bekanntschaft mit der Berliner Schriftstellerin Luise von Bornstedt, die seit 1836 in Münster wohnt. Im Schlüterkreis Vortrag der Gedichtzyklen *Der Säntis* und *Am Weiher*. Schlüter leiht der Droste vermutlich Adam Mickiewicz: Herr Tadäus oder der letzte Sajasd in Lithauen (dt. Übers. 1836).

Schlüter und Junkmann schlagen der Droste vor, ihre Epen bei einem Verleger aus Münster (Aschendorffsche Verlagsbuchhandlung) herauszugeben, was der Droste jedoch nicht recht ist: *ich wünschte noch immer das Gedicht ‹Hospiz› anderswo heraus zu geben, denn ich möchte, daß sein Renommeé, gut oder schlimm bereits gemacht wäre, eh es in den Kreis meiner Bekannten käme, da ich nicht darauf rechne, daß es hier sehr gefallen wird, – für auswärts mache ich mir bessere Erwartungen, und möchte meiner lieben Mutter, die im Grunde, jedes öffentliche Auftreten scheut wie den Tod, und nur zu empfindlich ist für die Stimme des Publikums, gern zuerst die möglichst angenehmen Eindrücke gönnen. . .* (Brief an Schlüter vom 23.3.1837).

Planung des Bandes. Schlüter regt die Aufnahme von Gedichten des *Geistlichen Jahres* an: *wegen der geistlichen Lieder kann ich Ihnen durchaus noch keinen Bescheid geben, da meine Mutter, die sie seit Jahren nicht in Händen und fast vergessen hat, darüber bestimmen muß, sie will dieselben, zu diesem Zweck, durchlesen. . .* Schlüter solle *Des alten Pfarrers Woche*, *Der Säntis* und *Am Weiher* bald erhalten. Die Droste verspricht Junkmann, am *Hospiz* und an *Des Arztes Vermächtniß* weiterzuarbeiten.

Februar/März: Brief von Joseph Braun: Er schlägt der Droste vor, ihre Gedichte bei seinem neuen Verleger (Karl Baedeker in Koblenz) herauszugeben.

Die Droste geht auf das Angebot nicht ein, da sie noch am *Hospiz* weiterarbeiten will.

Frühjahr: Mit Schlüter und Junkmann Gespräche über *Die Schlacht im Loener Bruch*. – Beginn eines religiösen Gedichts für Catharina Schlüter, das die Droste jedoch wieder verwirft.

Frühjahr/Sommer: *Flüchtiger, aber ziemlich vollständiger* Entwurf zu *Die Schlacht im Loener Bruch*. Hierzu Lektüre einiger Geschichtswerke zum 30jährigen Krieg, aus denen die Droste Exzerpte anfertigt. Bis Anfang August 1837 existiert das Epos *freylich fast allein nur in* ihrem *Kopfe*.

März: Nachwirkungen der Grippeerkrankung mit heftigen Zahn- und Gesichtsschmerzen. Besuch Christoph Bernhard, Catharina und Therese Schlüters im Rüschhaus. Erster Besuch Junkmanns im Rüschhaus. Erneute Gespräche über die Ausgabe.

12. März: Behandlung durch von Bönninghausen.

18. März: Brief an Laßberg: *Zahnweh habe ich den ganzen Tag, bald stärker bald gelinder, und kann keine Seite weder lesen noch schreiben, ohne daß es arg wird.* Die gescheiterte Herausgabe ihrer Gedichte in Bonn. Ihre Pläne zur Weiterarbeit am *Hospiz.*

22. März: *Gesichtsschmerzen* verhindern einen Besuch in Münster. Zweiter Besuch Junkmanns im Rüschhaus.

Brief von Schlüter: Er bedauert, nicht am Besuch Junkmanns teilnehmen zu können. Er schenkt ihr ein Exemplar von Junkmanns „Elegischen Gedichten" (1836).

23. März: Brief an Schlüter: Über die Pläne zur Herausgabe ihrer Gedichte unter Betreuung Schlüters. Sie macht Schlüter den Zyklus *Des alten Pfarrers Woche* zum Geschenk und verspricht, ihr religiöses Gedicht für Catharina Schlüter bald zu vollenden. Rücksendung und Urteil über das von Schlüter entliehene Buch von Mickiewicz. Anfrage, ob sie Schlüter de Lamartine: Jocelyn (1836) ausleihen solle.

24. März: Behandlung durch von Bönninghausen.

Aufenthalt in Hülshoff, *weil dort an den beyden Ostertagen Messe im Hause* sei.

27. März: Rückkehr ins Rüschhaus.

29. März: Abreise nach Bökendorf. Die Droste nimmt vermutlich das *Geistliche Jahr* mit, um mit ihrer Mutter die Aufnahme von einzelnen Gedichten in die geplante Ausgabe zu besprechen. Mehrtägige Station in Heeßen bei der Familie von Böselager. Die Droste ist durch einen Gesangsvortrag so erschöpft, daß sie sich einer *Ohnmacht* nahe glaubt.

Etwa 4. April: Weiterfahrt bis Erwitte.

5. April: Aufenthalt in Erwitte.

6. April: Ankunft in Abbenburg (Friedrich von Haxthausen), das die Droste nach 17 Jahren wiedersieht und wo sie sich bis Ende des Monats fast durchgängig aufhält. Besuche in Bökendorf, wo Amalie Hassenpflug anwesend ist. Mit ihr erstes Wiedersehen seit 1818. Beginn einer nahen Freundschaft. Hierüber schreibt Amalie Hassenpflug an Anna von Arnswaldt am 8.11.1837: „Daß ich ihr ‹der Droste› sehr gut bin, trotz allem Schmutz und widrigem das ihr anhängt hab ich nie geläugnet. . ." Die Droste lernt von Amalie Hassenpflug einige Lieder.

„Es wird auf der Hinnenburg Sontags zu Tische gegangen". Karikatur von Ludwig Emil Grimm, 1827.

Die Droste unternimmt in der Folgezeit Ausflüge zu den Familiensitzen in Hinnenburg (von Bocholtz-Asseburg), Herstelle, Kemperfeld (von Heereman-Zuydtwyck), Erpernburg (von Brenken), Haynhausen (junge Familie von Bocholtz-Asseburg), Wehrden (von Wolff-Metternich). Vermutlich besucht sie die Waisenanstalt Ludowine von Haxthausens (das „Klösterchen St. Anna" auf der Brede bei Brakel). Sie geht einer ihrer Lieblingsbeschäftigungen, dem Sammeln von Steinen und Mineralien, nach.

14. April: Werner von Haxthausen berichtet Moritz von Haxthausen von seinem Plan, die Droste und Therese vDH zur Übersiedlung nach Abbenburg zu bewegen, damit die Droste nicht im „sumpfigen

Tanzvergnügen auf der Hinnenburg. Karikatur von Ludwig Emil Grimm, 1827.

Rüschhaus von uns allen getrennt lebt". Weiterhin heißt es: „wir disputieren schrecklich, Nette ‹doppelt unterstrichen›, Ludowine, Fritz."

27. April: Jenny von Laßberg berichtet in einem Familienbrief: „Nette scheint wie der Dachs in ihrem Bette in Appenburg festzuliegen. . . sie ist und bleibt eine faule Hexe."

Vermutlich nach **April/Mai** entsteht: *Der Tannhuser* (Lied).

1. Mai: Mit Amalie Hassenpflug Teilnahme an der traditionellen großen Feier des Philippstages in Wehrden (Familie von Wolff-Metternich).

6.-22. Mai: Aufenthalt in Bökendorf.

Besuch in Herstelle. Zeichnung von Ludwig Emil Grimm, 1827.

Im Kemperfeld wohnte eine Tante der Droste, Ferdinandine von Heereman-Zuydtwyck geb. von Haxthausen („Tante Dine"). Die Droste stand besonders ihrer Tochter Amalie von Heereman-Zuydtwyck nahe.

Schloß Wehrden. Lithographie von Ph. Herle 1830/1840.

Auf der an der Weser gelegenen Wasserburg Wehrden wohnte zur Zeit der Droste ihre Tante Dorothea („Dorly") von Wolff-Metternich geb. von Haxthausen (1781-1854). Das Urteil der Droste über sie fällt wenig günstig aus. Sie versuchte, dieser „gutmütigsten und lebhaftesten aller Frauen", die, „wenn sie allein ist vor Langeweile und übler Laune fast stirbt", die „kein wahres Wort sagt", zu aufsehenerregenden Aktionen neige und die Droste beständig für sich in Anspruch nehmen wolle, möglichst aus dem Weg zu gehen. „Seit zwei Tagen bin ich ganz allein in Abbenburg. Mama ist in Wehren bei der Metternich, und übermorgen muß ich auch hin. ‚Hier laß einen Seufzer fahren und, wenn du kannst, noch einen', sagt Abraham a Sancta Clara. Ich bin nicht gern in Wehren. Alles ist mir zu ruschlig dort, und vollends die Tante selbst ein wahrer Ameisenhaufen, alles Leben und Verwirrung, Handlungen, Worte, und wie es mit den Gedanken aussieht, das mag ich den meinigen gar nicht zumuten zu untersuchen, Du würdest sie gradeswegs für verrückt erklären, und doch ist's nur eine tolle Phantasie in einem sehr schwachen Kopfe, die vor fünfzig Jahren den letzten Zügel zerrissen hat und seitdem en carriere durchgeht." (Brief an Sybille Mertens vom 5. Juli 1843)

Amalie Hassenpflug. Gemälde von Andreä, 1848.

„. . .ach! Sie müsten sie ‹Amalie Hassenpflug› kennen, Elise. . . so viel Geist, Talent, und Gemüth findet man selten vereint. . ." (Brief an Elise Rüdiger vom 3. September 1839)

20. Mai: Grundsteinlegung des Vorwerks Hellesen. Die Droste verfaßt zu diesem Anlaß für Werner von Haxthausen: *Ich lege den Stein in diesen Grund. . .*

21. Mai: Abreise Amalie Hassenpflugs. Die Droste begleitet sie bis Kemperfeld.

In der Folgezeit Rückkehr nach Rüschhaus.

Juni/Juli: Anhaltende starke *Zahn-* und *Gesichtsschmerzen* sowie eine Erkrankung an *Blattern* behindern die Weiterarbeit am *Hospiz* und an *Des Arztes Vermächtniß*.

22. Juli: Behandlung durch von Bönninghausen. Er notiert: „wenig besser".

Besuch Christoph Bernhard, Catharina und Therese Schlüters im Rüschhaus. Die Droste singt einige von Amalie Hassenpflug gelernte Lieder, die jedoch nicht gefallen. Ihre überreizte Verfassung und Redelustigkeit führen zu einem unliebsamen Verlauf der Begegnung. Die Droste befürchtet eine bleibende Verstimmung Catharina Schlüters.

24. Juli: Erneute Behandlung durch von Bönninghausen. Er notiert: „danach wieder schlimmer".

Ausschnitt aus der Karte „Rheinland und Westfalen“ (1837–1855)

„ich sitze hier – oder vielmehr ich sitze nirgends, sondern bin in einem Rennen und Fahren, da wir genöthigt sind unter nicht weniger als neun Orten unsern hiesigen Aufenthalt zu vertheilen. – – hier wohnt der Onkel Fritz, in Bökendorf Sophie und Carl, in Vörden Guido, in Hinnenburg die alten Asseburgs, in Haynhausen die jungen, in Brede Ludowine, in Herstelle Zuidtwicks, in Wehren Tante Metternich, und in Erpernburg Brenkens.– du kannst denken wie wir gevierteilt werden?“ (Brief an Pauline von Droste-Hülshoff, 17. Juli 1843) „. . .Sie können nicht denken wie viele Ansprüche hier ‹in Abbenburg› auf mich warteten,– ein Halbdutzend Namens- und Geburtstage, zu denen ich carmina machen, und ein Halbdutzend Albums in die ich auch nagelneue Gedichte von Trennung und Wiedersehn schreiben sollte . . .“ (Brief an Elise Rüdiger vom 17. Juni 1845)

Steinheim
Hagedorn
Rolfzen
Vinsebeck
Bergheim
Eversen
Entrup
Oeynhausen
Himmighausen
Nieheim
Merlsheim
Holzhausen
Schöneberg
Pömbsen
Erwitzen
Reelsen
Die Emde
Allhausen
Driburg
Brakel
Siebenstern
Herste
Istrup
Riesel
Schmechten
Rheder
Dringenberg
Siddessen
Oehrden

Langenkamp
Fürstl. Rothenburger
Papenhöfen
Breden
Hohenhaus
Fürstenau
Albaxen
Brenkhausen
Lüchtringen
Lüttmarsen
Höxter
Corvey
Ovenhausen
Böckendorf
Ob.
Bosseborn
Unt. Bosseborn
Godelheim
Amelunxen
Ottbergen
Hembsen
Beller
Wehrden
Drenke
Beverungen
Tietelsen
Rothe

29. Juli: Brief an Ludowine von Haxthausen: *seit zwey Tagen ist mein Zahnweh fast ganz fort.*

30. Juli: Behandlung durch von Bönninghausen. Er notiert: „das Zahnweh. . . jetz wieder da. . ., noch Krampf im Unterleibe; Bohren in den Zähnen, Ohren, Schläfen und Gesichtsknochen."

August: Anhaltende Erkrankung mit starken Ohrenschmerzen.

Vor 4.8.1837: Es entsteht die Opernkomposition: *Die Wiedertäufer.* Die Droste beschäftigt sich mit Plänen zu diesem Projekt bis 1839.

4. August: Brief an Wilhelm Junkmann: Sie wolle die versäumte Weiterarbeit an ihren Epen nach Abreise Therese vDHs nach Eppishausen nachholen und die beiden *endlos gezupften und geplagten Gedichte* zum Abschluß bringen. Ihre weiteren Pläne: . . .*so steht. . . jetzt mein Sinn ich weiß nicht w o hin, aber nach Etwas n e u z u B e g i n n e n d e m – und doch liegen noch so gute Sachen in meinem Schreibtische! . . .da sind vorhanden (Alles aus den spätern Jahren) 1. ein Roman, L e d w i n a etwa bis zu Einem Bändchen gediehn, 2 eine Criminalgeschichte, F r i e d r i c h M e r g e l, ist im Paderbornischen vorgefallen, rein National, und sehr merkwürdig, diese habe ich mitunter große Lust zu vollenden, 3 die ihnen bekannten g e i s t l i c h e n L i e d e r, nach ihrem eigentlichen Titel, g e i s t l i c h e s J a h r, – Sie wissen selbst, wieviel noch am Jahre fehlt – dieses fühle ich auch zuweilen Trieb zu vollenden, – 4 d i e W i e d e r t ä u f e r eine vaterländische Oper oder vielmehr Trauerspiel mit Musik. . . hierzu ist noch wenig Text aber bereits viel Musik fertig. . . 5 ein Schauspiel, d e r G a l e e r e n s k l a v e, sehr ansprechender Stoff, nur einzelne Stellen ausgeführt, aber Alles, Scene für Scene, aufs Genaueste entworfen, – 6 das vielbesprochene Gedicht, C h r i s t i a n v o n B r a u n s c h w e i g ‹Die Schlacht im Loener Bruch›, was freylich fast allein nur in meinem Kopfe existirt,– indessen ist doch ein flüchtiger aber ziemlich vollständiger Entwurf bereits zu Papier gebracht, 7 und 8 noch zwey Stoffe – Einer z u e i n e r C r i m i n a l g e s c h i c h t e. . . der Z w e y t e zu einem Gedicht, von mehreren Gesängen. . . ich denke für die n ä c h s t e und zwar eine g e r a u m e Zeit die musikalischen Arbeiten den poetischen nachzusetzen,– die W i e d e r t ä u f e r wären das Einzige was mich reizen könnte, da ich so große Lust habe den Text zu schreiben. . . Sie sehn ich bin, für die Zukunft, sehr unentschieden, indessen vorerst habe ich ja meine Arbeit, und nachher müssen wir mahl Alles reiflich vornehmen!* Sie sei sich nach wie vor unklar über den Publikationsort ihrer Gedichte. Ein Verleger in Münster sage ihr nicht zu. Anfrage, ob der Herausgeber der Zeitschrift „Coelestina" ‹Johann Baptist Pfeilschifter› möglicherweise an einem Verlag interessiert sei.

5. August: Mehrtägige Beanspruchung durch die Teilnahme an den Abreisevorbereitungen Therese vDHs.

15. August: Abreise Therese vDHs nach Eppishausen. Zuvor hatte sie versucht, die Droste zur Mitreise zu bewegen. Die Droste darf nur unter der Voraussetzung im Rüschhaus zurückbleiben, daß niemand in Münster von ihrem Alleinsein erfahre, Therese vDH *fürchte sonst Unkosten und Klatscherey.*

15. August: Brief an Jenny von Laßberg: Die Droste legt die Gründe für ihren Verzicht auf die Reise nach Eppishausen dar. Die Pläne zur Weiterarbeit an den Epen. Sie wolle das *Hospiz* nach letzter Korrektur abschließen.

Mitte August: Mehrtägige Beanspruchung durch einen Besuch im Rüschhaus.

Etwa 19. August: Umzug nach Hülshoff.

Etwa 22. August: Rückkehr ins Rüschhaus, da es in Hülshoff zu unruhig ist: *mein Rüschhauser Leben ist mir gar zu unvergleichlich viel angenehmer wie das Hülshoffer. . .* Beginn eines längeren, zurückgezogenen Aufenthalts. Zwei Besuche Junkmanns im Rüschhaus.

24. August: Besuch Christoph Bernhard, Catharina und Therese Schlüters im Rüschhaus. Catharina Schlüter nimmt an dem Besuch teil, um die von der Droste vermutete Mißstimmung nach dem Besuch am 22.7. auszuräumen. Allmähliche Entfremdung von Schlüter. Die Droste will in der Folgezeit ihren Briefwechsel mit der Familie Schlüter *mehr auf die Mutter und Tochter. . . leiten.*

September: Arbeit am *Hospiz, Des Arztes Vermächtniß* und *Die Schlacht im Loener Bruch.* Vorläufige Aufgabe des Plans zur Weiterarbeit an *Die Wiedertäufer.*

Etwa 3. September: Genesung nach längerer Krankheit.

Etwa 7. September: Es entsteht (für Catharina Schlüter): *Morgengebeth* (= *Der Morgenstrahl bahnt flimmernd sich den Weg. . .*): *. . .es ist kein Gedicht für einen Kritiker, es sind keine Sätze für einen Philosophen, es ist ein rein menschliches Gebet für eine christliche Mutter, und etwas Anderes glaubte ich Ihnen auch nicht bieten zu dürfen* (an Catharina Schlüter, 8.(?) Sept. 1837).

9. September: Brief von Schlüter: Positives Urteil über das *Mor-*

gengebeth. Lektüreempfehlung: Melchior von Diepenbrock (Hrsg.): Geistlicher Blumenstrauß aus spanischen und deutschen Dichtergärten. . . (1829), insbesondere der darin aufgenommenen Gedichte von Eduard von Schenk und Luise Hensel. Anfrage, ob er ihr weitere Bücher leihen solle.

September/Oktober: Gelegentliche Besuche Junkmanns im Rüschhaus.

Levin Schücking kehrt nach Abschluß des Studiums nach Münster zurück. Da es ihm als hannoverischem Staatsangehörigen nicht möglich ist, in den preußischen Staatsdienst einzutreten, muß er seinen Lebensunterhalt als freier Literat und durch Unterrichtgeben bestreiten. Er will in Münster Geld für seine Promotion sparen.

Herbst: August von Haxthausen bittet die Droste, ihm das Lied „Veni creator" zu besorgen. – Umzug Adele Schopenhauers mit der schwer erkrankten Johanna Schopenhauer von Bonn nach Jena.

Oktober: Zahlreiche Verpflichtungen hindern die Droste an der Weiterarbeit an ihren Epen.

Ab 6. Oktober: Die Droste betreut im Rüschhaus Antonetta de Galliéris, die durch den Tod ihres Bruders psychisch angegriffen ist.

Etwa Mitte Oktober: Besuch Christoph Bernhard und Catharina Schlüters im Rüschhaus.

20. Oktober: Aufenthalt in Münster. Besuch bei Schlüter.

22. Oktober: Besuch bei Schlüter. Junkmann geht nach Rüschhaus, um das „fuchsige Buch" ‹mit den Epen der Droste› zu holen. In Anwesenheit des Verlegers Hermann Hüffer (Aschendorffsche Buchhandlung, bei der auch Schlüter verlegt) liest die Droste aus dem *Hospiz*. Schlüter notiert: „Wir waren etwas müde und stumpf." Schlüter und Junkmann versuchen, die Droste zu überreden, ihre Gedichte bei Aschendorff in Münster herauszubringen.

In der Folgezeit: Zwei weitere Besuche bei Schlüter.

Etwa 23. Oktober: Rückkehr ins Rüschhaus.

23. Oktober: Brief an Sophie von Haxthausen: Sie habe nach wie vor *wenig Lust*, ihre Gedichte in Münster herauszugeben. Über Schücking: *es ist jetzt ein Sohn der Katharine Busch in Münster – du weißt wohl, derselbe Levin, der früher bey S p e c h t war, er ist in einer üblen Lage, sein Vater, der immer ein mauvais sujet war. . . ist. . . jetzt wirklich. . . auf dem Punkte nach Amerika zu gehn, Levin will ihn nicht begleiten, weil er, für das, was er gelernt hat, dort kein Brod finden würde, so sitzt er in Münster, wartet auf Gottes*

Barmherzigkeit und giebt seine letzten Groschen aus, was aber soll er machen? Schücking verfüge über ausgezeichnete Kenntnisse und berufliche Qualifikationen. . . .*bey Tage lese ich, schreibe ich, ordne meine Sammlungen, gehe spatzieren, und stricke Strümpfe ab . . .*

Ende Oktober/Anfang November: Umzug nach Hülshoff.

November: Die Droste ist weiterhin über den Publikationsort ihrer Gedichte unschlüssig. Im Schlüterkreis wird die Aufnahme des dritten Gesanges des *Hospiz* in die Gedichtausgabe diskutiert. Arbeit an *Die Schlacht im Loener Bruch.*

2. November: Hüffer und Schlüter treffen Vorbereitungen für den Druck der *Gedichte* 1838.

3. November: Brief von Schlüter: Hüffer stimme dem Verlag der *Gedichte* 1838 zu und bitte um eine Abschrift des Manuskripts. Junkmann und er würden den Druck sorgfältig betreuen. Er vermute, daß die Droste mit dem 3. Gesang des *Hospiz* beschäftigt sei. (Eingang 17.11.1837)

17. November: Abschluß des ersten Gesangs von *Die Schlacht im Loener Bruch.*

18. November: Brief an Schlüter: Ihre Arbeit an *Die Schlacht im Loener Bruch.* Sie lehne die Aufnahme des dritten Gesangs des *Hospiz* in die *Gedichte* 1838 ab. Sie zweifele an dem Verlagsangebot von Aschendorff.

Nach 18. November: Reinschrift des *Hospiz* (bis etwa Februar 1838) und von *Des Arztes Vermächtniß.* Beginn der Arbeit am zweiten Gesang von *Die Schlacht im Loener Bruch.* Erweiterung der ursprünglichen Konzeption. Nach neuem Plan soll die Schlacht selbst einbezogen werden, was den Ausschlag für die neue Titelgebung (*Die Schlacht im Loener Bruch* statt: *Christian von Braunschweig*) gibt. Dazu intensive Quellenstudien und Anfertigung von Exzerpten.

20. November: Der mit der Familie vDH weitläufig verwandte Kölner Erzbischof Clemens August von Droste-Vischering wird in seiner Wohnung von den Preußen verhaftet und nach Minden gebracht. Der Vorfall löst bei der katholischen Bevölkerung Westfalens Empörung aus. Es kommt zu zahlreichen Protesten. Innerhalb der Familien vDH und Haxthausen wird der Vorfall, der ein zentrales Ereignis in der westfälischen Geschichte darstellt, mit großer Anteilnahme verfolgt. Die Droste gelangt zu distanzierteren Urteilen als ihre übrigen Familienangehörigen. Das sog. „Kölner Ereignis“ verstärkt eine religiöse Erneuerungsbewegung in Westfalen.

Es nimmt mittelbar Einfluß auf das Werk der Droste. Während der Überarbeitungen des *Hospiz* stellt sie den katholischen Standpunkt deutlicher heraus.

Dezember: Brief von Eduard Hüffer: Offizielles Angebot zum Verlag der *Gedichte* 1838.

Im Zusammenhang mit der Arbeit an *Die Schlacht im Loener Bruch* Ausflug nach Gut Egelborg bei Legden, um sich mit der Örtlichkeit der Schlacht vertraut zu machen. Exkursionen in die nähere Umgebung.

Ende November/Anfang Dezember: Brief an Adele Schopenhauer: Die Droste diskutiert mit Adele Schopenhauer, ob sie ihre Gedichte bei Aschendorff herausgeben solle.

November-Januar: Gelegentliche Besuche Junkmanns im Rüschhaus.

5.-13. Dezember: Aufenthalt in Münster. Fast tägliche Besuche bei Schlüter.

5. Dezember: Besuch bei Schlüter. Die Droste liest aus dem dritten Gesang des *Hospiz.*

7. Dezember: Besuch bei Schlüter. Die Droste liest aus *Die Schlacht im Loener Bruch.* Die Lesung trifft auf große Zustimmung.

11. Dezember: Bekanntschaft mit Elise Rüdiger, bei der die Droste mit Luise von Bornstedt zum Tee eingeladen ist. Dort wird die Droste Augenzeugin einer großen Protestaktion gegen die Preußen. – Protest der „Göttinger Sieben". Amtsenthebung Jacob und Wilhelm Grimms. Jacob Grimm wird des Landes verwiesen. Laßberg sowie Werner und August von Haxthausen bieten den Grimms Hilfe an. Die Ereignisse interessieren die Droste vor allem wegen der Auswirkungen auf Amalie Hassenpflug.

12. Dezember: Brief von Adele Schopenhauer: Sie rät der Droste dringend ab, ihre Gedichte in Münster bei einer „obscuren" und „geringen" Buchhandlung herauszugeben. Sie wolle ihr statt dessen über O.L.B. Wolff einen bedeutenden Verleger in Jena besorgen.

Nach 13. Dezember: In Hülshoff Weiterarbeit an *Die Schlacht im Loener Bruch.* Weitere Hintergrundlektüre. Die Arbeit verzögert sich, weil Werner vDH die Thematik der *Schlacht* in einer glaubenspolitisch angespannten Situation für zu gewagt hält. Die Droste befürchtet sogar, daß das Stück die Zensur nicht passieren könne, und erwägt, es bei der Publikation entfallen zu lassen.

18. Dezember: Im Unterhaltungsblatt des „Westfälischen Merkur“ erscheint anonym (unterzeichnet B.H.) das Gedicht „Der Heidemesser“, das der Droste später als Quelle für *Der Knabe im Moor* dient.

1838

1. Januar: Brief an Schlüter: Anfrage, ob es trotz Adele Schopenhauers Brief bei Aschendorff als Verlag bleiben solle. Sie wolle die Weiterarbeit an *Die Schlacht im Loener Bruch* von weiteren Quellenstudien abhängig machen. Die Bedenken ihres Bruders Werner: *Ohne den Braunschweig gäbe es auch wohl ein leidliches Bändchen; – der zweyte Gesang wird übrigens, meine ich, auch schon gut, obgleich vielleicht weniger nach ihrem Geschmack, da das darin vorherrschende Kriegs- und Lager-Leben nicht so viele Naturschilderungen zuläst. . .*

Aufgrund der Bedenken ihres Bruders Werner nimmt die Droste bei *Die Schlacht im Loener Bruch* Texteingriffe vor. Weitere Quellenstudien.

4. Januar: Brief von Schlüter: Hüffer wünsche nach wie vor den Verlag der Gedichtausgabe, was auch Schlüter unterstützt. Die Droste solle die Weiterarbeit an *Die Schlacht im Loener Bruch* nicht zu sehr von den Quellen abhängig machen. Er zerstreut ihre Befürchtungen, das Stück aus glaubenspolitischen Gründen nicht aufzunehmen; falls es wegen der Bedenken Werner vDHs fehlen müsse, sollten weitere Gedichte in den Anhang aufgenommen werden.

6. Januar: In Hülshoff Teilnahme an der Geburtstagsfeier des Hausgeistlichen Caspar Wilmsen. Es entsteht zu diesem Anlaß: *Vivat! Vivat! Vivat! Caspar! und abermals Vivat!*

Rückkehr ins Rüschhaus. Zurückgezogenes Leben. Besuche Junkmanns. Er rät ihr, *Die Schlacht im Loener Bruch* „Münsterland“ zu nennen. Intensive Weiterarbeit an *Die Schlacht im Loener Bruch.* Kompositionstätigkeit.

Januar/Anfang Februar: Brief von Sophie von Haxthausen: Im Namen August von Haxthausens Bitte um Zusendung von geistlichen Liedern im westfälischen Dialekt.

Abschrift der gewünschten Lieder, zu denen die Droste zusätzlich die Melodien notiert.

In der Folgezeit: Brief an Adele Schopenhauer: Sie müsse Adele Schopenhauers Angebot, ihr einen Verleger in Jena zu besorgen, ablehnen, da sie Aschendorff bereits eine Zusage gegeben habe. Sie habe *Die Schlacht im Loener Bruch* abgeschlossen. Möglicherweise sendet sie Auszügen aus dem Werk zu.

Februar: Abschrift von *Die Schlacht im Loener Bruch.*

1. Februar: Laßberg erhält den Zuschlag zum Kauf von Schloß Meersburg zum Preis von 10 000 fl. Der Umzug zieht sich bis 1839 hin.

6. Februar: Brief an Sophie von Haxthausen: *ich bin hier recht fleißig gewesen, und habe ein größres Gedicht in zwey Gesängen geschrieben, die Schlacht im Loener Bruch, es kömmt aber nicht viel Schlachterey darin vor, sondern das Ganze ist mehr ein vaterländisches Stück... meine Freunde sagen mir so viel Schönes darüber, und pußten mich dermaßen auf, daß ich fürchte der Himmel läst mich zur Strafe meiner Sünden desto tiefer in den Dreck fallen, wenn die öffentliche Kritik mahl drüber her kömmt...* Ihre Schwierigkeiten bei der Verlagsentscheidung.

Brief an Therese vDH: Ihre Bekanntschaft mit Elise Rüdiger. Ausführliche Schilderung des antipreußischen Aufstands in Münster am 11.12.1838. *Ich habe jetzt ein neues Gedicht geschrieben, von der Größe wie das Hospiz auf dem St. Bernhard, es heißt „die Schlacht im Loener Bruch" und besingt die Schlacht bei Stadtlon wo Christian von Braunschweig die Jacke voll kriegt. Man findet es besser als meine übrigen Schreibereien und ich habe einen sehr artigen Brief von Hüffer bekommen der um den Verlag bittet, ich habe ihm denselben auch zugesagt... Bitte, liebe Mama antworte mir doch gleich, ob du nichts gegen die Herausgabe hast, denn Hüffer hätte es gern gleich zur Ostermesse.* Der Inhalt der Ausgabe (ohne Erwähnung der *geistlichen Gedichte*). Die schwierige Verlagsentscheidung.

Etwa 18. Februar: Umzug nach Hülshoff.

Etwa Mitte März: Besuch bei Schlüter. In Anwesenheit Hüffers liest die Droste den zweiten Gesang der *Schlacht im Loener Bruch.* Erörterung der Gestaltung des Anhangs der Ausgabe. Hüffer bestellt für den Druck eigens bessere Drucktypen.

20. März: Besuch bei Schlüter. Die Droste liest aus den für den Druck bestimmten Gedichten des Anhangs.

Ende März: Mit Friedrich von Haxthausen Abreise nach Bökendorf. Zwischenstation in Heeßen.

März/April: Es entstehen die *Klänge aus dem Orient.*

April: Aufenthalt bei den Paderborner Verwandten, am häufigsten bei Friedrich von Haxthausen in Abbenburg. Von dort aus besucht sie täglich ihre Verwandten in der Umgebung (6. April 1837), wodurch sie vollständig in Anspruch genommen ist.

August von Haxthausen, Stiefonkel der Droste. Ölgemälde von Hugo Danz, 1860. Im Hintergrund Schloß Thienhausen.

Die Beziehung der Droste zu August von Haxthausen war eine Beziehung mit manchen Widerhaken. Obwohl beide nur fünf Lebensjahre trennten, hat es den Anschein, als lägen Welten zwischen ihrem geistigen und persönlichen Horizont. Auf der einen Seite August von Haxthausen, eben jener ältere, der „Studierte", der schon früh bedeutende Kontakte aufbaute, der welterfahren und weltgewandt auftrat, später in der Welt herumkam, eine sichtlich dominante Persönlichkeit; auf der anderen Seite seine Nichte, die er in ihrem Schaffen nie recht ernstnahm und die er zu bevormunden suchte - Versuche, denen die Autorin freilich mit List und Geschick standhielt. In literarischer Hinsicht war es eine relativ fruchtlose Allianz.
Das persönliche Verhältnis war jahrelang durch die Arnswaldt-Straube-Affäre belastet, in der August von Haxthausen eine Intrige gegen die Droste angezettelt hatte. Vor allem wegen ihm stellte die Droste ihre Besuche im Paderbornischen für 17 Jahre ein. Ihrer Schwester Jenny schrieb sie am 28. Mai 1827: „Grüß überhaubt Alle, - es ist Niemand dort, gegen den ich eigentlich recht etwas hätte, außer August, - du würdest auch übel ankommen, wenn du den von mir grüßen wolltest, du kriegtest entweder keine Antwort darauf, oder noch wahrscheinlicher, eine grobe,-." Im Brief an Wilhelmine von Thielmann vom 12. November 1828 heißt es: „ich kenne es ‹das Töchterchen ihres Onkels Werner von Haxthausen› noch nicht, da ich, seit sechs Jahren, nicht in Bökendorf gewesen bin, um das Zusammenseyn mit meinem Onkel A u g u s t Haxthausen zu vermeiden, dem ich, aus hinlänglichen Gründen, nicht eben gar zu hold bin, und dem es zu sehr an Takt gebricht, um, bey einem gespannten Verhältnisse, sich einigermaßen anständig zu benehmen, - ich habe Proben davon! Nach 1837 normalisierte sich das

Anfang April: Versöhnung mit August von Haxthausen. Mit ihm 14tägiger Besuch bei Carl von Haxthausen in Hildesheim. Bekanntschaft mit dem Professor der Naturgeschichte und Sammler Johannes Leunis, mit dem es in der Folgezeit zu einem lückenhaft überlieferten Briefwechsel kommt.

April-Mitte Juni: Brief an Junkmann: Übersendung einer Anzahl *morgenländischer Gedichte ‹Klänge aus dem Orient› zur Auswahl*, vermutlich in der Hoffnung, daß diese noch in die Ausgabe aufgenommen werden. Anmerkungen zum *Hospiz*. Korrekturstellen zur *Schlacht im Loener Bruch*.

Verhältnis und wurde zu einer neuerlichen Freundschaft. Im Schreiben an Carl von Haxthausen vom 25. Juni 1846 heißt es: „Weißt Du auch, daß August mir eine von seinen russischen Nonnenarbeiten (die Du gewiß kennst) geschenkt hat? Die Auferstehung Christi. Das Bild war sehr ruiniert, vieles daran losgeleimt, zerbrochen, zerdrückt, aber ich sah gleich ein, daß ich es wieder zurechtbringen würde, und nun ist es wunder-, wunderschön geworden!" Ende Juli 1846, schon während einer Phase akuter gesundheitlicher Schwächung, berichtet die Droste Sophie von Haxthausen, daß sie „in den besseren Stunden" an einem kleinen „Buch mit eignen Kompositionen für August" arbeite. „Er hat mich immer so zum Zeichnen angetrieben, darum denke ich, es freut ihn vielleicht. Grüße ihn herzlich von mir sowie auch die andern Lieben. . ."
August von Haxthausen (1792-1866) hatte nach dem Studium der Bergwissenschaft in Clausthal-Zellerfeld an den Freiheitskriegen teilgenommen. Seit 1816 studierte er in Göttingen Jura, brach das Studium aber ab, um 1819 die Verwaltung der väterlichen Güter in Bökendorf zu übernehmen. 1833 wurde er Geheimer Regierungsrat im preußischen Innenministerium. In dessen Auftrag führte er ausgedehnte Forschungsreisen und agrarhistorische Studien durch. 1843/44 unternahm er eine längere Rußlandreise. Er erwarb sich einen noch heute gültigen Namen als Rußlandkenner. Seit 1810 war er mit den Brüdern Grimm befreundet und wurde durch seine Sammlungen literarischen Volksgutes zu einer Zentralgestalt des „Bökendorfer Märchenkreises". Daneben betrieb er lokalhistorische Studien. 1817/18 war er Mitbegründer der spätromantischen Dichtervereinigung „Die poetische Schusterinnung an der Leine", die das Organ „Die Wünschelruthe" herausgab. Als „Tyrann" des Schlosses Thienhausen, seiner letzten Wohnstätte, an der er Künstler und Literaten zusammenführte, war er Vorbild des „Baron von Bellesheim" in Levin Schückings Roman „Die Herberge der Gerechtigkeit" (2 Bde., Leipzig 1879). In Karl Gutzkows Roman „Der Zauberer von Rom" wird er in der Figur des Barons von Hülleshoven karikiert und verspottet.

Carl von Haxthausen(?). Zeichnung von Ludwig Emil Grimm, 1827.

Carl von Haxthausen (1779-1855), Domherr in Hildesheim, war einer von sieben (Stief-)Onkeln der Droste. Beide verband eine ausgeprägte Sammelleidenschaft, die in vielen Briefen dokumentiert ist. Zur Kinder- und Jugendzeit der Droste kam Carl von Haxthausen häufig zu Kurzbesuchen nach Hülshoff, später wurden solche Besuche seltener. Mehrfach begegnete die Droste ihrem „lieben Herzens-Onkel" auch in Bökendorf. Ein einziges Mal, im Sommer 1837, war die Droste bei ihm in Hildesheim zu Besuch.

Mai: In Bökendorf Wiedersehen mit Amalie Hassenpflug (die bis Ende Juli bleibt). Freundschaftliches Verhältnis zu ihrem Bruder Ludwig, der sich nach seiner Entlassung aus dem Hessischen Staatsdienst (1.7.1837) mit seiner zweiten Frau Agnes (geb. von Münchhausen) für längere Zeit in Bökendorf aufhält. Die Droste erteilt Agnes Hassenpflug Gesangsunterricht.

1. Mai: Aufenthalt in Wehrden zur traditionellen großen Feier des Philippstages.

11. Mai: Amalie Hassenpflug berichtet Anna von Arnswaldt aus Bökendorf: „Nette wohnt in Appenburg und rennt ‹zu› uns auf halbe Tage herüber. . ."

13. Mai: Halserkrankung mit Bettruhe.

Mai-Juli: Schlüter gibt ohne Wissen der Droste *Des alten Pfarrers Woche* an den Herausgeber des Taschenbuchs „Coelestina", J.B.

Pfeilschifter, weiter. Dieser beurteilt das Gedicht sehr positiv. Er schenkt der Droste über Schlüter ein Exemplar der „Coelestina" 1838. Er verspricht ihr, den Folgejahrgang nach Erscheinen zuzusenden, und bittet um weitere Beiträge.

Brief von Schlüter: Übersendung des ersten Druckbogens, den er gemeinsam mit Junkmann und Hüffer korrekturgelesen habe. *Die Sterne* und *Der Venuswagen* seien nicht berücksichtigt worden. Er wolle etwa 10 bis 12 geistliche Lieder in den Anhang aufnehmen. Im Namen Pfeilschifters Übersendung der „Coelestina" 1838 mit dessen Bitte um fernere Beiträge. Zusendung von Luise von Bornstedts „Die gebannte Seele" (1838). Bitte um Zusendung des Gedichts *Savoyen.*

In der Folgezeit: Schlüter schickt weitere Druckbogen. Auszugsweise Lektüre der „Coelestina".

Sommer: Ausflüge nach Holzhausen (Kerkering zur Borg) und Grevenburg (Adolph Ludwig von Oeynhausen). Während des Aufenthalts in Grevenburg *Gesichtsschmerzen*.

Der Schriftsteller und Anthologist Ignaz Hub bemüht sich in Münster um Beiträge für das „Rheinische Odeon". Luise von Bornstedt will ihn mit der Droste bekanntmachen.

Juli: Brief von Junkmann: Der Herausgeber des „Rheinischen Odeons", Ignaz Hub, halte sich in Münster auf und bemühe sich um Beiträge der Droste. Hub habe die Droste eine „weibliche Aloe" Westfalens genannt.

Amalie Hassenpflug berichtet Anna von Arnswald: „Es ist mir sehr viel werth Nette wiedergesehn zu haben, alles Beängstigende und Unsichere ist mir dadurch verschwunden, ich bin von ihrer Wahrhaftigkeit überzeugt. . . Du kannst die alte Nette nicht vergessen. . ."

19. Juli: Brief an Schlüter: *ich lebe hier* ‹in Abbenburg› *noch fortwährend wie auf der Heerstraße, bin nie über 2–3 Tage an Einem Orte, und da meine immer von vorn beginnende Runde mich durch 9 Orte führt, so komme ich an jeden doch hinlänglich spät um gescholten zu werden, und die kurze Zeit meines Aufenthalts ausschließlich meinen temporairen Herrschaften zuwenden zu müssen, um sie zu besänftigen, es ist wirklich, wo nicht unangenehm, doch mindestens sehr angreifend, allzuviel Verwandten zu haben, die Alle gleiche Ansprüche machen. . .* Dank für Schlüters und Junkmanns Bemühungen um die Drucklegung der *Gedichte* 1838. Zusendung von *Savoyen;* Schlüter solle entscheiden, ob er das Gedicht noch aufnehmen wolle. Anfrage bezüglich der Aufnahme der *Klänge aus dem*

Orient in die Ausgabe. Sie kommentiert Schlüters eigenmächtige Gestaltung des Anhangs.

19. Juli: Amalie Hassenpflug berichtet Anna von Arnswaldt: „Nette ist kraus an Gesichtsschmerzen, ich hab sie vorgestern von Appenburg ‹nach Bökendorf› herübergeholt, nun liegt sie immer zu Bett das arme Ding ist ganz miserabel. . .“

Ende Juli: Schlüter und Junkmann entschließen sich aus Platzgründen zur Streichung weiterer Gedichte des Anhangs.

August: Gelegentliche Gesichtsschmerzen.

2. August: Brief von Schlüter: Zur Gestaltung des Anhangs, dessen Hauptakzent auf religiöser Lyrik liegt: „Nur der reine harmonische Totaleindruck eben der ersten Ausgabe Ihrer Poesien, worin alles streng e i n e n Character athmen und zugleich gleichmäßig originelles Eigenthum der Dichterin sein sollte. . . war es was uns vorzüglich bestimmte. . .“ Anfrage, ob er einige der übriggebliebenen Gedichte, z. B. die *Klänge aus dem Orient* oder den Zyklus *Der Säntis*, an das „Rheinische Odeon“ geben könne.

Ab 3. August: Mehrtägige Pflege der erkrankten Agnes Hassenpflug.

5. August: Brief an Therese vDH: *Mein Versuch vors Publikum zu treten läßt sich überhaubt, für den Anfang, recht gut an. . .* Die Bemühungen Pfeilschifters und Hubs um ihre Beiträge.

11. August: Es erscheint die Ausgabe: *Gedichte von Annette Elisabeth v. D. . . . H. . . .* (Münster: Aschendorff'sche Verlagsbuchhandlung). Die Droste erhält kein Honorar, dafür 30 Freiexemplare, die sie jedoch nicht in Anspruch nimmt und Schlüter überläßt. Die Auflagenhöhe beträgt, entgegen anderen Äußerungen der Droste, 400 Exemplare, von denen in der Folgezeit nur 74 Exemplare zum Preis von je 16 1/2 Groschen abgesetzt werden.

Die Reaktion auf das Erscheinen der Ausgabe im Verwandtenkreis ist zunächst kritisch: *Mit meinem Buche gieng es mir zuerst ganz schlecht, ich war in Bökendorf mit Sophie und Fritz allein, als es heraus kam, hörte nichts darüber, und wollte absichtlich mich auch nicht erkundigen,– da kömmt, mit einem Mahle, ein ganzer Brast Exemplare, von der Fürstenberg, an Alles was in Hinnenburg lebt, an Frenzchen, Asseburg, Diderich, Mimy, Anna und Ferdinand, Thereschen, Sophie – Ferdinand (Galen) giebt die erste Stimme, erklärt Alles für reinen Plunder, für unverständlich, confus, und b e g r e i f t nicht, wie eine, scheinbar vernünftige, Person solches Zeug habe schreiben können, nun thun Alle die Mäuler auf, und b e g r e i f e n A l l e m i t e i n a n d e r n i c h t, wie ich mich habe*

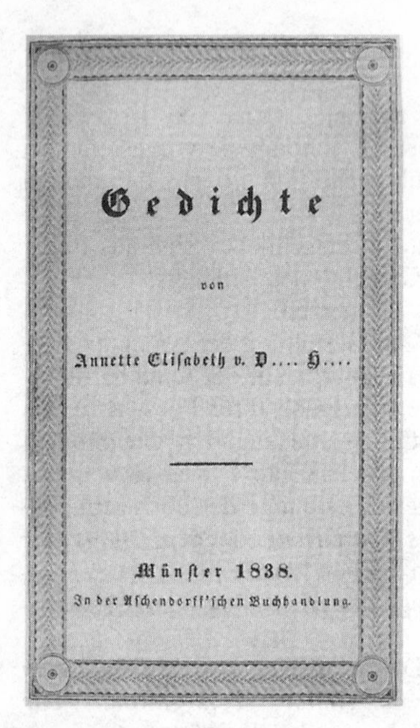
Gedichte

von

Annette Elisabeth v. D.... H....

Münster 1838.

In der Aschendorff'schen Buchhandlung.

Titelbild der 1838er Gedichtausgabe der Droste.

Im Jahre 1838 erschien im Verlag Aschendorff halbanonym die erste Gedichtausgabe der Droste

so blamiren können – . . .so muste ich. . . zwischen diesen Leuten leben, die mich, bald auf feine, bald auf plumpe Weise, verhöhnten und aufziehn wollten. . . Doch wünschte ich mich 1000mahl von dort weg (Brief an Jenny von Laßberg vom 29.1.1839).

Nach dem Erscheinen der Ausgabe ist sich die Droste längere Zeit über ihre weiteren Arbeiten unschlüssig.

16. September: Rez.: E(lise von Hohenhausen, geb. von Ochs): Vaterländische Literatur. Gedichte von Annette von D. . . H. . . (Das Sonntagsblatt, Minden, St. 37, S. 289f.) Die Rezensentin ist die Mutter Elise Rüdigers, die hier als Vermittlerin auftrat. – Mindestens acht, vermutlich zehn der insgesamt 15 Besprechungen der *Gedichte* 1838 stammen aus dem Bekanntenkreis der Dichterin oder werden von diesem lanciert und fallen entsprechend positiv aus. Zu den angeführten Rezensionen treten zwei, vielleicht drei weitere, a) von

Faksimile von „Des Arztes Vermächtniß“.

Des Arztes Vermächtniſs.

So mild die Landſchaft und ſo kühn,
Aus Felſenritzen Ranken blühn;
So wild das Waſſer ſtürmt und rauſcht,
Und drüber Soldanella *) lauſcht!
Nichts was ſo wunde Herzen kühlt,
Als Bergesluft die einſam ſpielt,
Wenn Maienmorgens friſche Roſen
Mit Fichtendunkel flüſternd koſen.
Wo, über'm Wipfelmeer, das Riff
Im Aether ſteht, ein flaggend Schiff,
Um ſeinen Maſt der Geier ſchweift:
Tief im Gebüſch das Berghuhn läuft,
Es ſtutzt — es kauert ſich — es pfeift
Und flattert auf; — ein Blättchen ſtreift
Die Rolle in des Jünglings Hand.
Der ſchaut, verſunken, über Land,
Wie Einer, ſo in Stromes Rauſchen
Will längſt verklungner Stimme lauſchen.
Er ruht am feuchten Uferrand. —

---

*) Soldanella alpina, Alpendrottelblume.

Den größten Teil der ersten Gedichtausgabe der Droste bilden ihre drei Epen „Das Hospiz auf dem großen St. Bernhard“, „Die Schlacht im Loener Bruch“ und „Des Arztes Vermächtniß“.

Anton Lutterbeck, b) eine in München erschienene, c) (?) von O.L.B. Wolff. Eine geradezu ‚panegyrische‘ Rezension von Junkmann, in der er die Droste „kühn dem alten Heroen der klassischen Vorzeit, dem Sophocles“ zur Seite stellt, gelangt vermutlich nicht zur Veröffentlichung.

Ende September/Anfang Oktober: Rückkehr ins Rüschhaus.

Herbst: Besuch Schlüters im Rüschhaus. Er bringt die Übersetzung von Adam Mickiewicz' „Der Polnische Parnaß. . ." (1835) mit, die die Droste in der Folgezeit liest.

Brief an Adele Schopenhauer: Zusendung der *Gedichte* 1838. Sie schildert die negative Aufnahme des Bandes im Familienkreis.

Adele Schopenhauer nutzt ihr Exemplar der *Gedichte* 1838, um in Jena und bei einem Aufenthalt in Weimar (zweite Dezemberhälfte) für die Ausgabe zu werben. Sie leiht das Buch u.a. Gutzkow, Alexander von Ungern-Sternberg, Ottilie von Goethe und O.L.B. Wolff aus und veranlaßt den Buchhändler Friedrich Frommann, sich die Ausgabe aus Münster kommen zu lassen. Außerdem vermittelt sie vorteilhafte Rezensionen: mit Sicherheit die von Gustav Kühne vom 19.8.1840 und sehr wahrscheinlich die von Theodor Hell (d. i. Gottlieb Theodor Winkler) vom 5.6.1841. Auf Adele Schopenhauers Bemühungen gehen weiter zurück: Erstdrucke von Droste-Gedichten im „Frauen-Spiegel" (Januar-Anfang März 1841 und Frühjahr 1841), die Aufnahme von Gedichten in O.L.B. Wolffs Anthologie „Poetischer Hausschatz des deutschen Volkes" (seit 1839) und eine positive Erwähnung von Alexander von Ungern-Sternberg über die *Judenbuche* im „Morgenblatt" (11.1.1843).

Amalie Hassenpflug leiht ihr Exemplar der *Gedichte* 1838 an Jacob und Wilhelm Grimm sowie Ludwig Hassenpflug aus. Die Grimms urteilen positiv. Jacob Grimm gefallen die Gedichte besser, er lobt deren „Originalität" und „feinen Züge". Wilhelm Grimm empfindet eine zu deutliche Nachahmung Byrons. Auch Ludwig Hassenpflug äußert sich kritisch. Amalie Hassenpflug gefallen die Gedichte „nur theilweise". Kritisch äußert sie sich über *Die Schlacht im Loener Bruch*, die sie *eine ganz verfehlte Arbeit auf höchst widerhaarigem Terrain* nennt und die ihr *fatal* erscheint. Positiv urteilt sie über *Des Arztes Vermächtniß*. Das Urteil Anna von Arnswaldts und ihres Kreises in Hannover fällt vernichtend aus.

In Münster wird die Ausgabe Therese vDH zufolge überwiegend positiv aufgenommen: Sie berichtet Jenny von Laßberg am 11.12.1838: „es kommen hierbey auch 2 Exemplare von Nettens Gedichten, sie scheinen mir sehr schön zu seyn, übrigens gefallen sie nicht überall, alles was zum Gelehrten Stand gehört, ist für sie eingenommen, auch in der gebildeten Bürgerwelt machen sie Glück, aber der Adel ist allgemein dagegen, sie behaupten sie wären unverständlich ich finde nicht unverständlicher wie die Gedichte von Walter Scot, die von Biron sind viel dunkler, aber ich glaube es verdrießt sie daß ein adliges Fräulein sich so öffentlichen Meynungen aussetzt wären sie nicht hier, und ohne ihren Nahmen heraus gekommen dann würden sie ihnen gewiß gefallen, denn sie sind wirklich hübsch." Die Droste selbst bemerkt über die Reaktion in Münster: *hier angekommen, fand ich das Blatt gewendet,– die Gedichte wurden hier zwar nur wenig gelesen, da die meisten sich scheuen an eine so endlose Zahl Verse zu gehn, aber die es gelesen hatten, erhoben es, ich muß selbst, nach meiner Ueberzeugung sagen, weit über den Werth.* (Brief an Jenny von Laßberg vom 29.1.1839) Über die Stimmen im Verwandten- und Bekanntenkreis äußert sie: *jetzt, wo das Ding einen guten Fortgang hat, interessiren sich Alle dafür, auch die Böckendorfer, (id est, W e r n e r, A u g u s t, L u d o w i n e, und M a l c h e n H a s s e n p f l u g) und jeder Narr maßt sich eine Stimme an, über das was ich z u n ä c h s t schreiben soll, und zwar mit einer Heftigkeit, daß ich denke, sie prügeln mich, wenn ich es anders mache, oder nehmen es wenigstens als persönliche Beleidigung auf,– und doch sagt der Eine s c h w a r z, und der Andre w e i ß – die münsterschen Freunde ermahnen mich „um Gotteswillen auf dem Wege zu bleiben, den ich einmahl mit Glück betreten, und wo meine Leichtigkeit in Vers und Reim mir einen Vortheil gewähre, den ich um keinen Preis aufgeben dürfe" Malchen H‹assenpflug› und die Bökendorfer dagegen wollen ich soll eine Art Buch wie Bracebridge-Hall schreiben, und Westphalen mit seinen Klöstern, Stiftern, und alten Sitten wie ich sie noch gekannt, und sie jetzt fast ganz verschwunden wären, zum Stoffe nehmen – das läst sich auch hören, aber ich fürchte, meine lieben Landsleute steinigen mich, wenn ich sie nicht zu lauter Engeln mache. . .*

Herbst: Es entsteht: *Der kranke Aar* (Text und möglicherweise auch die Komposition, die neben dem Lied zu Gründonnerstag aus dem *Geistlichen Jahr* und *Der Venuswagen* die dritte Eigenvertonung eines Gedichts der Droste darstellt).

Oktober: Rez.: L(evin) Sch(ücking), Gedichte von Annette Elisabeth von D. . . H. . . (Telegraph für Deutschland, Hamburg, Nr. 170, S. 1354–1359).

12. Oktober: 27.: Rez. *Gedichte* 1838 (Repertorium der gesammten deutschen Literatur, Leipzig, Bd. 18, S. 382f.).

26. Oktober: Aufenthalt in Münster. Besuch bei Schlüter.

Oktober 1838–Juni 1839: Brief an Junkmann (?): Sie werde ihren Plan, die Epoche der Wiedertäufer zum Stoff ihrer nächsten Arbeit zu wählen, vermutlich aufgeben, da die *Katastrophe. . . zu gräßlich, auch zu gemein* sei und die Hauptpersonen in der *allgemei-*

nen Raserei nichts Individuelles mehr erkennen ließen. Sie wolle jedoch zunächst noch weitere Literatur zu Rate ziehen.

November: Grippeerkrankung. Die Droste hat nach dem Besuch in Bökendorf stark an Gewicht zugenommen.

Nach Anfang November: Gänzliche Inanspruchnahme durch Besucher des Rüschhauses. Aufenthalt in Münster. Besuch bei Elise Rüdiger.

Etwa 17. November: Umzug nach Hülshoff.

Etwa Ende November: Rückkehr ins Rüschhaus. Sie wird dort von Junkmann besucht.

Anfang Dezember: Gesichtsschmerzen. Es ist der Droste nicht möglich, kontinuierlich literarisch zu arbeiten. Die Hoffnungen auf einen Besuch in Münster erfüllen sich nicht.

7. Dezember: Erneuter Umzug nach Hülshoff. Dort Bekanntschaft mit dem Maler Johannes Sprick, von dem sich die Droste porträtieren läßt. Sie gewährt ihm später finanzielle Unterstützung und versucht, ihm Schüler zu vermitteln. Außerdem empfiehlt sie ihn an Personen weiter, die sich von ihm porträtieren lassen (u.a. Elise Rüdiger, Werner von Haxthausen, Junkmann). Bei ihren Besuchen in Münster sucht sie Sprick und seine Familie regelmäßig auf. Sie selbst läßt sich später zwei weitere Male von Sprick porträtieren.

10. Dezember: Rückkehr ins Rüschhaus.

Etwa Mitte Dezember: Gesundheitsbesserung.

16. Dezember: Aufenthalt in Hülshoff.

Brief von Adele Schopenhauer: Positives Urteil über die *Gedichte* 1838. Ankündigung von Rezensionen durch Gustav Kühne und O.L.B. Wolff; beide seien von den *Gedichten* 1838 sehr eingenommen. Alexander von Ungern-Sternberg, Ottilie von Goethe und „überhaupt Jedermann“ in Jena und Weimar begeistere sich für die Ausgabe, der sie eine bedeutende Zukunft voraussagt. Sie spricht der Droste ein „gewaltiges Talent“ zu. Die Droste solle sich durch die negative Reaktion ihrer Familie auf die Ausgabe nicht entmutigen lassen. Kritik an der „Oekonomie der Darstellung“ im *Hospiz* und in *Des Arztes Vermächtniß*.

17.(?) Dezember: Brief an Schlüter: *mir geht es nicht zum Besten, ich leide wieder an Gesichtsschmerzen, was mich auch sehr hindert, so daß ich höchstens eine halbe Seite in einem Flusse schreiben darf, und dann wieder meinen hartnäckigen Feind durch auf und ab Gehen zu beschwichtigen suchen muß – daß unter diesen Umständen an keine ordentliche Arbeit zu denken ist begreifen Sie, doch arbeite*

Annette von Droste-Hülshoff. Bildnis von Johannes Sprick, 1838.

„Ich habe eine neue Bekanntschaft gemacht, die sich bis jezt ganz gut anläßt, ein Mahler, Namens S p r i c k, der mich auch so eben gemahlt hat, und zwar schöner als ich mein Lebtage gewesen – ob mich dies nun besticht – kurz! er scheint mir eine sanfte gemüthliche Natur zu seyn, hat saure blutarme Tage erlebt, und ist eben dran auf den grünen Zweig zu kommen. . ." (Brief an Schlüter vom 17.‹?› Dezember 1838) Obwohl die Droste Johannes Sprick (1808-1842) für keinen „Hexenmeister" hielt, half sie ihm bei der Vermittlung von Zeichenstunden und empfahl ihn an Personen weiter, die sich ebenfalls von ihm porträtieren ließen. Sie selbst ließ sich drei Mal von ihm malen. Den Erwähnungen der Droste zufolge ging es Sprick und seiner Familie so schlecht, daß er sich zu keiner Zeit mehr „als nur dahinschleppen" konnte. Die Droste trug unter eigenen finanziellen Opfern zum Teil erheblich zu seinem finanziellen Auskommen bei und übernahm auch die Patenschaft für seine Tochter Maria.

ich wenigstens in Gedanken, sinne mir allerley aus zum nächsten Gebrauch, und ordne es. . . Ihre Pläne zu dem Werk *Bei uns zu Lande: die vielfachen, ich möchte fast sagen, ungestümen, Bitten Malchen Hassenpflugs haben mich bestimmt, den Zustand unseres Vaterlands, wie ich ihn noch in frühster Jugend gekannt, und die Sitten und Eigenthümlichkeiten seiner Bewohner zum Stoff meiner nächsten Arbeit zu wählen – ich gestehe, daß ich mich aus freyen*

Stücken nicht dahin entschlossen hätte, denn fürerst ist es immer schwer Leuten vom Fache zu genügen, und in dieser Sache ist jeder Münsterländer Mann vom Fache. . . wenn Sie, theurer Freund, die Ausführung meines Vorhabens für gänzlich unthunlich halten, so sagen Sie mir es jetzt, wo es noch Zeit ist. . . Ueber die Form bin ich noch unschlüssig, und möchte ihre Meinung hören, was meinen Sie? soll ich jene des Bracebridgehall von Whasington ‹!› Irving wählen? eine Reihenfolge von kleinen Begebenheiten und eignen Meditationen, die durch einen losen leichten Faden, etwa einen Sommeraufenthalt auf dem Lande, verbunden sind? . . .oder soll ich eine Reihe kleiner in sich geschlossener Erzählungen schreiben? die keinen andern Zusammenhang haben, als daß sie alle in Westphalen spielen, und darauf berechnet sind, Sitten, Charakter, Volksglauben, und jetzt verloren gegangene Zustände desselben zu schildern? Sie sei leider mit Amalie Hassenpflug in allem, was Kunst und Poesie angehe, nicht einer Meinung, da Amalie Hassenpflug *einer gewissen romantischen Schule auf sehr geistvolle aber etwas einseitige Weise zugethan* sei. Sie selbst könne *nur im Naturgetreuen, durch Poesie veredelt, etwas leisten*, Amalie Hassenpflug hingegen sei *ganz Traum und Romantick.* Schlüter möge ihr Freiligraths „Gedichte" (1838) ausleihen.

24. Dezember: Rückkehr ins Rüschhaus.

Rez.: Egl. (d. i. Levin Schücking?): Korrespondenz-Nachrichten. Münster, December (Rez. *Gedichte* 1838) (Morgenblatt für gebildete Leser, Stuttgart/Tübingen, Nr. 306–310; 22., 24.-27.12.1838). Erwähnung der Droste in Nr. 308 vom 25.12.1838.

31. Dezember: Aufenthalt in Münster. Besuch bei Schlüter. Begegnung mit Luise von Bornstedt.

Ende 1838: Es erscheint: *Des alten Pfarrers Woche* (Coelestina. Eine Festgabe für Frauen und Jungfrauen. Hrsg. von J.B. Pfeilschifter, Jg. 3, Aschaffenburg 1839). Verfasserangabe: „Elisabetha".

In der „Coelestina" erscheint auch das Gedicht „Am Grabe der Nonne von Dülmen" von Luise Hensel, das die Droste irrtümlich Luise von Bornstedt zuschreibt, die mit „All eure Sorgen werfet auf Ihn" ebenfalls vertreten ist. In dem Taschenbuch, das mit diesem Jahrgang sein Erscheinen einstellt, veröffentlichen auch Schlüter (Pseudonym: Jacob; die Droste vermutet hier eine Autorschaft Alexander von Ungern-Sternbergs), Junkmann (als „Bernhard") und Franz Vierkante.

Ende 1838/Anfang 1839: Elise Rüdiger gründet in ihrer Wohnung (Münster, Rothenburg 28/29) einen literarischer Zirkel, den die

Elise Rüdiger (1812-1899). Gemälde von Johannes Sprick, um 1840.

Elise Rüdiger (1812-1899) war die Tochter der bekannten Byron- und Walter Scott-Übersetzerin Elise von Hohenhausen. Die Familie lebte seit 1816 in Minden, wo Elises Vater, Leopold von Hohenhausen, das belletristische „Mindener Sonntagsblatt" herausgab. Von 1820 bis 1824 lebte die Familie in Berlin. Elise von Hohenhausen unterhielt dort einen literarischen Salon, in dem u.a. Rahel Varnhagen von Ense, Henriette Herz, Adelbert von Chamisso, Friedrich de la Motte Fouqué, Heinrich Heine und Karl Varnhagen von Ense verkehrten. 1831 heiratete Elise Rüdiger den Juristen Carl Ferdinand Rüdiger, mit dem sie in Minden lebte. Nach mehreren Ortswechseln (1833 Münster, 1845 Minden, 1854 Frankfurt/O.) zog sie nach dem Tod ihres Mannes endgültig nach Berlin. Nach dem Vorbild ihrer Mutter gründete sie während ihrer Zeit in Münster, Minden und Berlin eigene literarische Salons. Am bedeutendsten war ihr in Münster aufgebauter Kreis, die von Annette von Droste-Hülshoff so getaufte „Heckenschriftsteller-Gesellschaft", die die Droste in ihrem Lustspiel „Perdu!" karikierte. Elise Rüdiger wurde damals zur vertrauten Freundin der Droste, wovon der Briefwechsel Zeugnis ablegt. Auf seiten der Droste sind etwa 30 Briefe überliefert. Gemeinsam verbrachten beide im Herbst 1843 einige Zeit auf der Meersburg. Elise Rüdiger debütierte literarisch in dem von ihrem Vater mitbegründeten „Mindener Sonntagsblatt". Ihr Hauptsujet war die feuilletonistische Literaturkritik. Später konzentrierte sie sich auf in Novellenform gekleidete biographische Episoden aus dem Leben bekannter Persönlichkeiten (u.a. verfaßte sie mehrere Artikel, die ihre Freundschaft mit der Droste behandelten). Ein von der Droste aufgeworfener Plan zur literarischen Zusammenarbeit (ein Band, der Erzählun-

Droste später scherzhaft als *Heckenschriftsteller-Gesellschaft* tituliert. Mitglieder sind neben Elise Rüdiger und ihr: Luise von Bornstedt, Levin Schücking, Carl Carvacchi, Hermann Besser, Junkmann und vorübergehend Henriette von Hohenhausen. Zeitweilig tritt auch Schlüter dem Kreis näher. Die Droste nimmt, wenn sie sich gerade in Münster aufhält, an den jeweils sonntags stattfindenden Treffen teil. Es werden eigene und fremde Werke diskutiert. Der Kreis beschäftigt sich, soweit nachweisbar, mit Balzac, George Sand, Immermann, Ungern-Sternberg, Ida Hahn-Hahn, Freiligrath und barocker Literatur. Über den Zirkel entsteht ein näherer Kontakt zwischen der Droste und Schücking, der dort neben ihr die dominierende Rolle einnimmt. Die Droste bescheinigt ihm das qualifizierteste Urteil der Teilnehmer. Allmähliche Entfremdung von Schlüter und seinem Kreis. Auf die *Heckenschriftsteller-Gesellschaft* bezieht sich das Gedicht *Der Theetisch* (1839?).

Etwa 1838/1839: Notizen zum zweiten Teil der *Judenbuche* (Bauernhochzeit, Judenmord, Flucht und Heimkehr des Mörders)

1839

Anth.: Es erscheint: *Der Graf von Thal* (Poetischer Hausschatz des deutschen Volkes . . . Hrsg. von O.L.B Wolff, Leipzig 1839). Verfasserangabe: „Annette Elisabeth Fräulein von D. . . H. . .“. Vermittlerin der Aufnahme war Adele Schopenhauer.

Eduard Vogt, Rez. Coelestina 1839 (darin: *Des alten Pfarrers Woche*) (Theologische Quartalsschrift, Tübingen, Bd. 3, 1839, S. 306–317). Über die Droste S. 314.

Junkmann veröffentlicht im „Rheinischen Odeon“ (Düsseldorf, Bd. 3, 1839, S. 276–285) das Gedicht „Münsterland (An. . . 1836).
Die Verse 1–135 waren von Münster aus an die Droste in Eppishausen gerichtet.

gen der Droste und literarische Porträts Elise Rüdigers enthalten und bei Cotta erscheinen sollte) gelangte nicht zur Ausführung. Nach dem Tod ihre Mannes veröffentlichte sie unter dem Geburtsnamen von Hohenhausen (vielleicht auch zum Gedenken an ihre 1857 verstorbene Mutter), wodurch es in der Literaturgeschichte zu vielen Verwechslungen bezüglich des Namens Elise von Hohenhausen gekommen ist.

Haus Rothenburg in Münster. In der ehemaligen Wohnung Elise Rüdigers traf sich die „Heckenschriftsteller-Gesellschaft". Das Gebäude ist nicht erhalten.

Ein langweiliger Vortrag. Karikatur von Ludwig Emil Grimm, 1851.

Die Karikatur spielt auf die in der Biedermeierzeit verbreiteten literarischen Kränzchen an, in denen Bildungsbeflissenheit zur Schau getragen wurde. Der von der Droste gewählte Namen „Heckenschriftsteller-Gesellschaft“ stellt – aus realistischer Einschätzung – den liebhaberischen Akzent in den Vordergrund. Daß der Kreis gleichwohl nicht ganz unambitionierte Ziele verfolgte, geht aus einer Stelle im Brief der Droste an ihre Schwester Jenny von Laßberg vom 7. Juli 1839 hervor: „Freiligrath war. . . in Münster, und erhielt durch Schücking eine Einladung in unser Kränzchen – ich war den Tag dunsch, und wollte nicht kommen,- Freiligrath ließ auch absagen . . . Am andern Tage kam Schücking ganz affairirt und geheimnißvoll zu mir, mir 1000 Grüße von Freiligrath zu bringen, ‚er lasse mir sagen, meine Gedichte seyen wunderschön und er hätte viel darum gegeben, mich kennen zu lernen, nun ich aber absagen lassen, möge der Henker das ganze Kränzchen holen’ ich freue mich ihn nicht gesehn zu haben, er muß ein completer Esel seyn – so ein Ladenschwengel braucht wahrhaftig nicht zu thun, als ob unser Kränzchen ihm die Schweine hüten müste!“ Rückblickend stufte die Dichterin die Bedeutung des Kreises deutlich herunter: „Ich wette, mein Besuch im nächsten Jahre

Januar: Aufenthalt in Münster. Verschiedene Besuche, u.a. bei Schlüter. Näherer Kontakt zu Anton Lutterbeck.

3. Januar: Jenny von Laßberg bestätigt Therese vDHs positives Urteil über die *Gedichte* 1838. Sie habe den Band ohne Nennung des Verfassers Uhland und Schwab ausgeliehen und warte nun auf deren Urteil.

27. Januar: Brief an Sophie von Haxthausen: *Schücking möchte ich gern wohlwollen. . . aber es wird mir schwer,– er ist mir gar zu lapsig, weibisch, eitel, erinnert mich zu oft an August Wilhelm Schlegel, dessen Carriere er auch wohl machen wird. . .* Über Henriette von Hohenhausen und deren „Zeichnungen aus dem Gemüthsleben. Novellen" (1839): *. . .die Erfindung ist zwar unbedeutend, und der Styl altfränksch, aber es ist eine Einfalt, eine tiefe Wahrheit darin, die wirklich rührt, und ungemein viel Scharfsinn. . .*

29. Januar: Brief an Jenny von Laßberg: Die Droste stellt die Mitglieder der *Heckenschriftsteller-Gesellschaft* vor. Über Henriette von Hohenhausens „Zeichnungen aus dem Gemüthsleben": In dem Buch käme *auch nicht ein einziger Knalleffekt* vor, *i c h aber weiß wohl, daß ich sehr froh seyn würde, wenn ich so gut erzählen könnte. . .* Charakterisierung Schückings. Kritisches Urteil über sein lyrisches und dramatisches Talent. Lob seiner Arbeiten im *kritischen Fache*: *er hat, ohne Zweifel das feinste Urtheil in unserm kleinen Klubb, und es ist seltsam, wie Jemand so scharf und richtig urtheilen, und selbst so mittelmäßig schreiben kann.* Die Resonanz auf ihre *Gedichte* im Verwandtenkreis, in Jena, Weimar und Kassel und die ersten Rezensionen. Ihre Unschlüssigkeit über weitere Projekte: Die ihr von allen Seiten gemachten Ratschläge würden ihr nicht weiterhelfen. Über die frühen Pläne zum *Bei uns zu Lande*: Sie tendiere dazu, ein Buch in der Art von Bracebridge-Hall zu schreiben: *Thunlicher scheint es mir, eine Reihe Erzählungen zu schreiben, die Alle in Westphalen spielen. . . ohne daß man grade zu sagen braucht, dies soll ein Bild von Westphalen seyn, und der Westphale ist s o u n d s o – dann. . . wird Keiner ‹ihrer Landsleute›. . . es auf sich beziehn, sondern nur auf die Personen der Erzählung, auch kann ich dann*

trifft Sie ‹Elise Rüdiger in Minden› in einem allerliebsten Cirkel, der Ihnen vielleicht das Angenehme und hoffentlich nicht das vielfach Gespannte und Zerrissene des münsterischen bringt, denn, lieb Herz, d i e s e n durfte man doch nur aus der Ferne betrachten, hinter den Coulissen sah es überall peinlich aus. . ." (Brief vom 2.8.1845)

von dem gewöhnlichen Gang der Dinge abgehn, kann V o r g e - s c h i c h t e n und dergleichen, mit einem Tone der Wahrheit erzählen, während ich sie, in der andern Form, nur als V o l k s g l a u - b e n erwähnen darf – doch ist die Form vom Bracebridge. . . bey Weitem die Angenehmste. . . aber mag ich nun thun was ich will, so stelle ich Einige zufrieden, und stoße die Uebrigen vor den Kopf – am Besten wär es vielleicht, ich thät etwas ganz Anderes, versuchte mich z. B. in einem D r a m a. . .

Etwa 2. Februar: Brief an Luise von Bornstedt: Kritisches Urteil über die von Luise von Bornstedt entliehenen „Reisenovellen" Heinrich Laubes: Das Charakteristische an Laube sei sein *Geist, Witz, Grimm gegen alle bestehende Formen, sonderlich die christlichen und bürgerlichen,– Haschen nach Effect,– Aufgeblasenheit und eine Stentorische Manier, das Wort in der litterarischen Welt an sich zu reißen,¯ Einseitigkeit, die aber nicht aus dem Verstande, sondern aus reinem Dünkel* hervorgehe.

11. Februar: Brief von Luise von Bornstedt: Übersendung einiger kleiner (nicht näher bezeichneter) Aufsätze von Edward G. Bulwer-Lytton.

16. Februar: Brief von Henriette von Hohenhausen: Dank für das positive Urteil der Droste über „Zeichnungen aus dem Gemüthsleben". Sie übersendet der Droste das von ihr herausgegebene Taschenbuch „Maiblumen. Taschenbuch für die heranwachsende Jugend" (1830) und weitere Bücher.

3. März: Der Verleger Wilhelm Langewiesche und Freiligrath entwickeln den Plan zu dem Buch „Das malerische und romantische Westphalen". Es soll die Schönheiten Westfalens schildern, das in der damals populären Reihe „Das malerische und romantische Deutschland" nicht berücksichtigt worden war. Auch war Westfalen von vielen, z. B. Voltaire im „Candide" (1759), verspottet worden und stand im Ruf hoffnungsloser Rückständigkeit und landschaftlicher Einöde. Freiligrath will mit dem Maler Schlickum, der die Illustrationen beisteuern soll, auf einer Wanderung durch Westfalen Anregungen für das Buch sammeln. Er erhält von Langewiesche einen Vorschuß. Die verwickelte Entstehungsgeschichte des „Malerischen und romantischen Westphalen" karikiert die Droste später in ihrem Lustspiel *Perdu!*

Mitte März: Mehrtägiger Aufenthalt in Münster. Besuche bei Elise Rüdiger.

16. März: Sie sucht mit Friedrich von Haxthausen den Maler Sprick auf, der Haxthausen porträtiert.

Ferdinand Freiligrath (1810-1876). Stahlstich um 1840.

Ferdinand Freiligrath war im 19. Jahrhundert der populärste westfälische Dichter. Seine „Wüsten- und Löwenpoesie" machte ihn über Nacht in ganz Deutschland bekannt. Die kraftstrotzenden, pathosüberschäumenden, in exotischen Gefilden angesiedelten Verse wirkten wie ein „Donnerschlag". Adelbert von Chamisso: „Seit dieser zu singen begonnen hat, sind wir andern Spatzen." Freiligrath selbst bezeichnete seine erste Schaffensphase später als „im Grunde. . . revolutionär: es war die allerentschiedenste Opposition gegen die zahme Dichtung wie gegen die zahme Sozietät." Wegen ihrer offenkundigen poetischen Schwächen und aufgesetzten Schwülstigkeit hatte er freilich auch, insbesondere von Heinrich Heine, manchen Spott zu ertragen. Dennoch erlebte Freiligraths erste Gedichtausgabe aus dem Jahre 1838 Neuauflage auf Neuauflage. Der Erfolg ließ Freiligrath auf ein freies, unabhängiges Schriftstellerdasein hoffen. Doch nicht nur seine Arbeiten am „Malerischen und romantischen Westphalen" (1842) scheiterten, sondern auch seine Versuche, an der populären Rheinromantik teilzuhaben. Ein Zeitschriftenprojekt, auf das Freiligrath finanziell gebaut hatte, kam ebenfalls nicht zustande. Fürs erste half eine 1842 vom preußischen König gestiftete Jahrespension von 300 Talern weiter. Diese trug ihm indes die Kritik der politischen Dichter ein und isolierte ihn von neuen Literaturströmungen. Später verzichtete er auf dieses Ehrengehalt. 1844 vollzog Freiligrath, der zuvor verkündet hatte, daß der Dichter nicht „auf den Zinnen der Partei" stehen dürfe, sondern von höherer, poetischer Warte aus spreche, eine radikale Kehrtwendung und veröffentlichte mit seinem „Glaubensbekenntnis" erstmals politisch-liberale Gedichte.

30. März: Mit Luise von Bornstedt Aufenthalt in Hülshoff. Luise von Bornstedt bleibt über Ostern.

Frühjahr: Nähere Beziehung zu Schücking, der zu Besuchen ins Rüschhaus kommt. – Beginn des Briefwechsels Freiligrath-Schükking, in dem häufig von der Droste die Rede ist (s.u.). Durch Schücking ist die Droste über Freiligrath und seinen literarischen Werdegang unterrichtet, sie lernt ihn jedoch nicht persönlich kennen.

26. oder 27. April: Rückkehr ins Rüschhaus.

Etwa Mai: Es entsteht: *An Henriette von Hohenhausen.*

Die Droste versucht, mit täglichen Spaziergängen ihr Übergewicht zu verringern, da sie eine gänzliche Gehunfähigkeit befürchtet. Sie nimmt sich vor, jeden Vor- und Nachmittag 12mal den Garten des Rüschhauses auf und ab zu gehen.

3. Mai: Brief an Luise von Bornstedt: Urteil über das von Luise von Bornstedt entliehene Buch von Charles Dickens „Oliver Twist" (1838, dt.: 1839). Sie schätze Dickens als Erzähler, lehne jedoch die sozialkritische Tendenz des Buches ab: *mich dünkt das Buch laborirt an der Krankheit unsrer Zeit, an der Lust des Verzerrens und Verteufelns*.

Etwa 9. Mai: Umzug nach Hülshoff, da während der Pfingsttage im Rüschhaus keine Messe gehalten wird.

Etwa 22. Mai: Rückkehr ins Rüschhaus. Freiligrath trifft zur Vorbereitung des *Malerischen und romantischen Westphalen* in Münster ein. Persönliche Bekanntschaft zwischen Schücking und ihm.

23. Mai: Freiligrath wird ins literarische Kränzchen Elise Rüdigers eingeladen. Als er von der Abwesenheit der Droste erfährt (*ich war den Tag dunsch und wollte nicht kommen*), kommt er der Einladung mit der Begründung nicht nach, daß ihn nur eine Begegnung mit der Droste interessiert hätte, deren Gedichte er bewundere.

Mit einem Mal war er wieder in aller Munde, mußte allerdings nach London fliehen. Im Revolutionsjahr 1848 kehrte er zurück und beteiligte sich, unter anderem als Redakteur der „Neuen Rheinischen Zeitung", aktiv an der politischen Bewegung. 1849 erschienen seine „Neuen politischen und sozialen Gedichte". Zwei Jahre später mußte er, steckbrieflich gesucht, erneut ins kümmerliche Exil gehen, diesmal für 17 Jahre. Nach seiner Rückkehr veröffentlichte er einige Gedichte („Hurra, Germania!"), die ihm als Gesinnungswandel und Verrat ausgelegt wurden. Mit politischen Programmen wollte der späte Freiligrath jedoch nicht mehr viel zu tun haben: „Meinen Idealen, meinen Überzeugungen bleibe ich treu, aber mit Programmen und Manifesten bleibt mir vom Leibe."

24. Mai: Besuch Schückings im Rüschhaus. Er überbringt *tausend Grüße* von Freiligrath, der der Droste sagen lasse, ihre Gedichte *seien wunderschön*.

31. Mai: Aufenthalt in Münster. Besuch bei Elise Rüdiger. Die Droste trägt das Gedicht *An Henriette von Hohenhausen* in das Stammbuch Henriette von Hohenhausens ein.

Juni: Besuche in Münster (Schlüter, Elise Rüdiger), Roxel und Nienberge. Schlüter und Junkmann besuchen Rüschhaus.

Sommer: Auf Anregung Schlüters Plan zur Weiterarbeit am *Geistlichen Jahr*. Mit Schlüter Gespräch über eine frühe Konzeption der *Judenbuche*. Die Droste wird von ihren Paderborner Verwandten (insbesondere von August von Haxthausen) gedrängt, ihr Talent zum Humoristischen literarisch zu nutzen. In der Beziehung Droste-Schlüter kommt es vorübergehend zu einer Annäherung.

7. Juli: Brief an Jenny von Laßberg: Die Droste schildert die Resonanz auf die *Gedichte* 1838. Über Freiligraths Besuch in Münster. Er sei ein *completter Esel*: *so ein Ladenschwengel braucht wahrlich nicht zu thun, als ob unser Kränzchen ihm die Schweine hüten müste*. Freiligraths enorme Popularität. Seine Gedichte seien *s c h ö n*. . . *aber w ü s t*.

Etwa 8. Juli: Abreise Luise von Bornstedts zu einer Reise in die Schweiz, bei der sie auf der Meersburg die Familie von Laßberg besucht. Sie trifft auf ihrer Reise mit Immermann und Gutzkow zusammen. Sie leiht Immermann die *Gedichte* 1838, die diesem unbekannt sind.

Mit Therese vDH Aufbruch zu einer Reise nach Abbenburg. Ankunft am 10.7. Wohnung bei Friedrich von Haxthausen. Der Besuch soll sechs Wochen dauern, die Droste rechnet aber ein, daß er sich bis zum Herbst hinzieht. In Abbenburg zunächst ruhiger und ungestörter Aufenthalt, da die meisten Verwandten abwesend sind. Häufige Ausflüge zum Vorwerk Hellesen. Die Droste soll sich wegen ihrer Kurzatmigkeit und ihres Übergewichts auf ärztlichen Rat hin den ganzen Tag über an der frischen Luft aufhalten. Sie wird deshalb von Friedrich von Haxthausen ständig zum Sammeln von Steinen und Mineralien angehalten. Hierdurch ist sie an literarischer Arbeit zunächst weitgehend gehindert. Gelegentlicher Husten. Im Verlauf des Aufenthalts allgemeine Gesundheitsbesserung und Normalisierung des Körpergewichts. Sie liest lateinische Klassiker und durchblättert die Romane Walter Scotts, die sie aus früheren Vorleseabenden im Familienkreis kennt.

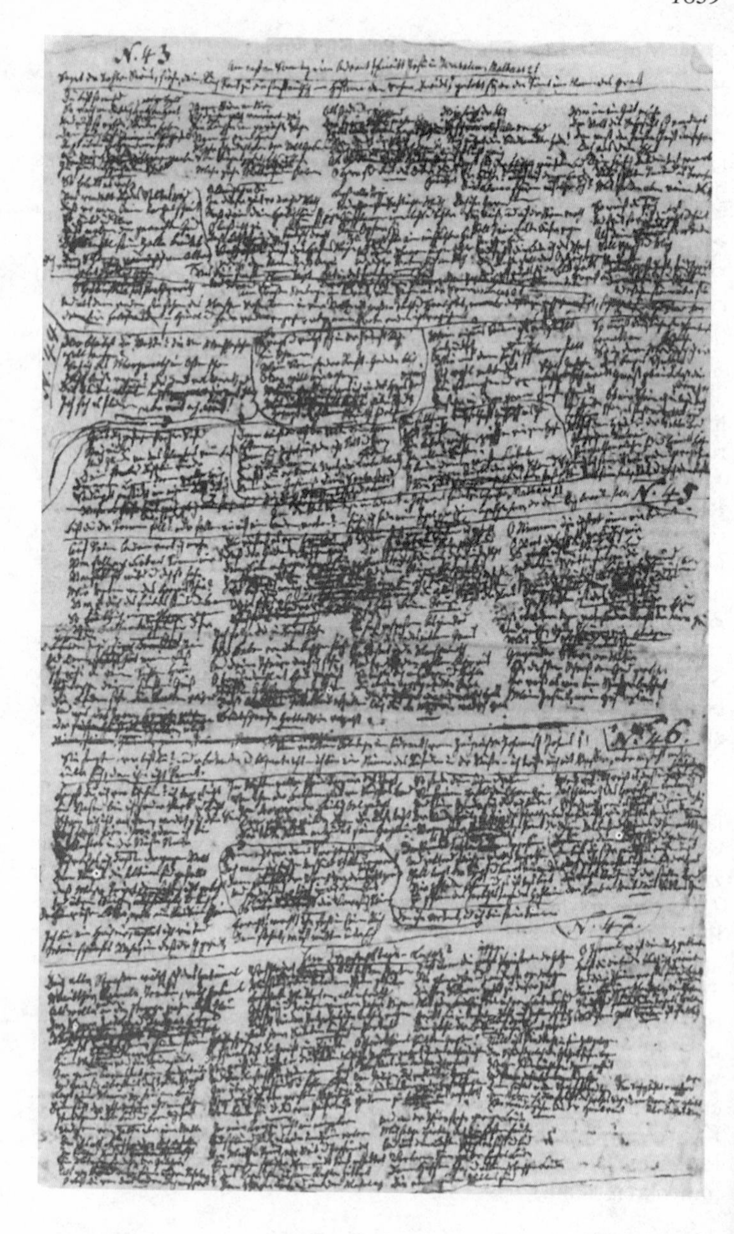
N.43
N.44
N.45
N.46
N.47

Erneute Lektüre von August von Haxthausens „Geschichte eines Algierer-Sklaven" („Wünschelruthe", Kassel, 5.-19.2.1818), der indirekten Vorlage für *Die Judenbuche*; aufgrund der Lektüre Ausführungen der Notizen H^6 zur *Judenbuche*.

Etwa 10. August: Wiederaufnahme der Arbeit am *Geistlichen Jahr*. Es entstehen (im Konzept) bis Ende September die Gedichte vom 1. Sonntag nach Ostern bis etwa 17. Sonntag nach Pfingsten. (Es entstehen in zehn Wochen etwa 27 Gedichte.)

Mitte August: Die Droste stellt wegen schlechten Wetters ihre Spaziergänge ein. Intensivierte literarische Tätigkeit.

23. August: Besuch bei Franzisca von Bocholtz-Asseburg in Hinnenburg. Gemeinsame Lektüre der letzten Nummern des Unterhaltungsblatts zum „Westfälischen Merkur".

24. August: Brief an Schlüter: *Wir leben hier so still, so ganz ohne Abwechslung und Vorfälle...* Sie hoffe auf eine baldige Rückkehr nach Münster – *Seit 14 Tagen... bin ich fleißig, und... recht im Zuge, so daß das „geistliche Jahr" sich hoffentlich früher schließen wird, als das Jahr neun und dreißig, an der nöthigen Stimmung fehlt es mir nicht in so vielen einsamen Stunden...* Über die *Judenbuche* und ihre Lektüre des „Algierer-Sklaven": *ich habe jetzt wieder den Auszug aus den Ackten gelesen, den mein Onkel August schon vor vielen Jahren in ein Journal rücken ließ, und dessen ich mich nur den Hauptumständen nach erinnerte – es ist schade, daß ich nicht früher drüber kam – er enthält eine Menge höchst merkwürdiger*

◁ *Arbeitsmanuskript des „Geistlichen Jahres" (zweiter Teil)*

Das hier wiedergegebene Arbeitsmanuskript ist nicht etwa ein Extremfall konzeptioneller Unordnung bei der Droste. Es entspricht vielmehr dem Zustand zahlreicher ihrer Arbeitsmanuskripte, die den heutigen Editoren Kopf- und Augenschmerzen bereiten. Der Grund für das vermeintliche Chaos liegt zum einen darin, daß die Autorin sehr sparsam mit Papier umging („Ein... Papierbogen schien ihr... ein Raum groß wie das Weltmeer" – Levin Schücking); zum anderen war die Autorin extrem kurzsichtig („Ihr Auge war so eigenthümlich gebildet, daß sie auf eine Entfernung von fünf oder sechs Seiten die Physiognomie der Anwesenden nicht mehr erkennen konnte; dagegen aber in dem Glase Wasser, das sie ihrem Auge nahe brachte, die Infusorien zu erkennen vermochte." – Levin Schücking). Die Droste schloß ihre Manuskripte oft nicht ab. Besonders evident wiegt dieser Umstand im Falle des „Geistlichen Jahres". Die Entzifferungen haben fünf z.T. stark abweichende Editionen hervorgebracht.

Umstände und Aeußerungen, die ich jetzt nur zum Theil benutzen kann, wenn ich die Geschichte nicht ganz von Neuem schreiben will – vor Allem ist der Charackter des Mörders ein ganz Anderer, was zwar an und für sich nicht schadet, aber mich nöthigt mitunter das Frappanteste zu übergehn, weil es durchaus nicht zu m e i n e m Mergel passen will. . . Über die Arbeit am *Geistlichen Jahr*: *Die geistlichen Lieder werden, wie mich dünkt, ohngefähr den Früheren gleich, doch, glaube ich, wird es mir immer schwerer werden, einige Mannigfaltigkeit hinein zu bringen, da ich mich nur ungern und selten entschließe, Einiges aus dem Text selbst in Verse zu bringen – er scheint mir zu heilig dazu, und es kömmt mir auch immer elend und schwülstig vor, gegen die einfache Größe der Bibelsprache. – so bleibe ich dabey einzelne Stellen auszuheben, die mich zumeist frappiren und Stoff zu Betrachtungen geben. – ich freue mich darauf Ihnen das Fertige vorzulesen, Sie sind doch, dieses Mahl, fast mein ganzes Publicum.– wollte Gott ich könnte die Lieder heraus geben, es wäre gewiß das Nützlichste was ich mein Lebelang leisten kann, und das damit verbundene Opfer wollte ich nicht scheuen, hätte ich nur an mich zu denken, aber es geht nicht!* Über Elise Rüdiger: *diese Frau hat wenig Blendendes, nimmt aber immer mehr ein, durch Verstand, höchstpoetischen Sinn, und eine unbegränzte Herzensgüte, sie ist mir allmählig sehr lieb geworden.*

Es entsteht bis zum 14.1.1840 der Entwurf H^8 zur *Judenbuche*, der verschiedene Vorstufen vereinigt.

26. August: Besuch in Ludowine von Haxthausens Waisenhaus „St. Anna" auf der Brede.

Brief an Junkmann: Das *Geistliche Jahr* rücke *brav voran*; *man spannt hier wieder alle Stricke an, mich zum Humoristischen zu ziehen, spricht von „Verkennen des eigentlichen Talents" et cet⁻ das ist die ewige alte Leyer hier, die mich denn doch jedesmahl halb verdrießlich halb unschlüssig macht, – ich meine der Humor steht nur Wenigen, und am seltensten einer weiblichen Feder, der fast zu engen Beschränkung durch die (gesellschaftliche) Sitte wegen – und Nichts kläglicher als Humor in engen Schuhen – für jetzt kann ich. . . wohl gar nicht daran denken – Heute eine Schnurre, und Morgen wieder ein geistliches Lied! das wäre was Schönes! – solche Stimmungen ziehen sich nicht an und aus wie Kleider.* Idyllische Schilderung des Vorwerks Hellesen. (Schücking bittet die Droste später darum, diese Schilderung in einen Aufsatz über Westfalen für den projektierten Band „Deutschland im 19. Jahrhundert" aufnehmen zu dürfen.)

29. August: Ankunft Amalie Hassenpflugs in Bökendorf.

30. August: Brief von Schlüter: Zur Weiterarbeit der Droste am *Geistlichen Jahr*: „Eine große Freude hat es mir gemacht, daß Sie fleißig fortarbeiten; Sie sollen es auf Rüschhaus mir und Kreuzhage vorlesen, das soll ein Fest sein."

Ende August: Rückkehr der den Sommer über abwesenden Verwandten. Der Droste bleibt kaum noch Zeit zu literarischer Arbeit.

Rez.: Levin Schücking: Briefe aus Westphalen (Rez. *Gedichte* 1838) (Athenaeum für Wissenschaft, Kunst und Leben, Nürnberg 2, S. 38–80). Über die Droste S. 52f. u. 56f.

3. September: Brief an Elise Rüdiger: *Hier* ‹in Abbenburg› *ist, seit einigen Tagen, Alles so laut und überfüllt, als es früher still und leer war,– Verwandte, Freund und Fremde, machen das Haus zu einem wahren Ameishaufen – ich kann weder schreiben noch lesen, noch mit Ruh spatzieren gehn, und weiß kaum wo mir der Kopf steht.* Über Amalie Hassenpflug: *ach! Sie müsten sie kennen, Elise. . . so viel Geist, Talent, und Gemüth findet man selten vereint. . .*

Mit Amalie Hassenpflug Ausflug nach Kassel. Zunächst Besuch in Ludowine von Haxthausens Waisenanstalt „St. Anna" auf der Brede.

4. September: Weiterfahrt. In Kassel Bekanntschaft mit Elise von Hohenhausen, der schriftstellerisch tätigen Mutter Elise Rüdigers. Es kommt zu keiner persönlichen Annäherung.

15. September: Rückkehr von Kassel. Abschied von Amalie Hassenpflug. Ankunft in Wehrden (Familie von Wolff-Metternich).

16. September: Rückkehr nach Abbenburg.

Freiligrath übersendet Schücking den ersten Bogen des „Malerischen und romantischen Westphalen". „. . .thu mir den Gefallen u. schreib' mir sonst von Münster Alles, was Du Fabelhaftes weißt. – Ueber den Aberglauben der Haide möcht' ich auch gern Specialia erfahren. – Kannst Du mir Nichts darüber mittheilen, oder soll ich, unter deiner Aegide, Mechthilden ersuchen, daß sie mir vom Haidenmann, von Irrwischen, Vorgeschichten u.s.w. erzählt, was sie aus den Schauern der Kindheit sich gerettet hat. . ."

Rez.: 17. September: P.M.: Rez. *Gedichte* 1838 (Allgemeiner Religions- und Kirchenfreund, Würzburg, Nr. 75, Sp. 1188–1192).

In den folgenden Tagen Heimreise über Erpernburg (Familie von Brenken).

22. September: In Münster Besuch bei der Herzogin von Looz-Corswarem.

Ende September-Mitte November: Besuch Luise von Bornstedts und Lutterbecks im Rüschaus. Ein weiterer Besuch Lutterbecks im Rüschhaus. In der Folgezeit bricht die Beziehung der Droste zu Luise von Bornstedt fast ganz ab. Schücking setzt seine Besuche im Rüschhaus fort.

Oktober: Schücking besucht Freiligrath in Unkel. Er lehnt dessen Angebot ab, sich dort als freier Schriftsteller niederzulassen.

Mitte Oktober: Längere Erkrankung mit *Blutandrang im Kopf* und beständigem Unwohlsein.

29. Oktober: Umzug nach Hülshoff, um eine Erzieherin in ihre Stellung einzuweisen.

(Carl Ferdinand Dräxler-Manfred?): Vaterländische Litteratur. Gedichte von Annette v.D. . . H. . . (Kölnische Zeitung, Köln, Nr. 302).

November: Das Andauern der Krankheit, die Beantwortung von Briefen (nicht überliefert) und andere Verpflichtungen behindern die Weiterarbeit am *Geistlichen Jahr.*

7. November: Rückkehr von Hülshoff nach Rüschhaus.

Brief an Ludowine und Sophie von Haxthausen: *ich bin. . . seit drey Wochen keinen Groschen werth, kann weder das Bettliegen noch das Aufseyn recht vertragen, und das Bücken gar nicht, dann meine ich der Hals geht mir zu. . . ich kann wirklich jetzt nur mit der grösten Beschwerde schreiben,– Mein Trost ist, daß ich schon oft so schlimme Zeiten gehabt habe, und es ist immer vorüber gegangen. . .*

Nach 7. November: Besuch Anna Junkmanns im Rüschhaus. Die Droste schließt mit ihr Freundschaft.

Etwa 9. November: Rückkehr Schückings aus Unkel. Er besucht die Droste im Rüschhaus.

17. November: Brief an Junkmann: Sie lebe im Rüschhaus *ziemlich einsam.* Über die Weiterarbeit am *Geistlichen Jahr: Ich. . . habe an dem „geistlichen Jahr“ dermaßen nachgearbeitet, daß ich, bey meiner Abreise ‹von Abbenburg›, mit der laufenden Zeit gleich war, und dem Jahresschluß bedeutend vorzueilen hoffte.* Verschiedene Umstände hätten die zügige Weiterarbeit behindert, sie hoffe aber, *bald wieder an's eigentliche Werk zu kommen, und dann, mit Gottes Hülfe, den Cyclus doch vor dem Silvestertage geschlossen zu haben. – es ist ein größeres Unternehmen als ich gedacht, da Alles was Schlüter bisher hatte, nur von Neujahr bis Ostern reichte. . . und hätte schwerlich den Muth zum Anlaufe gewonnen, wenn ich die Höhe des Berges erkannt der vor mir lag.– Für spätere Arbeiten* *habe ich noch keine Plane, und will auch nicht daran denken bevor diese beendigt, da es sich immer fester in mir gestellt hat, daß sie nur zu einer Zeit erscheinen darf, wo mein ganzes irdisches Streben mir wohl thöricht erscheinen wird, und dieses Buch vielleicht das Einzige ist dessen ich mich dann freue,– darum will ich auch bis ans Ende meinen ganzen Ernst darauf wenden, und es kümmert mich wenig, daß manche der Lieder weniger wohlklingend sind als die früheren, dies ist eine Gelegenheit wo ich der Form nicht den geringsten nützlichen Gedanken aufopfern darf – dennoch weiß ich wohl daß eine schöne Form das Gemüth aufregt und empfänglich macht, und nehme soviel Rücksicht darauf als ohne Beeinträchtigung des Gegenstandes möglich ist, aber nicht mehr.* Die Renzension der *Gedichte* 1838 vom 29.10.1839. Ihr gesundheitliches Befinden: *bethen Sie für mich, daß ich nicht gar zu unreif weggenommen werde,– es hat große Gefahr! der heftige Blutandrang nach dem Kopfe nimmt von Jahr zu Jahr mehr Ueberhand, und ich zweifle kaum an einem plötzlichen Ende. – doch darf ich plötzlich nennen was ich Jahre lang voraus sehe?*

17. November: Besuch in Münster. Vermutlich Besuch beim Maler Sprick, um ihr *Pätchen in Augenschein zu nehmen.*

November-September 1841: Die Droste wird regelmäßig wöchentlich von Schücking im Rüschhaus besucht. Gemeinsame Spaziergänge und Ausflüge in die nahe Umgebung. Regelmäßiger Büchertausch. Über Schücking Bekanntschaft mit der zeitgenössischen Literatur und mit der Vormärzlyrik, die in den Jahren 1840 bis 1842 einen ersten Höhepunkt erlebt.

Schücking berichtet in seinen „Lebenserinnerungen“: „Ein Mal in der Woche kam die alte Botenfrau und brachte einen Brief, ein Packet mit durchlesenen Büchern von Annette von Droste, worauf ich durch eine Sendung von neuen antwortete; ein Mal in jeder Woche auch, am Dienstage, wanderte ich nach Tisch zu ihr hinaus, über Ackerkämpe, kleine Haiden und durch ein Gehölz, an dessen Ende ich oft ihre zierliche kleine Gestalt wahrnahm, wie sie ihre blonden Locken ohne Kopfbedeckung dem Spiel des Windes überließ, auf einer alten Holzbank saß und mit ihrem Fernrohr nach dem Kommenden ausblickte. Ich wurde dann zunächst in ihrem Entresolzimmerchen mit dem klassischen westfälischen Kaffee gelabt, ein Teller mit Obst stand im Sommer und Herbst daneben – eine kleine Streiferei in der nächsten buschreichen Umgebung des Hauses wurde dann gemacht; zu dem ihrem Bruder gehörenden alten Hause Schenking ‹Degening› z. B., von wo der Pächterin ein frisches Gänseei requirirt wurde, das Annette mit einem verwegen starken Zusatz von Zucker zu einem vortrefflichen Crème verarbeitete und das verzehrt wurde im Schatten irgend einer alten Wallhecke oder Eichgruppe. Sie führte dabei zumeist ihren leichten Berghammer bei sich, und wir kehrten selten heim, ohne daß mir alle Taschen von allerlei Kieseln und Feuersteinen und anderen Raritäten gestarrt hätten ... Wenn schlechtes Wetter oder gar Winterschnee diese Streifereien unmöglich machten, flossen die Stunden nicht minder darum mit Windeseile vorüber, verplaudert in dem stillen Stübchen, das Annette ihr „Schneckenhäuschen" nannte und das so bürgerlich schlicht eingerichtet war wie möglich. ... Annette von Droste erzählte sehr gern und erzählte vortrefflich, und wie es bei zwei Leuten, welche von der Natur mit einem bedeutenden Organ für das Wunderbare heimgesucht waren, natürlich, wandten sich diese Erzählungen nicht selten allerlei Geschichten aus dem Gebiet des Visionären und der Geisterwelt zu ..."

In einem Brief Schückings an Freiligrath vom 14.1.1841 heißt es über die damalige, fast vollständig verlorene Korrespondenz: „mein Mütterchen... schreibt mir zweimal in der Woche einen ellenlangen Brief..."

Dezember: Weiterarbeit am *Geistlichen Jahr*.

Erwähnt in: Levin Schücking: Jonathan Swift (Telegraph für Deutschland, Hamburg, Nr. 202).

Ab etwa 7. Dezember: 4wöchige schwere Erkrankung mit starkem Husten, Brustbeklemmungen und nächtlichem Fieber, Niedergeschlagenheit, Mutlosigkeit und Todesahnungen.

Etwa 11. Dezember: Besuch Elise Rüdigers und Luise von Bornstedts im Rüschhaus.

15. Dezember: Behandlung durch von Bönninghausen wegen „nächtlicher Diarrhoe mit Kopfschmerz".

21. Dezember: Junkmann hält sich die Weihnachtsferien über in Münster auf. Vermutlich besucht er Rüschhaus.

23. Dezember: Behandlung durch von Bönninghausen. Er notiert: „Noch Neigung zu Diarrhoe, sonst sehr wohl."

24. Dezember: Abnahme des Fiebers.

Ende Dezember: Gesundheitsbesserung.

Ende Dezember-Mitte Januar: Vorläufiger Abschluß der Arbeit am *Geistlichen Jahr*.

Ende 1839: Es erscheint die erste und einzige von Freiligrath besorgte Lieferung des „Malerischen und romantischen Westphalens".

Ende 1839/Anfang 1840: Brief an Adele Schopenhauer: Die Droste diskutiert mit Adele Schopenhauer ihre weiteren literarischen Pläne, über die sie noch immer unschlüssig ist. Anfrage, ob ihr O.L.B. Wolff, Gustav Kühne oder Friedrich Frommann diesbezüglich Ratschläge geben könnten.

Eine Unterredung zwischen August Klasing und O.L.B. Wolff führt zum späteren (-› 5.4.1842) Verlagsangebot Velhagen und Klasings für die zweite Gedichtausgabe der Droste.

1840

Anth.: Es erscheint: *Der Graf von Thal* (Poetischer Hausschatz des deutschen Volkes... Hrsg. von O.L.B. Wolff, 1840). Wiederabdruck.

Das von der Droste ins Hochdeutsche übertragene Gedicht Junkmanns „Die Erscheinung" gelangt in dem von Mathilde von Tabouillot herausgegebenen Taschenbuch „Heimathgruß" zur Publikation. Dort erscheinen durch Vermittlung Schückings sieben Gedichte aus dem Nachlaß Catharina Schückings. Auch Schücking ist unter den Mitarbeitern, ebenso Ferdinand Freiligrath.

Lektüre: Rheinisches Jahrbuch (auf 1840) mit Gedichten Freiligraths, Schückings und Luise von Bornstedts.

14. Januar: Brief an Henriette von Hohenhausen: Ihre langwierige Erkrankung. *Von meinem hiesigen Leben kann ich Ihnen wenig sagen,– Sie sahen E i n e n Tag, damit haben Sie A l l e gesehn,– ich schreibe, lese was mir die Güte meiner Freunde zukommen läßt, stricke ein klein klein wenig (Abends) und bin zur Abwechslung mitunter unwohl* – über die *Judenbuche*: *geschrieben habe ich eine Erzählung, in der mir Manches gelungen, aber das Ganze doch nicht der Herausgabe würdig scheint – es ist mein erster Versuch in Prosa, und mit Versuchen soll man nicht auftreten.* Über das *Geistliche Jahr*: *dann habe ich den Cyclus der geistlichen Lieder vollendet, die* jedenfalls erst nach meinem Tode öffentlich erscheinen dürfen. Ihre weiteren Pläne: *was ich nun zuerst vornehmen werde weiß ich noch nicht,– wahrscheinlich wieder einen V e r s u c h für die Bühne – ob tragisch? ob humoristisch? – soviel habe ich noch nicht darüber nachgedacht,– die Feder ist kaum trocken vom letzten Strich an den geistlichen Liedern, zudem darf ich sogleich noch nicht an Schreiben denken, dieser Brief ist schon außer aller Diaet. . .* Über ihre Bekanntschaft mit Elise von Hohenhausen.

Nach 14. Januar (?): Brief von Elise Rüdiger: Übersendung von Immermanns „Münchhausen" (1838/39).

Nach Mitte Januar: Weitere Gesundheitsbesserung.

16. Januar: Besuch Schückings im Rüschaus.

25. Januar: Freiligrath bittet Schücking um Beiträge Schückings und seiner Münsterer Bekannten (einschließlich der Droste) für den „Deutschen Musenalmanach" (1841).

In der Folgezeit: Es entsteht: *Der Geyerpfiff*.

Rez. Anonym: Gedichte von Annette von D(roste) H(ülshoff) (Die Eisenbahn, Leipzig, Beil. „Literatur und Kunstblatt" Nr. 3, S. 13).

29. Januar: Behandlung durch von Bönninghausen. Er vermerkt u.a.: „Nun heftiger Husten mit Würgen und Erbrechen, und Athemvergehen."

Ende Januar: 8tägiger Aufenthalt in Münster. Tägliche Besuche bei Schlüter, dem die Droste mitteilt, daß sie das *Geistliche Jahr* vollendet habe. Elise Rüdiger gibt der Droste zu Ehren ein kleines Diner.

Mitte Januar-April: Es entstehen: *Der Mutter Wiederkehr*; *Der Graue*.

Februar: Arbeit an Korrektur und Reinschrift des *Geistlichen Jahres*. In den folgenden Jahren sukzessive Weiterarbeit an den Texten, ohne daß es zu einer endgültigen Fassung kommt.

Anfang Februar: Rückkehr ins Rüschhaus. Wegen Nachwirkungen der Krankheit Verzicht auf Besuche in Münster im Februar/März.

1. Februar (?): Brief von Adele Schopenhauer: Einschätzung der zeitgenössischen Lyrik und Prosa. O.L.B. Wolff sei mit einer Rezension der *Gedichte* 1838 beschäftigt. Er sei der einzige unter ihren Bekannten, der der Droste Vorschläge für weitere Arbeiten machen könne: „Ich möchte k e i n e R e i s e f o r m, ich möchte entweder die dramatische, aber nicht zur Aufführung geeignete Form oder die erzählende. Wäre aber mein Gegenstand. . . der Art, daß er mich p o e t i s c h faßte, so gäbe ich ihn in Versen. Um Ihren Humor ist es s e h r schade...“ Sie gibt zu bedenken, daß das von der Droste erwogene Prosawerk über Westfalen (*Bei uns zu Lande*) in Immermanns „Münchhausen“ (1838f.) einen „fürchterlichen Rival“ habe.

März: Besuch Schückings im Rüschhaus. Er urteilt positiv über die *Judenbuche*.

12. März 1840 (?): Brief an Jenny von Laßberg (Eingang): . . .*ich habe jetzt eine Erzählung* ‹Die Judenbuche› *fertig, von dem Burschen im Paderbörnischen, der den Juden erschlug, von der Junkmann aber sagt, die Paderbörner würden mich auch todtschlagen, wenn ich sie heraus gäbe – und jetzt vollende ich den Cyclus der geistlichen Lieder ‹Geistliches Jahr›, die aber auch nicht der Art sind, daß sie heraus kommen können – sonst wäre Beydes schon gut gerathen.*

April: Die Droste beschäftigt sich mit Melodien, die Werner von Haxthausen auf eine Spieluhr setzen lassen will.

1. April: Besuch Schückings im Rüschhaus. Er stellt der Droste Freiligraths Gedicht „Die Rose“ vor, das schauerromantische Motive enthält.

4. April: Schücking berichtet Freiligrath: „Bei der Droste habe ich den Nachmittag ‹des 1.4.› zugebracht; sie saß und lehnte sich auf den Rand der Sofalehne, ich davor und ließ mir die gräulichsten Gespenstergeschichten erzählen, die alle wahr sind, zum teil von ihr erlebt; es lief mir eiskalt über den Rücken, wir steckten schaudernd die Köpfe zusammen, daß Stirne an Stirne die Gespensteraugen in einander blitzten...“

Ab 19. April: Die Droste verbringt die Ostertage in Hülshoff.

28. April: Brief an Schlüter: Die Droste bedauert, daß ihr Kontakt zu Schlüter seit Monaten abgebrochen sei. Es fehle ihr an einer Gelegenheit, um nach Münster zu kommen. Ihre literarischen Beschäftigungen: *ich thue gar nichts – seit Beendigung des geistlichen Jahrs, also seit drei Monaten, sind zwey Balladen das Einzige was ich geschrieben.– doch liegt dies wohl zum Theil daran, daß ich, des seit zwanzig Jahren bis zum Ekel wiederholten Redens, über Miskennung des eignen Talents, müde, mich zu Etwas entschlossen habe, was mir im Grund widersteht, nämlich einen Versuch im Komischen zu unternehmen, – so dränge ich dann jeden Trieb zu Anderm gewaltsam zurück, und scheue mich doch vor jener gleichsam bestellten Arbeit wie das Kind vor der Ruthe... es fehlt mir allerdings nicht an einer humoristischen Ader, aber sie ist meiner gewöhnlichen und* *natürlichen Stimmung nicht angemessen, sondern wird nur hervor gerufen durch den lustigen Halbrausch, der Uns in zahlreicher und lebhafter Gesellschaft überfällt . . . zudem will mir noch der Stoff nicht recht kommen, – einzelne Scenen, Situationen, lächerliche Charaktere in Ueberfluß, aber zur Erfindung der Intrigue des Stücks . . . fehlt mir bis hin, ich weiß nicht ob die Lust oder das Geschick . . .* In dem Lustspiel sollten nur westfälische Charaktere vorkommen. Sie halte ein Stück, das im Bauernmilieu spiele, für das *bey Weitem reichere und frischere* und sowohl ihrem *Talente als Erfahrungen angemessenere*, da sie in bäuerlicher Umgebung aufgewachsen sei und *selbst eine starke Baurenader in* sich *spüre*. Sie wolle Schlüter künftig wieder häufiger schreiben. Ankündigung eines Besuches bei Schlüter mit Adele Schopenhauer, deren Besuch im Rüschhaus bevorsteht. Sie lädt Schlüter, Anna Junkmann und Lutterbeck ins Rüschhaus ein.

In der Folgezeit: Es entstehen: *Die Vendetta*; *Die Vergeltung*.

April-September: Es entsteht: *Die Mutter am Grabe*.

Anfang Mai: Schücking regt Friedrich Engels, mit dem er in Münster ein literarisches Projekt berät, zu einer Rezension der *Gedichte 1838* an.

19. Mai: Schücking berichtet Freiligrath, die Droste sei seine „Seelenfreundin", die er „unendlich lieb" habe. – Ankunft Adele Schopenhauers im Rüschhaus. Während des Besuchs entsteht Adele Schopenhauers Zeichnung von der Droste.

23. Mai: Adele Schopenhauer berichtet Friedrich Frommann über ihren Besuch im Rüschhaus: „Wir heizen tüchtig, wir leben winterlich, klösterlich still und sacht – man träumt fast, anstatt zu leben. Da ruhe ich denn aus, an der Seite des geistreichsten Wesens, daß ich unter Frauen kenne. Ich bliebe gern 6–8 Wochen. Ich würde hübsche Sachen denken und machen. Es würde manches für fernere Zeit Bleibende entstehen."

30. Mai: Schücking übersendet Theodor Hell (d. i.: Karl Gottlieb Winkler) ein Exemplar der *Gedichte* 1838 mit der Bitte um Rezension.

Ende Mai/Anfang Juni: Mit Adele Schopenhauer 2tägiger Aufenthalt in Münster. Begegnung mit Elise Rüdiger, Luise von Bornstedt, Schücking, Schlüter und Carvacchi. Mit Elise Rüdiger und Schlüter Teilnahme an einer Abendgesellschaft bei Carvacchi. Adele Schopenhauer erzählt von ihrer Bekanntschaft mit Goethe.

Juni: Besuche Schückings im Rüschhaus.

Annette von Droste-Hülshoff, gezeichnet von Adele Schopenhauer, 1840, als sie nach dem Tod ihrer Mutter Rüschhaus besuchte.

Nach Anfang Juni: Lektüre: George Sand: Indiana (2 Tle., 1832).

3. Juni: Adele Schopenhauer berichtet Ottilie von Goethe über ihren Besuch im Rüschhaus: „Du u Annette hat (!), als Gott die Welt verteilte, die Liebenswürdigkeit beide gefaßt u geteilt unter Euch. Ihr seid die liebenswürdigsten Frauen, die ich auf Erden kenne. Nettens Herz ist himmlisch. Es ist hier so still, so grün und friedlich wie im Traum eines Kindes. Ich war sehr gern hier, bliebe so gern – aber ich muß fort . . .“

5. oder 6. Juni: Abreise Adele Schopenhauers. Sie nimmt vielleicht die Ballade *Der Graue* (*Der blonde Waller*) in der Absicht mit, einen Abdruck in Luise von Marezolls „Frauen-Spiegel“ zu vermitteln. In einer späteren Tagebuchnotiz hält sie fest: „In Rüschhaus . . . habe ich schöne stille Tage verlebt. Indessen habe ich dort eine Erfahrung gemacht, die ich für zu machen nie für möglich gehalten. Annette leidet an Gewissensscrupeln und gänzlichem Schwanken des Glaubens u Meinens.“ In einem späteren Brief an Sibylle Mertens hält sie fest: „. . . ich liebte Rüschhaus! Mir war in dem Altarzimmer, in Annettens Stube, wo ich hinunter in die wunderliche Küche sah, wohl und sehr gemütlich! . . . Und mir war so poetisch und ich war so zum Sterben krank und heiter! Ich denke mit großer Liebe an Rüschhaus, an seine Räume, und wie sehr an seine Waldgegend und Haide und Wasserblumen und seine tausend Insekten, Vögel, Katzen und Hunde und Hühner!“

Juni/August: Brief von August von Haxthausen: Bitte um Mithilfe bei seiner Sammlung von Texten und Melodien von frommen Wallfahrts- und Arbeitsliedern.

18. Juni: Friedrich Engels bedankt sich bei Schücking für dessen Geschenk der *Gedichte* 1838. Der Band habe ihm sehr gefallen. Er wolle den Gedichten „bei erster Gelegenheit. . . öffentliche Gerechtigkeit widerfahren lassen“.

25. Juni: Brief an Elise Rüdiger: Die Droste bedauert, daß ihre Beziehung zu Elise Rüdiger noch immer sehr gezwungen sei. Sie lädt Elise Rüdiger ins Rüschhaus ein. Über Schücking: *Levin kann auf mich rechnen, als eine Freundinn fürs Leben, und für jede Lage des Lebens* . . . Sie sei entrüstet über den Klatsch, den Luise von Bornstedt in Münster über die Beziehung der Droste zu Schücking verbreite; dies würde ihre innerhalb der Familie *mühsam erkämpfte Freyheit* gefährden.

Für 6 Tage Umzug nach Hülshoff.

Sommer: Arbeit an *Perdu!*
Die Droste trägt zur finanziellen Unterstützung des Altertumsforschers Heinrich Engels, des zum Schlüter-Kreis gehörenden Theologiestudenten Wilhelm Tangermann und des Malers Sprick bei. Fortsetzung der regelmäßigen Besuche Schückings im Rüschhaus. Die Droste klagt darüber, daß sie von ihren übrigen Münsterer Bekannten nicht mehr besucht würde.

Etwa 1. Juli: Besuch Schückings im Rüschhaus.

2. Juli: Friedrich Engels bedankt sich nochmals bei Schücking für die *Gedichte* 1838.

Nach 7. Juli: Im Zusammenhang mit einem Familienbesuch Aufenthalt in Hülshoff. Besuch Elise Rüdigers und Anna Junkmanns im Rüschhaus.

10. Juli: Schücking übersendet Franz Dingelstedt die *Gedichte* 1838 mit der Bitte um eine Rezension in den „Halleschen Jahrbüchern" oder der „Zeitschrift für die elegante Welt". (Die Rezension kommt nicht zustande.)

15. Juli: Besuch Schückings im Rüschhaus.

16. Juli: Schlüter fordert Junkmann zu einer Rezension der *Gedichte* 1838 auf. Es sei eine „dämonisch boshafte" Besprechung (-› 25.1.1840) erschienen. Er plane, „morgen über 8 Tage" mit Schücking Rüschhaus zu besuchen.

Juli-März 1841: Es entsteht: *Der Mutter Wiederkehr.*
Rez.: Friedrich Oswald (d. i. Friedrich Engels): Landschaften (Rez. *Gedichte* 1838) (Telegraph für Deutschland, Hamburg, Nr. 122 u. 123, Juli/August 1840, S. 485–487 u. 490f.). Über die Droste S. 490f.

August: Die Droste fragt hinsichtlich der von August von Haxthausen geplanten Liedersammlung bei Bewohnern aus der Umgebung an, ob ihnen fromme Wallfahrts- und Arbeitslieder bekannt seien.

13.-17. August: Auf Bitten des Rüdiger-Kreises Aufenthalt in Münster. Die Droste bittet Schlüter um Mithilfe bei der geplanten Liedersammlung August von Haxthausens.

19. August: T. (d. i. Gustav Kühne): Rez. *Gedichte* 1838 (Der Gesellschafter, Berlin, Beil.: „Literarische Blätter", Nr. 26, S. 666).

29. August: Brief an August von Haxthausen: Die Droste bedankt sich für Haxthausens Bemühungen um eine Anstellung für Schükking, der weiterhin kaum ein Auskommen habe und *gesund oder krank, auf Leben und Tod schriftstellern* müsse; er komme *jede*

Woche. . . so in Schweiß gebadet und abgehetzt ‹nach Rüschhaus› als ob er zehn Stunden gemacht hätte; es sei traurig, *ein gutes Talent und gute Gesundheit so. . . verkümmern zu sehn.* Erneute Bitte an Haxthausen, sich für Schücking zu verwenden.

1. September: Brief von August von Haxthausen: Bitte, ihm 71 Melodien zu geistlichen Volksliedern zu besorgen. Er regt die Droste an, ein katholisches Gesangbuch herauszugeben.

Nach 1. September: Die Droste bemüht sich, die von Haxthausen erbetenen Melodien aufzuschreiben. Durch ihre Mithilfe bei den Abreisevorbereitungen Therese vDHs fehlt es ihr jedoch hierzu an Zeit. Sie bittet Lutterbeck, die von Haxthausen erbetenen Liederbücher zu besorgen.

7. September: Freiligrath bittet Schücking, das „Malerische und romantische Westphalen" für ihn fortzusetzen. Schücking reist daraufhin zu Freiligrath nach Unkel.

12. September: Brief von Schücking (aus Unkel): Er habe das „Malerische und romantische Westphalen" übernommen: „Der Westphälische Friede ist geschlossen – ich schreibe den Text, Fr‹eiligrath› denkt einige Gedichte dazu zu liefern, und weil ich ihm erzählt habe, daß Sie so viele Stoffe wüßten, hofft er von Ihnen durch mich einige zu erfahren." Über *Perdu!* und die Mitarbeit der Droste am „Malerischen und romantischen Westphalen": „Ich freue mich auf die Dichter, Verleger und Blaustrümpfe! ‹*Perdu!* ›Denken Sie auch ein bischen an mein Westphalen, und lassen sich. . . Dingelstedts ‚mal. und rom. Weserthal' oder Simrocks ‚maler. u. romant. Rhein' holen. . . um zu sehen, wie es nicht werden muß." Zusendung des Anfanges einer Kritik von Freiligrath über die *Gedichte* 1838.

25. September: Abreise Therese vDHs nach Meersburg. Die Droste hatte ihrer Schwester gegenüber finanzielle Gründe für ihren Verzicht auf eine Mitreise geltend gemacht. Es dürften jedoch auch literarische Gründe eine Rolle gespielt haben.

Rez.: Anon.: Bericht über eine Poeten-Centurie aus dem Jahre 1839. 2. Artikel (Rez. *Gedichte* 1838) (Blätter für literarische Unterhaltung, Leipzig, Nr. 269–274, 25.-30.9.1840). Über die Droste Nr. 272, S. 1095.

27. September: Besuch des Gottesdienstes in Nienberge.

Herbst: Es entsteht: *Der Graue* (*Der blonde Waller*).

Erwähnt in: Schücking: Die poetischen Frauen. Eine Arabesken-Skizze (Rheinisches Jahrbuch, Jg. 2, Köln 1841). Der Text enthält vermutlich Anspielungen auf die Droste.

Von Adele Schopenhauer: Sie hoffe, die „Trostlosigkeit des kommenden Winters“ mit schriftstellerischer Arbeit zu überwinden. Sie wolle der Droste einige Gedichte schicken, die sie und Schücking beurteilen sollten: „Ich wäre dann bei Ihnen und lernte ungeheuer. . .“ Sie fühle sich in Jena nicht mehr wohl. Sie verspricht einen weiteren Besuch im Rüschhaus.

Oktober: Mit Hilfe Lutterbecks weitere Bemühungen für August von Haxthausens Liedersammlung. Sie muß sich in den folgenden Monaten um das berufliche Fortkommen von Waisenkindern aus Ludowine von Haxthausens Stift kümmern, was zahlreiche Mühen mit sich bringt.

4. Oktober: Besuch des Gottesdienstes in Nienberge.

9. Oktober: Besuch Junkmanns im Rüschhaus.

November: Abschluß von *Perdu!* In der Folgezeit wird das Lustspiel im literarischen Zirkel Elise Rüdigers diskutiert: *mein Lustspiel, worin höchstens E i n e r Persönlichkeit (der Bornstedt) zu nahe getreten seyn konnte, ist auch von meinem Kreise förmlich gesteiniget und für ein vollständiges Pasquill auf sie Alle erklärt worden, und doch weiß Gott wie wenig ich an die guten Leute gedacht habe – Schücking und die Rüdiger waren die Einzigen die nichts Anstößiges darin fanden, obwohl Beiden auch ihre Rollen zugetheilt wurden, und zwar Letzterer eine höchst fatale.* (An August von Haxthausen, 20.7.1841)

Etwa Anfang November: Schücking fügt die Ballade *Das Fräulein von Rodenschild* in Lieferung 3 des „Malerischen und romantischen Westphalen“ (ohne Namensnennung der Droste) ein.

Es entstehen bis zum Sommer 1841 im Zusammenhang mit dem „Malerischen und romantischen Westphalen“ Prosaskizzen zu Corvey, Höxter, Driburg, Wehrden, Herstelle, Büren, Alme, Brilon, das Ruhrufer, Bruchhausen, Pleisterlegge, Velmede, Meschede, Arnsberg, Fröndenberg, Klusenstein und vermutlich zum Felsenmeer sowie die Balladen *Vorgeschichte* (Second sight), *Kurt von Spiegel*, *Der Tod des Erzbischofs von Köln*, *Das Fegefeuer des Westphälischen Adels*. Die Balladen *Jungfer Eli* und *Die Stiftung Cappenbergs* werden von Schücking für das „Malerische und romantische Westphalen“ abgelehnt. Die Beiträge erscheinen jeweils anonym in verschiedenen Lieferungen des Buches. Die Diskussion der Beiträge ist Gegenstand zahlreicher Briefe der Korrespondenz Droste-Schücking. Im Zuge der engen Zusammenarbeit mit Schücking brechen die Kontakte zum literarisch anders orientierten Schlüter-Kreis fast ganz ab.

6. November: Freiligrath bittet Schücking um „ein paar Gespenstergedichte“ der Droste, mit denen er sie Emma Niendorf vorstellen wolle. Bitte um Beiträge der Droste für die von August Lewald herausgegebene „Europa“.

7. November: Umzug nach Hülshoff, um dort Gelegenheit zum Besuch des Gottesdienstes zu haben und ihren erkrankten Neffen Friedrich vDH zu pflegen.

12. November: Schücking berichtet Freiligrath, daß er in Hülshoff mit „seinem Mütterchen“ ‹der Droste› nicht „so ungeniert“ umgehen könne: „Sie ist jetzt auf dem Gute ihres Bruders, wohin ich vor und nach hinausreite; da ist sie aber natürlich nicht mein Mütterchen mehr, sondern das gnädige Reichsfräulein.“ Er habe die Droste seit seiner Rückkehr von Unkel ‹etwa Anfang November› „oft, sehr oft und lange“ besucht; „neulich bin ich mit ihr allein mit vier prächtigen Schimmeln über Land gefahren“; die Droste habe „aufs ernsteste den Plan gemacht, mit uns beiden, Dir und mir und Adele Schopenhauer ein Landgut zu beziehen, der Frau Mertens Haus in Unkel ‹der „Zehnthof‘› zum Beispiel“. Die Droste habe *Perdu*! abgeschlossen. In dem Stück könne Freiligrath „die Geschichte zwischen Dir und Langewiesche“ ‹gemeint ist der Hintergrund der Entstehung des „Malerischen und romantischen Westphalen“›, die Charaktere der Herren Sonderrath ‹= Freiligrath›, des jungen Menschen Seibold ‹= Schücking›, der ganz exquisite Rezensionen schreibt, aber einmal die Marotte hat, nur ganz miserable Verse zu fabrizieren, dann die hiesigen Damen der Hautevolee ‹das Rüdiger-Känzchen›. . . sehr hübsch beschrieben lesen“.

13. November: Gutzkow unterbreitet Schücking das Angebot, die Redaktion des „Telegraphen für Deutschland“ zu übernehmen. Schücking lehnt dies wegen der „u l t r a liberalen“ Tendenz der Zeitschrift ab.

21. November: Brief von Schücking: Er bittet die Droste, die durch den Tod ihres Neffen Friedrich angegriffen ist, sich mehr zu schonen: „ich. . . verbiete Ihnen hiermit irgend etwas jetzt zu schreiben, außer Briefen an mich. . .‘

30. November: Brief von Schücking: Er habe die Ballade *Der Graue* (*Der blonde Waller*) gekürzt in das „Malerische und romantische Westphalen“ aufgenommen und erbitte hierfür die Zustimmung der Droste.

Etwa Dezember: Es entsteht: *Der Schloß-Elf*.

Kranker und angegriffener Zustand. Beanspruchung durch die Beantwortung zahlreicher Briefe.

Von Schücking: Langewiesche habe ihm geschrieben, daß er bereits ca. 8 000 Reichstaler in das „Malerische und romantische Westphalen" investiert habe. Langewiesche sei mit Schückings Manuskripten sehr zufrieden, besonders gut habe ihm eine Prosabeschreibung der Droste gefallen.

Etwa Dezember: Brief von Wilhelm Tangermann: Er kritisiert, daß sich die Droste in ihrer Dichtung nicht rein theologischen Themen zuwende. Er vertritt die Auffassung, ein Dichter habe „die Verpflichtung die von Gott empfangenen Talente auch unmittelbar zu seiner Ehre anzuwenden".

5. Dezember: Es erscheint im „Pfennig-Magazin" (Leipzig, Bd. 8, 1840) der Aufsatz „Aberglaube in den Pyrenäen". Er stellt die wohl wichtigste Quelle für den Zyklus *Volksglauben in den Pyrenäen* dar, der März/April 1845 entsteht.

21. Dezember: Brief von Schücking: Über die Arbeit am „Malerischen und romantischen Westphalen": „Helfen Sie mir nur... beschreiben Sie mir so hübsch wie Höxter etc. was Sie noch gesehen haben von Westphalen, die Bruchhäuser Steine z. B. und was Sie von der Ruhr oder von einer andren Gegend kennen. Ich bin jetzt bei Münster, gehe dann nach Cappenberg, Dortmund, Soest, Paderborn und Lippstadt." Anfrage, ob er der Droste Grimmelshausens „Simplicissimus" oder andere Bücher leihen solle.

Einer Notiz im Nachlaß zufolge läßt sich vermuten, daß die Droste auf den Vorschlag zur Lektüre des „Simplicissimus" zumindest teilweise eingegangen ist.

22. Dezember: Brief an Tangermann: Die Droste rechtfertigt sich für die Behandlung eines nichtgeistlichen Stoffes in *Perdu!*: *so habe ich geglaubt, mir mitunter auch wohl die Bearbeitung eines blos erheiterenden, und fast durchgängig einem bestimmt moralischen Zwecke verwandten, Gegenstandes erlauben zu dürfen... das Hingeben an die rein religiöse Poesie* habe für sie *Etwas den Körper und alle Nerven zu furchtbar Erschütterndes.*

Ende 1840: Es erscheint: *Der Geyerpfiff* (Deutscher Musenalmanach für 1841. Hrsg. von T. Echtermeyer u. A. Ruge. Berlin 1841). Vermittler des Beitrags war Schücking (-> 25.1.1840).

DAS

MALERISCHE UND ROMANTISCHE

WESTPHALEN,

VON

FERDINAND FREILIGRATH.

DIE VEHMLINDE.

1840.

1841

Anth.: Es erscheint: *Der Graf von Thal* (Poetischer Hausschatz des deutschen Volkes. Hrsg. von O.L.B. Wolff. Leipzig 1841). Wiederabdruck.

Es erscheint: Schücking: Eine Wanderung an der Weser. Bruchstücke aus dem „Malerischen und romantischen Westphalen“ (Auszug aus Lieferung 4/5 des „Malerischen und romantischen Westphalen“) (Europa, Karlsruhe, Bd. 2, 1841). An der Abfassung dieser Partien war die Droste beteiligt.

Anonym: Rez. Deutscher Musenalmanach (1841) (darin *Der Geyerpfiff*) (Europa, Karlsruhe, Bd. 2, 1841, S. 420). Über die Droste ebd.

Erwähnt in: Luise von Bornstedt: „Briefe einer Dame vom Rheine und der Schweiz“ (Damen-Almanach. Hrsg. von Mathilde Franzisca von Tabouillot. Wesel 1841, S. 49 u. 56).

Lektüreerwähnung mehrerer Werke von George Sand.

1. Halbjahr: Mitarbeit ‹insbesondere Entwurf zum zweiten Teil› an Schückings Erzählung „Der Familienschild“ (Morgenblatt für gebildete Leser Nr. 156–162, 1.-3. u. 5.-8.7.1841).

Die Droste unternimmt bis zum Sommer nur zwei Besuche in Münster.

Januar: Weitere Mitarbeit am „Malerischen und romantischen Westphalen“. Schücking entschließt sich, historische Balladen in den Band aufzunehmen.

12. Januar: Carl Gutzkow, Rez.: Deutscher Musenalmanach auf 1841 (darin: *Der Geyerpfiff*) (Telegraph für Deutschland, Hamburg, Nr. 12–15, 12.-24.1.1841, S. 45–47, 51f., 53f., 59f.) Über die Droste S. 51. Vermittler der Erwähnung war vermutlich Schücking. Wiederabdruck der Rez. in: Gutzkow: Vermischte Schriften. Leipzig 1842, Bd. 2, S. 182–197.

14. Januar: Schücking berichtet Freiligrath, daß er in Münster mehreren Damen gleichzeitig den Kopf verdrehe: „mein Käthchen ‹Elise Rüdiger› hat mich lieb, mein Mütterchen die Droste schreibt mir zweimal in der Woche einen ellenlangen Brief, der kurieusen verzwickten und doch höchst amüsanten Bornstedt mach ich die Cour, obwohl sie verlobt ist.“

◁ *Titelblatt der ersten Lieferung des „Malerischen und romantischen Westphalen“.*

Annette von Droste-Hülshoff. Kleines Porträt von Johannes Sprick, um 1841.

Ende Januar/Anfang Februar: Brief von Schücking: Er glaube, daß unter seinen Zeitgenossen niemand außer der Droste „eigentlich c l a s s i s c h schreiben" könne: „Bei allen Dichtern unsrer Zeit fühle ich ein Dilettantenhaftes, hier und da mattes, gemachtes, Freiligrath und Lenau nicht ausgenommen. Das ist nie bei Ihren Sachen der Fall. . .'

Januar-März: Es erscheint: *Der Graue* (Frauen-Spiegel. Hrsg.: Louise Marezoll, 4. Jg., Bd. 1, 1841). Verfasserangabe: Elisabeth von D. . H. . .; Vermittlerin des Beitrages war Adele Schopenhauer.

Konzeption zu *Bei uns zu Lande*.

Etwa Februar: Brief von Schücking: Er bittet die Droste, sich bei ihrer Mitarbeit am „Malerischen und romantischen Westphalen" nicht zu überanstrengen: „Schreiben Sie mir, wenn Sie so viel zu thun haben, nur die eine Linie, daß Sie mich noch lieb haben und. . . an mich zuweilen denken, aber plagen dürfen Sie sich so nicht mehr."

1.-8. Februar: Umzug von Hülshoff nach Rüschhaus, um dort die Krankenpflege ihrer früheren Amme Maria Catharina Plettendorf zu übernehmen.

Etwa 10. Februar: Aufenthalt in Münster. Besuch bei Schlüter. Er vermerkt in seinem Tagebuch, daß er sich nicht mehr so gut mit der Droste verstehe.

28. Februar: Schücking schreibt Adele Schopenhauer: „Kommen Sie hierhin, liebes Fräulein Adele, Sie sollen dann erst recht sehen, wie nett es hier eigentlich ist. . ." - Adele Schopenhauer müsse dann seine literarischen Arbeiten begutachten; „es soll das nicht heißen, ich hielte Sie für viel klüger als Fr. v. Droste, die offenbar, Sie mögen sich nun sträuben oder nicht, uns beide in die Tasche steckt (wenn sie sie nicht grade wie gewöhnlich mit hunderterlei alten Münzen, Steinen, Uhren und dergl. Schätzen schon zu voll gepfropft haben sollte) wenn es auf eine originelle Erfindung und Ausführung ankommt."

Ab Ende Februar: Längere Grippeerkrankung mit *unausstehlichem stickartigem Husten*, Blutandrang im Kopf und *Kopfweh.*

Februar/März: Verzicht auf einen Besuch in Bökendorf.

März: Grippeerkrankung.

5. März: Schücking übersendet dem Morgenblatt sein Gedicht „Dein Zimmer", das Bezüge zur Droste aufweist.

7. März: Brief von Louise von Marezoll: Übersendung des ersten Bandes des „Frauen-Spiegel" mit dem Abdruck von *Der Graue.* Zum Abdruck von *Der Graue* im „Malerischen und romantischen Westphalen". Der Zyklus *Die Elemente* und *Der Schloß-Elf* würden in der zweiten Nummer des „Frauen-Spiegel" erscheinen. Dank für die bisherigen Beiträge und Bitte um fernere Mitarbeit.

Etwa 15. März: Rückkehr von Hülshoff nach Rüschhaus.

23. März: Brief an Schlüter: Über *Bei uns zu Lande*: *Wissen Sie wohl, Professorchen, daß ich jetzt ernstlich willens bin ein ellenlanges Buch im Geschmacke von Bracebridge-Hall, auf Westphalen angewendet, zu schreiben, wo auch die bewußte Erzählung von dem erschlagenen Juden ‹Die Judenbuche› hinein kömmt? - das Schema zum ersten Theile, Münsterland betreffend, habe ich schon gemacht, und das ist für mich ein großer Schritt, denn eben dies Ordnen und Feststellen der wie Ameishaufen durcheinander wimmelnden Materialien macht mir immer zumeist zu schaffen, und habe ich das überwunden, gehts in der Regel sehr schnell - nun aber ist mir mit meiner Grippe . . . vorläufig ein Schlagbaum vorgefallen, und ich muß mich gedulden, oder vielmehr ungedulden, denn nun ich mahl angefangen . . . möchte ‹ich› . . . Tag und Nacht schreiben . . .*; ausführliche Erläuterungen der verschiedenen Abteilungen des Buches. Einladung Schlüters ins Rüschhaus.

Frühjahr: Es erscheinen: *Der Schloß-Elf*; *Die Elemente* (Frauen-Spiegel, Hrsg. von Louise Marezoll, Jg. 4, Bd. 2, 1841). Verfasserangabe: Anette Elisabeth von D. . . H. . .; Vermittlerin des Abdrucks war Adele Schopenhauer.

April: Beanspruchung durch die Abfassung zahlreicher Briefe und die Erledigung von Aufträgen.

Schücking: Rez. Deutscher Musenalmanach (auf das Jahr 1841, darin *Der Geyerpfiff*) (Hallische Jahrbücher, Leipzig, Nr. 79–81, 2.,3., 5.4. 1841, S. 315f., 319f., 323f.). Über die Droste S. 320.

Ab 4. April: In der Karwoche Besuch Junkmanns im Rüschhaus. Gespräche über *Die Judenbuche.*

11. April: Brief von Adele Schopenhauer: Sie äußert sich positiv über *Der Geyerpfiff.*

12. April: Schücking veröffentlicht im „Morgenblatt" (Nr.87) das der Droste gewidmete Gedicht „Im Dome. An***".

Mitte April: Besuch Elise Rüdigers im Rüschhaus.

29. April: Brief von August von Haxthausen: Bitte um Vermittlung eines Bearbeiters für die von ihm geplante Neuausgabe von Thomas a Kempis „De imitatione Christi" (1470).

Mai: Besuch Elise Rüdigers sowie Christoph Bernhard und Therese Schlüters im Rüschhaus.

16. Mai: Edmund: Zur vaterländischen Literatur (Rez. Das Malerische und romantische Westphalen, Lieferung 1–6) (Das Sonntagsblatt, Minden, St. 20, S. 158f.). Vermittlerin war Elise Rüdiger.

18. Mai: Brief von Schlüter: „Ich denke mir Sie schreibend ‹am *Geistlichen Jahr*› und freue mich deß. . ."

(Elise von Hohenhausen, geb. von Ochs): Zur Literatur (Rez. Frauen-Spiegel 1841, H.1, darin: *Der Graue*) (Das Sonntagsblatt, Minden, St. 22, S. 175f.) Vermittlerin der Rezension war Elise Rüdiger.

Bis etwa 29. Mai: Ausarbeitung der Einleitung von *Bei uns zu Lande.*

Juni: Gelegentliche Weiterarbeit am *Geistlichen Jahr.*

5. Juni: Th(eodor) Hell (d. i. Karl Gottlieb Theodor Winkler): Rez. *Gedichte* 1838 (Blätter für Literatur und bildende Kunst, Dresden/Leipzig, Nr. 45, Sp. 370–372). Hell sendet die Rez. an die Aschendorffsche Buchhandlung, die sie an die Droste weiterleitet.

13. Juni: Erwähnt in: Felix v. M.: Über L. Schückings Aufsatz im Rheinischen Jahrbuch für 1841 (Rez. Schücking, Die poetischen Frauen. Eine Arabeskenskizze) (Das Sonntagsblatt, Minden, St. 24, S. 1908).

24. Juni: Laßberg bedankt sich bei Franz Pfeiffer für dessen Zusendung der Rezension vom 5.6.1841. Er vermutet eine Verfasserschaft Schückings. Er äußert sich kritisch über die Ausgabe.

Vor 27. Juni: Brief an Adele Schopenhauer: Die Droste vermutet, daß Adele Schopenhauer *Das Fräulein von Rodenschild* nicht gefallen habe.

27. Juni: Brief von Adele Schopenhauer: Urteil über *Das Fräulein von Rodenschild*. Die *Gedichte* 1838 erfreuten sich in Jena und Weimar großer Nachfrage und Beliebtheit.

Bis Ende Juni: Abschlußredaktion der *Judenbuche*. Sukzessive Weiterarbeit am *Geistlichen Jahr*.

Juni/Juli: Gesundheitsverschlechterung.

Sommer: Therese vDH verspricht Jenny von Laßberg, daß die Droste, für den Fall, daß eine Reise der Laßbergs nach Westfalen nicht zustandekomme, den kommenden Winter in Meersburg zubringen werde.

Die Droste versucht unter Vorwänden, sich dieser Verpflichtung zu entziehen. Die für den Herbst geplanten Besuche Amalie Hassenpflugs und Adele Schopenhauers im Rüschhaus kommen nicht zustande. Weitere Besuche Schückings im Rüschhaus. Die Rückkehr seines nach Amerika emigrierten Vaters bringt ihn in weitere finanzielle Schwierigkeiten.

Ab 1. Juli: Es erscheint im „Morgenblatt" (Nr.156–162) vom 1.-3. und 5.-8.7 Schückings Erzählung „Der Familienschild", an der die Droste anonym mitgearbeitet hat.

5. Juli: Richard Morning (d. i. Adolf Zeising): Rez. Deutscher Musenalmanach (auf das Jahr 1841, darin *Der Geyerpfiff*) (Blätter für literarische Unterhaltung, Leipzig, Nr. 186f., 5. u. 6.7.1841, S. 755f. u.759f.) Über die Droste S. 754.

17. Juli: Aufenthalt in Münster. Besuch bei Schlüter.

20. Juli: Brief an August von Haxthausen: Die Droste schlägt als Bearbeiter für die von Haxthausen geplante Ausgabe des Thomas a Kempis Wilhelm Tangermann vor. Über *Bei uns zu Lande*: *Ich habe mein Buch über Westphalen (was den Titel „Bey Uns zu Lande auf dem Lande" führen soll) bereits angefangen, und ein ziemliches Stück hinein geschrieben – es schien mir gut, und doch verlor ich auf einmahl den Muth, da ich meine lieben Eltern so deutlich darin erkannte, daß man mit Fingern darauf zeigen konnte – das war eigentlich nicht meine Absicht, ich wollte nur einzelne Züge entlehnen, und übrigens mich an die allgemeinen Charackterzüge des Landes halten – nun fürchte ich, wird es Jedermann gradezu für Portrait nehmen, und jede kleine Schwäche, jede komische Seite die* *ich dem Publikum preis gebe, mir als eine scheusliche Impietaet anrechnen...* Sie wolle das Geschriebene nun Therese vDH vorlesen und nur dann weiterschreiben, wenn diese damit zufrieden sei. Die Aufnahme von *Perdu!* im Freundeskreis. Die beiden Rezensionen der *Gedichte* 1838 (-› Juli/August 1840; -› 5.6.1841). Über den schwachen Absatz der Ausgabe: *h i e r liest es keine Seele, meine eignen Verwandten und ältesten Freunde haben noch nicht hinein gesehn...*

24. Juli: Theodor Hell (d. i. Karl Gottlieb Theodor Winkler), Rez. Frauen-Spiegel, Bd. 2 (darin *Der Schloß-Elf* und *Die Elemente*) (Blätter für Literatur und bildende Kunst, Dresden/Leipzig, Nr. 59, Sp. 484f.).

August: Es entsteht für Schückings „Der Dom zu Cöln und seine Vollendung" (1842): *Meister Gerhard von Cöln. Ein Notturno.*

4. August: Brief von Adele Schopenhauer: Zusendung des zweiten Bandes des „Frauen-Spiegel", der sein Erscheinen einstelle. Die Rezension des „Frauen-Spiegel" vom 24.7.1841.

9. August: Ankunft Jenny von Laßbergs im Rüschhaus, um die Droste nach Meersburg abzuholen. In der Folgezeit kümmert sich die Droste um die erkrankten Hildegard und Hildegunde von Laßberg.

Nach 9. August: Es entsteht: *Gruß an das „Herrle"* (für Hildegard und Hildegunde von Laßberg verfaßtes Grußgedicht, an Joseph von Laßberg in Meersburg gerichtet).

Die Droste und Jenny von Laßberg bereiten ohne Wissen Therese vDHs einen Aufenthalt Schückings als Bibliothekar auf der Meersburg vor. Der in den Plan eingeweihte Joseph von Laßberg teilt Jenny von Laßberg die Konditionen der Anstellung mit.

10. und 17. August: Besuche Schückings im Rüschhaus.

20. August: Die Droste leidet an starkem Husten.

Freiligrath lobt in einem Brief an Schücking *Der Geyerpfiff.* Schücking solle die Droste in seinem Namen um ein Geschenk aus ihrer Steinsammlung bitten.

22. August: *Gruß an das „Herrle"* (1. Strophe) (Westfälischer Merkur, Münster, Beil. zu Nr. 201).

23./24. August: Besuch Luise von Bornstedts im Rüschhaus.

24. August: Besuch Wilhelm und Anna Junkmanns im Rüschhaus.

29. August: Mit Jenny von Laßberg Besuch des Gottesdienstes in Nienberge.

31. August: Elise von Hohenhausen weist Hermann von Pückler-Muskau auf das literarische Schaffen der Droste hin.

Aug./Mitte Sept.: Erneuter Besuch Wilhelm und Anna Junkmanns im Rüschhaus.

Amalie Hassenpflug bittet Anna von Arnswaldt um Auskunft über den Aufenthalt der Droste, mit der sie wieder Kontakt aufnehmen möchte.

1. September: Besuch Schückings im Rüschhaus.

3. September: Schücking berichtet Freiligrath, daß die Droste den letzten Heften des „Malerischen und romantischen Westphalen" „schöne Balladen" beigesteuert habe. *Das Fegefeuer des westphälischen Adels* und *Der Tod des Erzbischofs Engelbert von Cöln* seien „überaus schön". Dafür habe er sie auch in drei Gedichten „besungen", von denen Freiligrath das erste im „Morgenblatt" (-› 12.4.1841) habe lesen können.

7. September: Besuch Schückings im Rüschhaus.

10. September: Widmungsgedicht Luise von Bornstedts an die Droste „Ehe du scheidest, laß noch einmal. . ."

Mitte September: Besuch Junkmanns im Rüschhaus.

19. September: Brief an Schlüter: Über ihre geplante literarische Arbeit auf der Meersburg. Sie hoffe auf ein positives Urteils Schs. über *Bei uns zu Lande*: *an dem bisher Fertigen glaube ich schon Manches zu sehn, was guten Fortgang verheißt und nur einen hervorstechenden Fehler, zu große Breite an manchen Stellen, aber dagegen weiß ich Rat. . . Ich werde überhaubt immer zu breit. . .*

21. September: Mit Jenny von Laßberg und deren Kindern Abreise nach Meersburg. Fahrt zunächst bis Lennep.

22. September: Weiterfahrt bis Köln. Besichtigung des Doms. Weiterfahrt bis Bonn. Wohnung bei Pauline vDH.

23. September: Ausflug nach Königswinter zum Besuch bei der Schriftstellerin Antonie von Lützow. Besuch bei der geistesgestörten Wilhelmine von Thielmann.

24. September: Weiterfahrt bis Koblenz. Besuch bei Margarethe Verflassen. Erkrankung. Die Droste muß die ganze Nacht erbrechen.

25. September: Weiterfahrt bis Mainz. Besuch bei Carl von Laßberg.

26. September: Weiterfahrt bis Mannheim.

30. September: Ankunft in Meersburg. Plan, dort am *Bei uns zu Lande*, dem *Geistlichen Jahr* und *Perdu!* weiterzuarbeiten. Die Droste hilft bei der Beaufsichtigung der Kinder.

Die alte Meersburg. Nach einer Zeichnung Jenny von Laßbergs aus dem Jahre 1838.

Das alte Schloß

Auf der Burg haus' ich am Berge
Unter mir der blaue See,
Höre nächtlich Koboldzwerge,
Täglich Adler aus der Höh',
Und die grauen Ahnenbilder
Sind mir Stubenkameraden,
Wappentruh' und Eisenschilder
Sopha mir und Kleiderladen.

Schreit' ich über die Terrasse
Wie ein Geist am Runenstein,
Sehe unter mir die blasse
Alte Stadt im Mondenschein,
Und am Walle pfeift es weidlich,
– Sind es Käuze oder Knaben? –
Ist mir selber oft nicht deutlich,
Ob ich lebend, ob begraben.

Mir genüber gähnt die Halle,
Grauen Thores, hohl und lang,
Drin mit wunderlichem Schalle
Langsam dröhnt ein schwerer Gang;
Mir zur Seite Riegelzüge,
Ha, ich öffne, laß die Lampe
Scheinen auf der Wendelstiege
Lose modergrüne Rampe,

Die mich lockt wie ein Verhängniß,
Zu dem unbekannten Grund;
Ob ein Brunnen? ob Gefängnis?
Keinem Lebenden ist's kund;
Denn zerfallen sind die Stufen,
Und der Steinwurf hat nicht Bahn,
Doch als ich hinab gerufen,
Donnert's fort wie ein Orkan.

Ja, wird mir nicht baldigst fade
Dieses Schlosses Romantik,
In den Trümmern, ohne Gnade,
Brech' ich Glieder und Genick;
Denn, wie trotzig sich die Düne
Mag am flachen Strande heben,
Fühl' ich stark mich wie ein Hüne,
Von Zerfallendem umgeben.

In der Folgezeit näherer Umgang mit Bekannten der Familie von Laßberg aus Meersburg und Umgebung. Zum Kreis dieser *Freunde* und *Verehrer* gehört Laßbergs alter Bekannter Maximilian Hufschmiedt, der täglich auf das Schloß kommt, um mit Laßberg eine Partie „Langen Puff" zu spielen, ferner der Arzt Dr. Scheppe, der Seminarleiter Philipp Nabholz, seine Lehrer Karl Jung und Johannes Flink sowie der Meersburger Musiklehrer Professor Weber. Kontakte ergeben sich für die Droste auch zu den beiden weiblichen Erziehungsanstalten am Ort. Gemeint ist hiermit zum einen eine Mädchenschule im ehemaligen Dominikanerkloster, dem „Gotteshaus zur Sammlung" an der Kirchstraße. Nach dem Urteil der Droste standen diesem Haus *etwas prosaische, aber recht gescheite Klosterfrauen* vor. Die zweite Bildungseinrichtung war ein bis Ende

Blick auf Schloß Meersburg, Zeichnung von Leonhard Hohbach, um 1850.

1842 existierendes „Fräuleininstitut", ein Mädchenpensionat, das von einer Frau von Kessel geleitet wurde.

September/Oktober: Es entsteht: *Die junge Mutter.*

Herbst: Es entsteht: *Gruß an Wilhelm Junkmann.*

Oktober: Verpflichtungen (Besucheabstatten und -empfangen) lassen zunächst keine literarische Arbeit zu; auch trifft der Koffer der Droste mit Arbeitsmanuskripten verspätet ein. Zur Kräftigung ihrer Gesundheit und Gewichtsabnahme tägliche Spaziergänge am Ufer des Bodensees. Allmähliche Gesundheitsbesserung. Musikalische Betätigung. In der Folgezeit relativ gute Gesundheit. Die Droste leidet jedoch zuweilen an *Beklemmung.*

2. Oktober: Besuch des „Glaserhäuschens" (Gasthaus des Wirtes Figel, vgl. *Die Schenke am See*).

3. Oktober: Besuch des Gottesdienstes in Meersburg.

9. Oktober: Ankunft Schückings auf der Meersburg. Er hat neben der Arbeit in Laßbergs Bibliothek genügend Zeit für seine eigenen literarischen Arbeiten. Er arbeitet an „La Fleur" (humoristische Novelle, die in der Person der Gattin des La Fleur ein ironisches Porträt Luise von Bornstedts enthält), an „Das Stiftsfräulein" (Roman) und an „Ein Schloß am Meer" (Roman). Schücking erhält während seines Aufenthalts auf der Meersburg ein Angebot zur Mitarbeit an dem von Ludwig Bauer herausgegebenen Band „Deutschland im 19. Jahrhundert". In die erste Zeit des gemeinsamen Aufenthalts fällt die Überarbeitung der Droste von Schückings Gedicht „Die Meersburg am Bodensee" für den Druck im „Morgenblatt" (-› 7.4.1842). Mitarbeit der Droste am ersten Teil von „Das Stiftsfräulein".[1]

Mit Schücking ausgedehnte Spaziergänge am Bodenseeufer. Die Droste nutzt diese, um ihre Stein- und Mineraliensammlung zu ergänzen. Gemeinsame Klettertouren in den Schloßgewölben. Auf den Spaziergängen werden literarische Fragen erörtert. Es entsteht ein Streitgespräch über den Vormärz-Dichter Georg Herwegh, den die Droste scharf kritisiert. Auf den Rückwegen vom Seeufer Besuche des „Glaserhäuschens". Ausflüge u.a. zu den Abteien Salmansweiler und Salem. Mit Schücking Besuche des Meersburger „Museums", wo literarische Zeitungen ausliegen („Morgenblatt", „Kölnische Zeitung", „Karlsruher Zeitung", Augsburger „Allgemeine Zeitung"). In einem Brief an Elise Rüdiger (1868, vor Oktober) schreibt Schükking, seine Beziehung zur Droste habe damals viel von dem Verhält-

---

[1] Es kann davon ausgegangen werden, daß Schücking an den im folgenden aufgezählten Besuchen gelegentlich teilnimmt.

Innenhof von Schloß Meersburg. Gemälde von G. Dorfinger, 1845.

nis zwischen Rousseau und Frau von Warens angenommen; er nimmt dieses Urteil jedoch später zurück. Während dieses, auch während des Besuches auf der Meersburg 1843/44 entstehen Lektürenotizen zu bzw. Exzerpte aus Werken Molières.

Am Bodensee

Ueber Gelände, matt gedehnt,
Hat Nebelrauch sich wimmelnd gelegt,
Müde, müde die Luft am Strande stöhnt,
Wie ein Roß, das den schlafenden Reiter trägt;
Im Fischerhause kein Lämpchen brennt,
Im öden Thurme kein Heimchen schrillt,
Nur langsam rollend der Pulsschlag schwillt
In dem zitternden Element.

Ich hör' es wühlen am feuchten Strand,
Mir unterm Fuße es wühlen fort,
Die Kiesel knistern, es rauscht der Sand,
Und Stein an Stein entbröckelt dem Bord.
An meiner Sohle zerfährt der Schaum,
Eine Stimme klaget im hohlen Grund,
Gedämpft, mit halbgeschlossenem Mund,
Wie des grollenden Wetters Traum.

Ich beuge mich lauschend am Thurme her,
Sprühregenflitter fährt in die Höh',
Ha, meine Locke ist feucht und schwer!
Was treibst du denn, unruhiger See?
Kann dir der heilige Schlaf nicht nahn?
Doch nein, du schläfst, ich seh es genau,
Dein Auge decket die Wimper grau,
Am Ufer schlummert der Kahn.

Hast du so Vieles, so Vieles erlebt,
Daß dir im Traume es kehren muß,
Daß deine gleißende Nerv' erbebt,
Naht ihr am Strand eines Menschen Fuß?
Dahin, dahin! die einst so gesund,
So reich und mächtig, so arm und klein,
Und nur ihr flüchtiger Spiegelschein
Liegt zerflossen auf deinem Grund.

Der Ritter, so aus der Burg hervor
Vom Hange trabte in aller Früh;
– Jetzt nickt die Esche vom grauen Thor,
Am Zwinger zeichnet die Mylady. –
Das arme Mütterlein, das gebleicht
Sein Leichenhemde den Strand entlang,
Der Kranke, der seinen letzten Gang
An deinem Borde gekeucht;

Das spielende Kind, das neckend hier
Sein Schneckenhäuschen geschleudert hat,
Die glüchende Braut, die lächelnd dir
Von der Ringelblume gab Blatt um Blatt;
Der Sänger, der mit trunkenem Aug'
Das Metrum geplätschert in deiner Flut,

Der Pilger, so am Gesteine geruht,
Sie Alle dahin wie Rauch!

Bist du so fromm, alte Wasserfey,
Hältst nur umschlungen, läßt nimmer los?
Hat sich aus dem Gebirge die Treu'
Geflüchtet in deinen heiligen Schoos?
O, schau mich an! ich zergeh wie Schaum,
Wenn aus dem Grabe die Distel quillt,
Dann zuckt mein längst zerfallenes Bild
Wohl einmal durch deinen Traum!

11. Oktober: Besuch des „Glaserhäuschens".[1]

13. Oktober: Besuch des Gasthauses „Zum Frieden".

15. Oktober: Es entsteht zum 15.10.1841 als Namenstagsgeschenk für Therese vDH: *Ach meine Gaben sind so geringe...*

17./18. Oktober: Besuch Ludwig Uhlands auf der Meersburg.

22. Oktober: Besuch des „Glaserhäuschens".

28. Oktober: Besuch bei Bekannten der Laßbergs und Nonnen aus dem Kloster Zoffingen (Konstanz).

30. Oktober: Brief an Elise Rüdiger: *Bis jetzt habe ich eigentlich noch gar keine Lebensweise gehabt, sondern werde getrieben wie ein Mühlenrad ...*; sie hoffe auf mehr Zeit für die Weiterarbeit am *Bei uns zu Lande*, dem *Geistlichen Jahr* und *Perdu!*

Oktober/November: Es entstehen: *Die Schenke am See. An Levin S.*; *Der Knabe im Moor.*

Ende Oktober-Mitte Dezember: Die Droste kann sich Ansprüchen auf ihre Person weitgehend entziehen. Jenny von Laßberg berichtet in einem Familienbrief vom 14.12.1842: „... es ist wahr, daß wir oft zu viel Besuch haben, das ist lästig aber auch für mich, Nette blieb auf ihrem Zimmer, so oft es ihr gefiel... Nette haben wir ungern verloren, sie wäre hier wieder gesund geworden deshalb hoffe ich, daß sie bald wieder kommt, denn sie weiß wohl mit wie üblen Umständen sie zu uns kam, die gute Nette hat hier viele Freunde und ihr poetisches Talent viele Verehrer erworben."

Die Droste und Schücking nehmen sich vor, den Winter über intensiv literarisch zu arbeiten. Beginn der maßgeblich durch die Anwesenheit Schückings inspirierten reichen Lyrikproduktion des

[1] Die Droste unternahm die im folgenden aufgezählten Besuche oft in Begleitung der Familie von Laßberg oder Schückings.

Zimmer der Droste auf der Meersburg. Zeitgenössische Farblithographie von F. und A. Pecht.

Meersburger Winters, die nach Angabe Schückings nicht zuletzt auf eine Wette zurückgeht: „Daß das lyrische Gedicht ihr eigentlichster Beruf, war die Ansicht und Ueberzeugung, die ich. . . zu verfechten pflegte;. . . gewiß ist, daß sie sich in diesem Augenblick stark genug dazu fühlte, sie ‹die Poesie› herbei zu commandiren – daß sie in sich einen Reichthum des Gemüths, der Empfindung und der Gedanken fühlte, aus dem sie gewiß war, nur immer schöpfen zu können, ohne den Schatz zu mindern; eine Fülle lyrischer ‚Stoffe', die ja eigentlich und im Ganzen von ihr noch gar nicht angetastet und angebrochen war. Sie meinte deshalb mit großer Zuversicht, einen reputirlichen Band lyrischer Gedichte werde sie mit Gottes Hülfe, wenn sie gesund bleibe, in den nächsten Wochen leicht schreiben können. Als ich widersprach, bot sie mir eine Wette an, und stieg dann gleich in ihren Thurm hinauf, um sofort an's Werk zu gehen. Triumphirend las sie am Nachmittag bereits das erste Gedicht ihrer Schwester und mir vor, am folgenden Tage entstanden gar zwei, glaub' ich – meine Doctrin erhielt von nun an fast Tag für Tag ihre wohl ausgemessene und verdiente Züchtigung. So entstand in weniger Monate Verlauf, in jenem Winter von 1841–1842, die weitaus größte Zahl der lyrischen Poesien, welche den Band ihrer ‚Gedichte' füllen." (Schükking, Lebensbild)

„Bei der oft angeregten Debatte, wo eigentlich der Schwerpunkt ihres Talents liege, für welche Art der Production sie sich concentriren solle, folgte sie endlich meinem Rath, weil dieser Rath mit der Aeußerung des Unglaubens an ihre Versicherung verbunden war, sie werde im Laufe der nächsten Monate einen ganzen Band lyrischer Gedichte aus dem Aermel schütteln können. ‚Das sollen sie sehen', sagte das selbstbewußte Fräulein und zog sich in ihren Thurm zurück, um das erste niederzuschreiben. In den nächsten Wochen entstanden nun ein und auch oft zwei Gedichte an einem Tage,– sie wußte die Wette glorreich zu gewinnen." (Schücking, Lebenserinnerungen) Am 14.1.1842 teilt Schücking Freiligrath mit, daß die Droste jeden Tag ein Gedicht verfasse und diese am Ende des Winters gesammelt herausgeben wolle. – Am 6.3.1843 schreibt Schücking an Luise von Gall: „Daß sie ‹die Droste› jetzt eine bedeutende Sammlung Gedichte zum Druck vorbereitet, daran bin ich eigentlich schuld, denn ich habe ihr keine Ruhe gelassen. . . auf der alten Meersburg . . . hat sie täglich ein oder zwei Gedichte liefern müssen."

Zum Tagesablauf: Mit Schücking nachmittägliche ausgedehnte Spaziergänge. *Jeden Abend um Acht . . . lese ich Jenny und Schücking vor was ich den Tag geschrieben, sie sind Beyde sehr zufrieden damit, aber leider von so verschiedenem Geschmacke, daß der Eine sich immer über das am meisten freut, was dem Andern am wenigsten gelungen scheint, so daß sie mich ganz confus machen könnten, und ich am Ende doch meinen eignen Geschmack, als letzte Instanz, entscheiden lassen muß.* (An Therese vDH, 28.1.1842) Die Droste schreibt mit Hilfe Jenny von Laßbergs die bereits fertigen Gedichte ab. Im Brief an Schücking vom 10. Oktober 1842 heißt es rückblickend: *Säß mein liebstes Kind mir noch gegenüber, ich würde wieder zwey Gedichte täglich machen. . .* An späterer Stelle des Briefes: *es ‹die poetische Produktion› rollte doch anders, wie wir jeden Abend vor einander triumphirten . . .*

Winter 1841/42: Es entstehen (Entstehungsfolge ungewiß): *Alte und neue Kinderzucht*; *Am Thurme*; *An *** ‹Kein Wort›*; *An die Weltverbesserer*; *Brennende Liebe*; *Das Eselein*; *Das vierzehnjährige Herz*; *Der Strandwächter am deutschen Meere und sein Neffe vom Lande*; *Der Traum. An Amalie H.*; *Dichters Naturgefühl*; *Die Bank*;

Am Thurme

Ich steh' auf hohem Balkone am Thurm,
Umstrichen vom schreienden Staare,
Und laß gleich einer Mänade den Sturm
Mir wühlen im flatternden Haare;
O wilder Geselle, o toller Fant,
Ich möchte dich kräftig umschlingen,
Und, Sehne an Sehne, zwei Schritte vom Rand
Auf Tod und Leben dann ringen!

Und drunten seh' ich am Strand, so frisch
Wie spielende Doggen, die Wellen
Sich tummeln rings mit Geklaff und Gezisch,
Und glänzende Flocken schnellen.
O, springen möcht ich hinein alsbald,
Recht in die tobende Meute,
Und jagen durch den korallenen Wald
Das Wallroß, die lustige Beute!

Und drüben seh' ich ein Wimpel wehn
So keck wie eine Standarte,
Seh auf und nieder den Kiel sich drehn
Von meiner luftigen Warte;
O, sitzen möcht' ich im kämpfenden Schiff,
Das Steuerruder ergreifen,
Und zischend über das brandende Riff
Wie eine Seemöve streifen.

Wär ich ein Jäger auf freier Flur,
Ein Stück nur von einem Soldaten,
Wär ich ein Mann doch mindestens nur,
So würde der Himmel mir rathen;
Nun muß ich sitzen so fein und klar,
Gleich einem artigen Kinde,
Und darf nur heimlich lösen mein Haar,
Und lassen es flattern im Winde!

Die beschränkte Frau; *Die beste Politik*; *Die Gaben*; *Die Nadel im Baume*; *Die Schmiede*; *Die Schulen*; *Die Schwestern*; *Die Stubenburschen*; *Die Taxuswand*; *Im Moose*; *Instinkt*; *Junge Liebe*; *Locke und Lied*; *Mein Beruf*; *Meine Todten*; *Poesie;* *Vor vierzig Jahren*; *Was bleibt* und vermutlich *An*** ‹O frage nicht›*.

November: Die Droste ist durch die Unkenntnis über das Befin-

Das Glaserhäuschen oberhalb Meersburgs. Zeichnung von Leonhard Hohbach, 1846.

den ihrer Familienangehörigen in Westfalen in äußerster Sorge (vgl. Brief aus der Heimath), was sie in ihrer literarischen Produktivität einschränkt.

Vermutlich November: Es erscheint: *Meister Gerhard von Cöln. Ein Notturno* (Levin Schücking: Der Dom zu Cöln und seine Vollendung; Titel hier: *Der Meister des Dombau's. Ein Notturno*; wesentlich abweichender Text gegenüber der Endfassung; ohne Verfasserangabe).

1. November: Besuch bei Frau von Kessel.

4. November: Besuch des Gasthauses „Zum Frieden".

7. November: Die Droste pflegt die erkrankte Hildegard von Laßberg.

Nach 11. November: Es entsteht auf den Tod Anna vDHs (11.11.1841): *Der Brief aus der Heimath.*

13. November: Laßberg berichtet Carl von Gaugreben: „Nette hat sich schon ganz gut hier im Schwabenlande angewoenet, und findet selbst, daß ire gesundheit sich schon betraechtlich gebessert hat. wir lassen sie ganz nach eigenem wunsch und neigung leben und damit scheint sie auch wol vergnügt zu sein. Die milde witterung des nachherbstes tut uns allen wol und Nette macht alle tage große Spaziergaenge."

19. November: Spaziergang nach Haltnau.

20. November: Ausflug nach Salmansweiler (heute Schwandorff).

21. November: Besuch des Gottesdienstes in Meersburg.

22. November: Spaziergang mit Jenny von Laßberg und den Kindern.

25. November: Besuch des Liebhabertheaters. Gespielt wird Kotzebue: Der Wildfang.

26. November: Laßberg berichtet Leonhard Hug: „Seit dem 30. September sind wir wieder alle beisammen, und meine Frau hat ihre Schwester Nette, ein sehr lebhaftes Frauenzimmer von 40 Jahren, mitgebracht, welche, da sie keinen Mann gefunden, sich dem Apollo und den Musen in die Arme geworfen hat, schon ein Bändchen Gedichte drucken ließ und mit einer brillanten Singstimme wirklich gründliche musikalische Talente und Fertigkeit verbindet."

28. November: Besuch des Gasthauses „Zum Frieden".

November/Januar: Es entsteht: *Der Spekulant.*

Dezember: Es entstehen: *Das Liebhabertheater*; *Der Todesengel*

1. Dezember: Besuch des Gasthauses „Zum Frieden".

2. Dezember: Vermutlich Ausflug nach Schloß Kirchberg.

Levin Schücking, Stahlstich von A. Weger, um 1840.

Levin Schücking machte die Droste mit der zeitgenössischen Literatur bekannt und vermittelte Rezensionen für ihre beiden Gedichtausgaben. Er war es auch, der für die Veröffentlichung der „Judenbuche" und einzelner Gedichte den Kontakt zum renommierten Cotta-Verlag knüpfte. Die Entstehung der Balladen für das „Malerische und romantische Westphalen", der „Westphälischen Schilderungen", der Abbenburger Gedichte und anderer Texte geht unmittelbar auf seine Anregung zurück.

5. Dezember: Besuch des Gottesdienstes in Meersburg.

8. Dezember: Besuch einer musikalischen Aufführung in der Klosterschule der Frau von Kessel.

13. Dezember: In einem Familienbrief heißt es: „Nette ist so wohl, daß sie alle Tage spazieren geht, gar nicht mehr bei Tage schläft und nicht zu Bett liegt, ist sehr viel gesünder jetzt und hat den Schücking bei sich in Meersburg, wo er die Bibliothek von Laßberg ordnet...'

16. Dezember: Besuch des Gasthauses „Zum Frieden".

18. Dezember: Brief an Elise Rüdiger: *‹Ich liege› wach im Bette, und mache im Dunkeln Gedichte... die ich nicht in die Sammlung* ‹die *Gedichte* 1838› *gegeben habe, und mit denen die zerstreut ‹hinzu›gekommen sind, könne ich es wohl bis Frühjahr zu einem zweyten Bändchen bringen... ‹Am› Tag schreibe ich an meinem größeren Buche, und Abends bey Licht wird das bereits Fertige (später auch die geistlichen Lieder) abgeschrieben – Sie sehn ich bin fleißig.– außerdem renne ich täglich ein paar Stunden spatzieren, und hoffe mit der Zeit... mager... zu werden...*

23. Dezember: Besuch des Gasthauses „Zum Frieden".

31. Dezember: Besuch der Klosterschule der Frau von Kessel.

Ende Dezember/Anfang Januar: Es entstehen: *Neujahrsnacht*; *Abschied von der Jugend*; *Am Bodensee*; *Das alte Schloß* sowie *Die Schwestern.*

1842

Anth.: Es erscheint: *Der Graf von Thal* (Poetischer Hausschatz des deutschen Volkes... Hrsg.: O.L.B. Wolff. Leipzig 1842). Wiederabdruck – *Am Charfreytage; Des Arztes Vermächtniß* (ebd. Supplementband).

Die Droste verfolgt mit großem Interesse den Jahrgang 1842 des „Morgenblatts" (mit Beiträgen u.a. von Eduard Mörike und Luise von Gall, der späteren Frau Levin Schückings). Sie macht Lektürenotizen zu verschiedenen Beiträgen. In Meersburg hat sie, anders als im Rüschhaus, die Möglichkeit, das „Morgenblatt" mit Erscheinen bzw. bald nach Erscheinen zu lesen.

Vorankündigung von Schücking: Das Stiftsfräulein (Europa, Karlsruhe Bd. 2, 1842, S. 493f.) Unter den künftigen Mitarbeitern ist erwähnt: „A. von Droste".

Mit wachsender Unbeliebtheit Luise von Bornstedts löst sich der literarische Zirkel um Elise Rüdiger auf.

23. Januar: Besuch des *Liebhabertheaters*. Gespielt wird „Alpenröschen".

27. Januar: Teilnahme an einer Abendgesellschaft beim Meersburger Arzt Dr. Scheppe. Es werden Gespenstergeschichten erzählt.

28. Januar: Ausflug nach Daisendorf.

Brief an Therese vDH: *Ich habe schon einen ganzen Wust geschrieben, August ‹von Haxthausen› würde sich aber ärgern, wenn er hörte daß es meistens Gedichte sind, von denen ich gegen Ostern wohl einen neuen dicken Band fertig haben werde, während das Westphalen ‹Bei uns zu Lande› nur langsam voran rückt.* Bei ihrem dicht gedrängten Tagesablauf müsse sie *jede Minute zu Rathe halten, wenn* sie *diesen Winter was Ordentliches zu Stande bringen* wolle. Ihre Besuche des *Liebhabertheaters*.

Vor Ende Januar: Es entsteht: *Guten Willens Ungeschick*.

Ende Januar: Es entsteht: *Das Spiegelbild*.

Das Spiegelbild

Schaust du mich an aus dem Kristall,
Mit deiner Augen Nebelball,
Kometen gleich die im Verbleichen;
Mit Zügen, worin wunderlich
Zwei Seelen wie Spione sich
Umschleichen, ja, dann flüstre ich:
Phantom, du bist nicht meines Gleichen!

Bist nur entschlüpft der Träume Hut,
Zu eisen mir das warme Blut,
Die dunkle Locke mir zu blassen;
Und dennoch, dämmerndes Gesicht,
Drin seltsam spielt ein Doppellicht,
Trätest du vor, ich weiß es nicht,
Würd' ich dich lieben oder hassen?

Zu deiner Stirne Herrscherthron,
Wo die Gedanken leisten Frohn
Wie Knechte, würd ich schüchtern blicken;
Doch von des Auges kaltem Glast,
Voll todten Lichts, gebrochen fast,
Gespenstig, würd, ein scheuer Gast,
Weit, weit ich meinen Schemel rücken.

Und was den Mund umspielt so lind,
So weiß und hülflos wie ein Kind,
Das möcht ich treue Hut nicht bergen;
Und wieder, wenn er höhnend spielt,

Wie von gespanntem Bogen zielt,
Wenn leis' es durch die Züge wühlt,
Dann möcht ich fliehen wie vor Schergen.

Es ist gewiß, du bist nicht Ich,
Ein fremdes Daseyn, dem ich mich
Wie Moses nahe, unbeschuhet
Voll Kräfte die mir nicht bewußt,
Voll fremden Leides, fremder Lust;
Gnade mir Gott, wenn in der Brust
Mir schlummernd deine Seele ruhet!

Und dennoch fühl ich, wie verwandt,
Zu deinen Schauern mich gebannt,
Und Liebe muß der Furcht sich einen.
Ja, trätest aus Kristalles Rund,
Phantom, du lebend auf den Grund,
Nur leise zittern würd ich, und
Mich dünkt – ich würde um dich weinen!

Anfang Februar: Schücking übersendet der Redaktion des „Morgenblatts" *Der Knabe im Moor*; *Im Moose*; *An die Weltverbesserer* (*Warnung an die Weltverbesserer*); *Gruß an Wilhelm Junkmann* (*Gruß an* ***); *Die Taxuswand*; *Am Thurme*; *Junge Liebe*; *Die Vendetta* (*Der Korse*); *Das alte Schloß* und *Am Bodensee*. Es wird erwogen, ob Schücking *Die Schenke am See* mitsenden soll. Schücking ist anfangs dafür, lehnt jedoch ab, als sein Name („Levin S.") im Untertitel zu „Eugen M." verändert werden soll. – Schücking berichtet später Freiligrath, er habe der Droste diese Proben für das „Morgenblatt" „entrissen".

3. Februar: Freiligrath bittet Schücking, ihn bei der Droste und Laßberg zu empfehlen.

7. oder 9. Februar: Schücking berichtet Freiligrath: „Die Droste unterbrach mich eben, indem sie in meinen Turm kam, um mir ihr Gedicht vorzulesen; täglich wird eines fabriziert; jetzt sind es schon 53, und wenn die 100 voll sind, sollen sie als Sammlung herausgegeben werden; einige wirst Du wahrscheinlich nächstens im ‚Morgenblatt' lesen; sie werden übrigens von Tag zu Tag besser. Sie grüßt Dich h e r z l i c h."

16. Februar: Es erscheint: *Der Knabe im Moor* (Morgenblatt Nr. 40).

Die Schenke am See

An Levin S.

Ist's nicht ein heit'rer Ort, mein junger Freund,
Das kleine Haus, das schier vom Hange gleitet,
Wo so possierlich uns der Wirt erscheint,
So übermächtig sich die Landschaft breitet;
Wo uns ergötzt im neckischen Contrast
Das Wurzelmännchen mit verschmitzter Miene,
Das wie ein Aal sich schlingt und kugelt fast,
Im Angesicht der stolzen Alpenbühne?

Sitz nieder. – Trauben! – und behend erscheint
Zopfwedelnd der geschäftige Pigmäe;
O sieh, wie die verletzte Beere weint
Blutige Thränen um des Reifes Nähe;
Frisch greif in die kristallne Schale, frisch,
Die saftigen Rubine glühn und locken;
Schon fühl' ich an des Herbstes reichem Tisch
Den kargen Winter nahn auf leisen Socken.

Das sind dir Hieroglyphen, junges Blut,
Und ich, ich will an deiner lieben Seite
Froh schlürfen meiner Neige letztes Gut.
Schau her, schau drüben in die Näh' und Weite;
Wie uns zur Seite sich der Felsen bäumt,
Als könnten wir mit Händen ihn ergreifen,
Wie uns zu Füßen das Gewässer schäumt,
Als könnten wir im Schwunge drüber streifen!

Hörst du das Alphorn über'm blauen See?
So klar die Luft, mich dünkt, ich seh' den Hirten
Heimzügeln von der duftbesäumten Höh' –
War's nicht als ob die Rinderglocken schwirrten?
Dort, wo die Schlucht in das Gestein sich drängt –
Mich dünkt ich seh den kecken Jäger schleichen;
Wenn eine Gemse an der Klippe hängt,
Gewiß, mein Auge müßte sie erreichen.

Trink aus! – die Alpen liegen Stundenweit,
Nur nah die Burg, und heimisches Gemäuer,
Wo Träume lagern langverschollner Zeit,

Seltsame Mähr' und zorn'ge Abentheuer.
Wohl ziemt es mir, in Räumen schwer und grau
Zu grübeln über dunkler Thaten Reste;
Doch du, Levin, schaust aus dem grimmen Bau
Wie eine Schwalbe aus dem Mauerneste.

Sieh' drunten auf dem See im Abendroth
Die Taucherente hin und wieder schlüpfend;
Nun sinkt sie nieder wie des Netzes Loth,
Nun wieder aufwärts mit den Wellen hüpfend;
Seltsames Spiel, recht wie ein Lebenslauf!
Wir beide schaun gespannten Blickes nieder;
Du flüsterst lächelnd: immer kömmt sie auf–
Und ich, ich denke, immer sinkt sie wieder!

Noch einen Blick dem segensreichen Land,
Den Hügeln, Auen, üpp'gem Wellen Rauschen.
Und heimwärts dann, wo von der Zinne Rand
Freundliche Augen unserm Pfade lauschen;
Brich auf! - da haspelt in behendem Lauf
Das Wirthlein Abschied wedelnd uns entgegen:
„ - Geruh'ge Nacht - stehn's nit zu zeitig auf! –"
Das ist der lust'gen Schwaben Abendsegen.

Es erscheint im Morgenblatt (Nr. 40–42) vom 16.-18.2. 1842 unter dem Titel „Der Jagdstreit. . ." ein Vorabdruck aus Schückings Roman „Das Stiftsfräulein", der unter Mitwirkung der Droste entstand.

22. oder 24. Februar: Freiligrath erkundigt sich bei Schücking: Was macht denn die Droste jetzt für Gedichte? Schweizerische oder westfälische? Alle Tage eins? Das ist starker Tubac. . . Er übermittelt sein zustimmendes Urteil über *Der Tod des Erzbischofs von Cöln* (im „Malerischen und romantischen Westphalen"). Er teilt Schücking von einer vakanten Stelle als Erzieher beim Fürsten Karl Theodor von Wrede in Ellingen mit. Schücking solle mit Laßberg und der Droste beraten, ob die Stelle für ihn geeignet sei. Weiter heißt es: „Dir muß urwohl sein auf Deinem Schloß am Meere, daß Du am Tage Susannen der Unverführbaren so Kleuckerische Fabelhaftigkeiten schreiben kannst." Schücking entschließt sich, die Hauslehrerstelle anzunehmen.

4. März: Es erscheint: *Im Moose* (Morgenblatt Nr. 54).

6. März: Brief von August Nodnagel: Zusendung seines Buches „Deutsche Dichter der Gegenwart“ (1842). Das Buch nimmt auf 86 Seiten auf Freiligrath Bezug. Darin u.a. Abdruck von Freiligraths Programmgedicht „Aus Spanien“.

10. März: Jenny von Laßberg schreibt für die Droste Gedichte ab.

17. März: Schücking teilt Freiligrath mit, daß es ihm schwerfalle, sich von der Meersburg zu verabschieden. Er sei „weich geworden“ und „der Gedanke ans Scheiden und Meiden“ beklemme seine Brust. „Ich habe, wenn andere allenfalls einen Schatz, ein ganzes Trifolium. . . das gute Dröstchen und meine Münstersche unglückliche Liebe (Elise Rüdiger) und Dich. . . könnten wir doch alle zusammen in einer gemeinsamen Haushaltung auf unsern Lorbeeren ruhen.“

19. März: Fr(eiin) E(lise) v(on) H(ohenhausen) (d. i. Elise Rüdiger): Kritik, Das malerische und romantische Westphalen (Der Salon, Kassel, Nr. 23, S. 91f.). Über die Droste S. 92.

Zum 19. März: Es entstehen als kleine Geschenke Hildegard und Hildegunde von Laßbergs zum Josephstag: *Hildel ‹Ich bin die rothe›*; *Gundel ‹Die kleine Gundel. . .›*.

23. März: Freiligrath teilt Schücking mit, daß er die Beiträge der Droste im „Morgenblatt“ (16.2. und 4.3.1842) gelesen und ihm besonders *Der Knabe im Moor* gefallen habe. „Es ist bösartig von Deiner Freundin, einen so ans Gruseln zu bringen; die Haare haben mir zu Berge gestanden.“

26. März: Es erscheint: *An die Weltverbesserer* (Titel hier: *Warnung an die Weltverbesserer) (Morgenblatt Nr. 73); spätere Wiederabdrucke erfolgen in der „Karlsruher Zeitung“, der „Kölnischen Zeitung“ und dem „Westfälischen Merkur“.*

An die Weltverbesserer

Pochest du an – poch' nicht zu laut,
Eh du geprüft des Nachhalls Dauer.
Drückst du die Hand – drück nicht zu traut,
Eh du gefragt des Herzens Schauer.
Wirfst du den Stein – bedenke wohl,
Wie weit ihn deine Hand wird treiben.
Oft schreckt ein Echo, dumpf und hohl,
Reicht goldne Hand dir den Obol,
Oft trifft ein Wurf des Nachbars Scheiben.

Höhlen giebts am Meeresstrand,
Gewalt'ge Stalaktitendome,
Wo bläulich zuckt der Fackel Brand,
Und Kähne gleiten wie Phantome.
Das Ruder schläft der Schiffer legt
Die Hand dir angstvoll auf die Lippe,
Ein Räuspern nur, ein Fuß geregt,
Und donnern überm Haupte schlägt
Zusammen dir die Riesenklippe.

Und Hände giebts im Orient,
Wie Schwäne weiß, mit blauen Malen,
In denen zwiefach Feuer brennt,
Als gelt' es Liebesglut zu zahlen;
Ein leichter Thau hat sie genäßt,
Ein leises Zittern sie umflogen,
Sie fassen krampfhaft, drücken fest –
Hinweg, hinweg! du hast die Pest
In deine Poren eingesogen!

Auch hat ein Dämon einst gesandt
Den gift'gen Pfeil zum Himmelsbogen;
Dort rührt' ihn eines Gottes Hand,
Nun starrt er in den Aetherwogen.
Und läßt der Zauber nach, dann wird
Er niederprallen mit Geschmetter,
Daß das Gebirg' in Scherben klirrt,
Und durch die Erde Adern irrt
Fortan das Gift der Höllengötter.

Drum poche sacht, du weißt es nicht
Was dir mag überm Haupte schwanken;
Drum drücke sacht, der Augen Licht
Wohl siehst du, doch nicht der Gedanken.
Wirf nicht den Stein zu jener Höh'
Wo dir gestaltlos Form und Wege,
Und schnelltest du ihn einmal je,
So fall auf deine Knie und fleh',
Daß ihn ein Gott berühren möge.

30. März: Besuch des Gasthauses „Zum Frieden".

31. März: Es erscheint im „Morgenblatt" (Nr.77) von Wilhelm Gurth das Gedicht „Der deutsche Dom", auf das die Droste in *Die Stadt und der Dom* zurückgreift.

Ende März: Besuch der letzten Vorstellung des *Liebhabertheaters*. Gespielt wird „Till Eulenspiegel" (möglicherweise das Lustspiel von Kotzebue).

Winter/Frühjahr: Es entstehen: *An die Schriftstellerinnen in Deutschland und Frankreich* sowie aus den *Haidebildern*: *Das Haus in der Haide*; *Das Hirtenfeuer*; *Der Haidemann*; *Der Hünenstein*; *Der Weiher*; *Die Jagd*; *Die Krähen*; *Die Steppe*; *Die Vogelhütte*; *Die Mergelgrube*. Eigener Angabe zufolge hat die Droste die *Haidebilder* in einem Anlauf verfaßt.

Anfang April: Guter Gesundheitszustand.

1. April: Schücking teilt Freiligrath mit: „Morgen früh reise ich hier ab. Der Abschied von den braven Leuten hier und der Droste wird mir sauer."

2. April: Schücking verläßt die Meersburg, um die Erziehung der Söhne des Fürsten von Wrede in Ellingen zu übernehmen. Er plant, in zwei Jahren nach Münster zurückzukehren. Vor Antritt seiner Stelle reist er nach Stuttgart, um Hermann Hauff, den Redakteur des „Morgenblatts", und den Verleger Georg von Cotta zu treffen. Gespräche über die *Judenbuche*. Schücking fragt ohne Wissen der Droste an, ob Cotta Interesse am Verlag der *Gedichte* 1844 habe. Er läßt die *Judenbuche* bei Hauff zurück.

Nach Abreise Schückings vorübergehendes Versiegen der literarischen Produktion.

4. April: Hauff bittet Schücking um einen geeigneten Titel für die *Judenbuche*. Schücking überläßt Hauff die Entscheidung, der den Titel *Die Judenbuche* wählt, mit dem sich die Droste später einverstanden erklärt.

5. April: Brief von der Verlagsbuchhandlung Velhagen und Klasing (Verfasser ist August Klasing): Angebot zum Verlag einer Gedichtausgabe der Droste. Man sei über das „Morgenblatt" auf sie aufmerksam geworden.

Das Verlagsangebot ist mitbestimmt durch ein Gespräch Klasings mit dem Bekannten Adele Schopenhausers, O.L.B. Wolff, Ende 1839/Anfang 1840. Der Brief wird der Droste etwa Anfang Mai nach Meersburg nachgesandt.

7.–19. April: Aufenthalt Hermann und Reinhard von Brenkens auf der Meersburg. Während dieser Zeit erzählt die Droste die

„furchtbarsten Geschichten von Dingen, die da sind, und sein sollen“. In einem Brief Hermann von Brenkens an Friedrich von Brenken heißt es später, die Droste „magnetisierte uns“.

Nach 7. April: Es erscheint Schückings Gedicht „Die Meersburg am Bodensee“ (Morgenblatt Nr. 83), das unter Mitarbeit der Droste entstand. Das Gedicht wurde von Schücking und der Droste um zwei Strophen gekürzt, auf die Laßberg besonderen Wert legte.

8. April: Besuch des Gasthauses „Zum Frieden“.

9. April: Besuch des „Glaserhäuschens“.

11. April: Ausflug nach Baitenhausen.

12. April: Brief von Schücking: Er habe für Ludwig Bauers „Deutschland im 19. Jahrhundert“ den Beitrag über Westfalen übernommen.

14. April: Besuch der Klosterschule der Frau von Kessel.

18. April: Ausflug nach Heiligenberg.

19. April: Reinhard von Brenken berichtet seinem Vater: „Erstere ‹die Droste›. . . gewinnt sehr durch nähere Bekanntschaft; daher mag es auch wohl kommen, daß sich zwischen Hermann und mir zu ihr ein sehr heftiges Freundschaftsverhältnis angesponnen hat, welches veranlaßte, daß wir ihr mit unglaublichem Eifer Muscheln und Versteinerungen suchen halfen. . .‘

20. April: Ausflug nach Konstanz. Die Droste bleibt auf der Rückreise bis zum 25. April bei der Familie von Gaugreben auf Schloß Berg zurück. Sie ist dort durch eine Krankenpflege in Anspruch genommen.

Es erscheint: Gruß an Wilhelm Junkmann (Titel hier: *Gruss an* ***) (Morgenblatt Nr. 94)

22. April-10. Mai: Es erscheint: *Die Judenbuche* (15 Fortsetzungen; Morgenblatt Nr. 96–111). Vom 1.-13. Juni 1842 erscheint ein nicht autorisierter Nachdruck im „Westphälischen Anzeiger“ (Arnsberg, Nr. 18–30).

25. April: Ed: Lese-Eindrücke (Rez. Malerisches und romantisches Westphalen) (Westphalia, Herford, Nr. 17, S. 130f.). Über die Droste S. 131.

Jenny von Laßberg teilt Therese vDH mit, daß sich der Gesundheitszustand der Droste durch den Aufenthalt auf der Meersburg sehr gebessert habe. Sie hoffe, daß die Droste noch bis zum Herbst bleibe. – Jenny von Laßberg berichtet Mathilde von Merode: „Mama wünscht sehr N e t t e möchte bald zurückkommen, dies ist mir sehr leid nicht allein weil ich sie gern hier habe, sondern verzüglich ihrer Gesundheit wegen, die jetzt viel besser ist, und ich fürchte alle alte

№ 96.

Morgenblatt

für

gebildete Leser.

Freitag, den 22. April 1842.

Then we are in order, when we are most out of order.
Shakespeare.

Die Judenbuche.

Ein Sittengemälde aus dem gebirgigten Westphalen.

Von Annette E. Freiin von Droste zu Hülshoff.

Wo ist die Hand so zart, daß ohne Irren
Sie sondern mag beschränkten Hirnes Wirren,
So fest, daß ohne Zittern sie den Stein
Mag schleudern auf ein arm verkümmert Seyn?
Wer wagt es, eitlen Blutes Drang zu messen,
Zu wägen jedes Wort, das unvergessen
In junge Brust die zähen Wurzeln trieb,
Des Vorurtheils geheimen Seelendieb?
Du Glücklicher, geboren und gehegt
Im lichten Raum, von frommer Hand gepflegt,
Leg hin die Wagschal', nimmer dir erlaubt!
Laß ruhn den Stein — er trifft dein eignes Haupt! —

Friedrich Mergel, geboren 1738, war der einzige Sohn eines sogenannten Halbmeiers oder Grundeigenthümers geringerer Klasse im Dorfe B., das, so schlecht gebaut und rauchig es seyn mag, doch das Auge jedes Reisenden fesselt durch die überaus malerische Schönheit seiner Lage in der grünen Waldschlucht eines bedeutenden und geschichtlich merkwürdigen Gebirges. Das Ländchen, dem es angehörte, war damals einer jener abgeschlossenen Erdwinkel ohne Fabriken und Handel, ohne Heerstraßen, wo noch ein fremdes Gesicht Aufsehen erregte, und eine Reise von dreißig Meilen selbst den Vornehmeren zum Ulysses seiner Gegend machte — kurz, ein Fleck, wie es deren sonst so viele in Deutschland gab, mit all den Mängeln und Tugenden, all der Originalität und Beschränktheit, wie sie nur in solchen Zuständen gedeihen. Unter höchst einfachen und häufig unzulänglichen Gesetzen waren die Begriffe der Einwohner von Recht und Unrecht einigermaßen in Verwirrung gerathen, oder vielmehr, es hatte sich neben dem gesetzlichen ein zweites Recht gebildet, ein Recht der öffentlichen Meinung, der Gewohnheit und der durch Vernachläßigung entstandenen Verjährung. Die Gutsbesitzer, denen die niedere Gerichtsbarkeit zustand, straften und belohnten nach ihrer in den meisten Fällen redlichen Einsicht; der Untergebene that, was ihm ausführbar und mit einem etwas weiten Gewissen verträglich schien, und nur dem Verlierenden fiel es zuweilen ein, in alten staubigten Urkunden nachzuschlagen. — Es ist schwer, jene Zeit unparteiisch in's Auge zu fassen; sie ist seit ihrem Verschwinden entweder hochmüthig getadelt oder albern gelobt worden, da den, der sie erlebte, zu viel theure Erinnerungen blenden und der Spätergeborene sie nicht begreift. So viel darf man indessen behaupten, daß die Form schwächer, der Kern fester, Vergehen häufiger, Gewissenlosigkeit seltener waren. Denn wer nach seiner Ueberzeugung handelt, und sey sie noch so mangelhaft,

Erstdruck der „Judenbuche" im Morgenblatt 1842.

„Ich finde daß sich meine gedruckte Prosa r e c h t g u t macht, besser und origineller wie die Poesie, aber a n d e r s wie ich mir gedacht. . ." (Brief an Schücking vom 5. Mai 1842)

Uebel stellen sich wieder ein, wenn sie in ihre alte Lebensart kommt. . ."

30. April: Ausflug nach Langenargen.

Ende April: Neue Phase literarischer Produktivität. Nach eigener Angabe befindet sich die Droste *wieder in der fruchtbaren Stimmung, wo die Gedanken und Bilder* ihr *ordentlich gegen den Hirnschädel pochen, und mit Gewalt ans Licht wollen.* Täglich Spaziergänge am Seeufer. Ausflüge nach Haltnau. Besuche des Meersburger „Museums", wo die Droste den Druck der *Judenbuche* verfolgt.

April-Juni: Es entsteht: *Der zu früh geborene Dichter.*

1. Mai: Besuch Ignaz von Wessenbergs auf der Meersburg.

4. Mai: Von Schücking (Eingang): Bitte um Mithilfe bei seinem Aufsatz über Westfalen für das „Deutschland im 19. Jahrhundert".

5. Mai: Brief an Schücking: Sie wolle ihre eigenen literarischen Arbeiten zurückstellen, um unverzüglich an den Beitrag für das „Deutschland im 19. Jahrhundert" zu gehen (hieraus entstehen die *Westphälischen Schilderungen*). *Levin! wenn du kannst, wenn Du i m m e r kannst, bleib bey Deinem Plane in zwey Jahren nach Münster zu kommen – meine Gesundheit ist jetzt nicht so übel, ich werde dann noch wohl am Leben seyn. . . denke daß ich alle Tage zähle. . . wenigstens e i n m a h l wirst du mir doch noch h i e h e r schreiben?* Über *Gruß an Wilhelm Junkmann*. Über den Druck der *Judenbuche*: *Ich finde daß sich meine gedruckte Prosa r e c h t g u t macht, besser und origineller wie die Poesie, aber a n d e r s wie ich mir gedacht. . .* Über ihre literarische Zusammenarbeit mit Schücking: *weiß der Henker was du für eine inspirirende Macht über mich hast. . .* Sie wolle nun sogleich mit der Arbeit an Schückings Aufsatz über Westfalen beginnen, *und dann, meine ich, müsse es nur so in einem Strome fortgehn; Gedichte – Lyrisches, Balladen – Drama, – was weiß ich Alles!. . . wärst du noch hier, mein Buch wäre längst fertig, denn jedes Wort von dir ist mir wie ein Spornstich.* Über die Wiederabdrucke von *An die Weltverbesserer*: *das macht wohl die Tendenz – oder ist es so viel besser wie die Uebrigen?* Über ihre Trennung von Schücking: *ich habe schon zwey Stunden wachend gelegen, und in einem fort an dich gedacht, ach, ich denke immer an dich – immer,. . . schreib mir nur oft – mein Talent steigt und stirbt mit deiner Liebe – was ich werde, werde ich durch dich und um deinetwillen, sonst wäre es mir viel lieber und bequemer mir innerlich allein etwas vorzudichten. . . Wir haben doch ein Götterleben hier geführt. . .*

Besuch des Gasthauses „Zum Frieden".

6. Mai: Mit Laßbergs Besuch des „Glaserhäuschens".

7. Mai: Es entsteht vermutlich zum 7.5.1842 für Therese vDH: *So gern hätt ich ein schönes Lied gemacht...*

9. Mai: Tod Wilhelmine von Thielmanns im Zustand geistiger Umnachtung.

12.-16. Mai: Beaufsichtigung der Kinder während eines Ausflugs der Laßbergs.

13. Mai: Brief von Schücking: Er sei beunruhigt darüber, daß er noch keinen Brief von der Droste erhalten habe. Er habe in Wien die Bekanntschaft Lenaus gemacht. Anfrage, ob die Droste Freiligraths Gedichte „Ein Denkmahl" und „1862" im „Morgenblatt" sowie eine Notiz über ihn in der „Kölnischen Zeitung" gelesen habe. Negatives Urteil über Washington Irvings „Bracebridge Hall"; er erwarte vom *Bei uns zu Lande* weit mehr.

14. Mai: Anonym: Konversazion (Rez. Das Malerische und romantische Westphalen) (Der Salon, Kassel, Nr. 39). Kurze Notiz über die Balladen der Droste im „Malerischen und romantischen Westphalen", vermutlich von Elise Rüdiger verfaßt.

Etwa Mitte Mai: Zahlreiche Besucher der Meersburg hindern die Droste an literarischer Arbeit.

15. Mai: Besuch des Gottesdienstes in Meersburg.

27. Mai: Brief an Schücking: Sie habe ihre Arbeit an Schückings Aufsatz über Westfalen für das „Deutschland im 19. Jahrhundert" (*Westphälische Schilderungen*) fast abgeschlossen und werde sie ihm bald zusenden. Zahlreiche Verpflichtungen hätten sie an literarischer Arbeit gehindert. Abschrift des Verlagsangebots von Velhagen und Klasing vom 5.4.1842. Anfrage, ob Schücking ihr Näheres über den Verlag mitteilen könne. Rückerinnerung an das idyllische Zusammensein mit Schücking auf der Meersburg. Über den Druck der *Judenbuche*: Sie habe den *Effeckt* dort gefunden, wo sie ihn *nicht suchte, und umgekehrt*. Anfrage, ob Cotta am Verlag ihrer Gedichte interessiert sei oder ob sie Velhagen und Klasing den Vorzug geben solle.

31. Mai: Anonoym: (Rez. *Die Judenbuche*) (Abend-Zeitung, Dresden, Beiblatt „Zeitschriften-Musterung" Nr. 10 und 11, 31.5. und 15.6.1842, Sp. 77 und 85).

Mai/Juni: Es entsteht: Sit illa terra levis!

Juni: Arbeit an den *Westphälischen Schilderungen.*

4. Juni: Besuch von Laßbergs Gelehrtenfreund Friedrich Bothe auf der Meersburg. Er begeistert sich für *Der Graf von Thal* und leiht sich die *Gedichte* 1838 aus, die er in der Folgezeit sehr positiv beurteilt.

11. Juni: Brief von Schücking: Er rät der Droste, Velhagen und Klasing den Verlag zu überlassen, wenn sie ein Honorar von 2 Louis d'Or pro Bogen erhalte. Die Droste solle sich bei Adele Schopenhauer nach dem Verleger erkundigen, der 1839/40 Interesse am Verlag ihrer Gedicht bekundet habe.

12. Juni: Ed.: (Rez. Schücking, Der Dom zu Cöln und seine Vollendung) (Das Sonntagsblatt, Minden, St. 24–26, 12., 19., 26.6.1842, S. 191, 198f., 206f.) Über die Droste S. 207.

13. Juni: Brief an Schücking: Sie habe die Arbeit an seinem Aufsatz über Westfalen für das „Deutschland im 19. Jahrhundert" (*Westphälische Schilderungen*) abgeschlossen und wolle nun die Abschrift anfertigen. Sie plane, auf ihrer Rückreise von Meersburg Freiligrath in St. Goar zu besuchen.

Mitte Juni: Beginn mehrwöchiger starker Gesichtsschmerzen. Es ist der Droste nicht möglich, die versprochene Abschrift der *Westphälischen Schilderungen* anzufertigen.

18. Juni: Franz Fraling: Annette Elisabeth von Droste-Hülshoff (Rez. *Gedichte* 1838) (Der Salon, Kassel, Nr. 49 u. 50, 18. u. 22.6.1842, S. 195f. u. 199f.). Der Rezensent ist ein Bekannter Schükkings.

24. Juni: Freiligrath urteilt in einem Brief an Schücking über dessen Beziehung zur Droste: „Übrigens mag es gut sein, daß Ihr beide durch mich und den Fürsten Wrede getrennt wurdet. Ihr triebt Idolatrie mit einander und hattet, glaub ich, keine Kritik mehr Eins für Andere. Nun steht Jedes wieder auf eigenen Füßen und wird freier und selbständiger dadurch." Er bezeichnet das Gedicht „Die Schenke am See" als „gar schönen, wie hingehauchten Nachruf" auf Schücking.

27. Juni: Albert Schott, ein Schüler Uhlands, kommt bis zum 21. 7. auf die Meersburg, um in Laßbergs Archiv zu arbeiten. Schott rät der Droste von Cotta als Verleger ihrer Gedichte ab. – Die Droste teilt Schott in der Folgezeit 38 Volkslieder (32 Melodien, 6 Texte) mit, die sie meist in ihrer Jugend gelernt hatte. Sie trägt die Lieder Schott zufolge „gern und auf ansprechende, natürliche Weise" mit Klavierbegleitung vor. Schott kommt der Gedanke, diese Kenntnis für die in Vorbereitung befindliche Volksliedsammlung Uhlands nutzbar zu machen.

29. Juni: Besuch des Vogelbads.

Sommer: Es entstehen: *Der Fundator*; *Die Lerche*.

Gelegentliche Weiterarbeit am *Bei uns zu Lande.*

Sommer/Spätsommer: Es entstehen: *Ungastlich oder nicht*; *Catharine Schücking.*

6. Juli: Nachlassen der seit Mitte Juni andauernden Gesichtsschmerzen.

7. Juli: Abschluß der Korrekturen und Fertigstellung der Abschrift der *Westphälischen Schilderungen.*

Besuch des „Glaserhäuschens".

Brief an Schücking: Übersendung einer (heute verschollenen) Abschrift der *Westphälischen Schilderungen*: *Unter welchen Schmerzen und in wie einzelnen Zeilen ich die beykommende Abschrift zusammen gestoppelt habe, kannst du sonach wohl denken, und wirst mir deshalb nicht nur die Verzögerung sondern auch die vielen Correcturen verzeihn, da ich oft kaum wußte was ich schrieb, und jedenfalls nicht wagen durfte das Geschriebene nachzulesen. . . ich habe übrigens keineswegs, wie du mir riethest, „hübsch zusammen gedichtet" was mir doch für ein geschichtliches Werk zu gewagt schien, sondern mich streng an Thatsachen gehalten, und, wo ich mich selbst als Augenzeugen anführe, sie auch wirklich miterlebt.* Sie werde Freiligrath nicht in St. Goar besuchen können. *Wenn meine Gesichtsschmerzen jetzt wirklich dauernd nachlassen, werde ich weiter an meinen Gedichten schreiben, und hoffe sie dir noch vor meiner Abreise schicken zu können...* Sie bittet Schücking, sie aus Vorsichtsgründen in seinen Briefen nicht mehr zu duzen.

8. Juli: Besuch des Gasthauses „Zum Frieden".

24. Juli: Vermutlich Ausflug nach Überlingen.

25. Juli: Besuch bei den Klosterfrauen von Meersburg.

27. Juli: Besuch bei Frau von Kessel.

Vor 29. Juli: Noch in Meersburg erste Überlegungen zur Anordnung der Gedichte für die Gedichte 1844. Es entstehen bis Anfang 1844 sechs verschiedene Gedichtverzeichnisse. Die Droste berichtet in einem späteren Brief, daß sie die Anordnung der Gedichte *große Mühe* gekostet habe.

29. Juli: Abreise von Meersburg. Station in Schaffhausen. Besichtigung des Rheinfalls, der *dieses Mal superbe war und ganze Fuder Schaum über sich warf.*

30. Juli: Weiterfahrt mit der Schnellpost über Stockach. Besuch bei Herrn Flink. Nächtliche Weiterfahrt.

31. Juli: Fahrt bis Tübingen.

1. August: Weiterfahrt von Heidelberg mit der Eisenbahn bis Mannheim und mit dem Schiff bis Mainz.

2. August: Weiterfahrt bis Bonn. Wohnung bei Pauline vDH. Umgang mit Johann Heinrich Achterfeld, Josef Braun, Sibylle Mertens sowie Mitgliedern der Familien von Böselager und von Wrede.

10. August: Brief von Gertrud Simrock (Eingang): Im Namen Carl Simrocks Einladung zu einem Besuch. Im Brief an Junkmann von Februar 1846 heißt es: *"die Docktorin Simrock ist mir eine alte sehr liebe Bekannte mit der ich Anno 30. fast ein ganzes Jahr unter einem Dache zugebracht und sie täglich mehr schätzen und lieben gelernt habe; Grüßen Sie sie viel 1000mal von mir, und auch ihren Mann, den Docktor, den ich zwar verhältnismäßig wenig kenne, aber doch hinlänglich um mich lebhaft für ihn zu interessiren, zuerst als den Mann meiner lieben Tante Traut, und dann auch persönlich.*" Die Droste folgt der Einladung. Bekanntschaft mit Carl Simrock. Mit ihm Gespräch über Freiligrath und Schücking. Simrock urteilt positiv über die *Judenbuche*.

11. August: Nachmittags Abreise von Bonn per Schiff.

12. August: Es erscheint: *Die Taxuswand* (Morgenblatt Nr. 192). Morgens Ankunft in Wesel. Weiterfahrt mit der Kutsche bis Münster, wo die Droste mittags eintrifft. Besuch bei Elise Rüdiger, zu der sich in der Folgezeit eine noch freundschaftlichere Beziehung ergibt. Mit ihr Besuch bei Schlüter. Die Droste liest dort aus den *Haidebildern*. Sie erfährt vom Tod des Malers Sprick.

14. August: Rückkehr ins Rüschhaus.

Die Droste hat in der Folgezeit Schwierigkeiten mit der Beschaffung des „Morgenblatts" und anderer literarischer Journale; sie bittet diesbezüglich ihre Münsterer Bekannten um Mithilfe (diese Vermittlungstätigkeit hatte früher Schücking inne). Beiträge, z. B. im „Morgenblatt", liest sie z.T. erst mit erheblicher Verzögerung.

Mehrmonatige, nach eigener Angabe durch die klimatische Umstellung bedingte gesundheitliche Schwierigkeiten. Auf ärztliche Anordnung geht sie täglich von 6 bis 8 Uhr spazieren. Aufgrund ihrer durch den Aufenthalt in Meersburg wiedererlangten Beweglichkeit ist es der Droste zwar möglich, in einem Tag nach Münster und zurück zu gehen, sie zieht jedoch einen zurückgezogenen Aufenthalt im Rüschhaus vor. Sie versucht, sich mehrerer an sie herangetragener finanzieller Bittgesuche zu entziehen. Besuche Elise Rüdigers im Rüschhaus. Es kommt mit ihr zu einem regen Briefwechsel.

Weiterarbeit an den *Gedichten* 1844.

Ab 20. August: Mehrtägiger Aufenthalt in Hülshoff.

Albert Schott berichtet Uhland über die Volksliedkenntnisse der Droste. Er teilt ihm den ersten Teil von insgesamt 38 Volksliedern (davon 6 nur als Text) mit, die er von der Droste in Meersburg erhalten hatte.

22./23. August: Aufenthalt Friedrich Wilhelm IV. in Münster. Es wird ihm zu Ehren ein großes Adelsfest gegeben. Die Droste steht dem großen Aufwand, der diesbezüglich auch in ihrer Familie betrieben wird, distanziert gegenüber.

25. August: Es erscheint: *Am Thurme* (Morgenblatt Nr. 203).

29. August: Brief von Schücking: Er sei besorgt, weil er seit langem nichts mehr von der Droste gehört habe. Bitte um Mithilfe der Droste bei der Sammlung von Materialien für seinen Aufsatz über Westfalen in dem Band „Deutschland im 19. Jahrhundert" (vgl. *Westphälische Schilderungen*): die Droste möge ihm hierzu eine romantische Schilderung des Vorwerks Hellesen aus ihrem Brief an Junkmann vom 26.8.1839 überlassen.

August/Anfang September: Ein angekündigter Besuch Schlüters im Rüschhaus kommt nicht zustande. Die Droste gewährt dem Theologiestudenten Heinrich Markus finanzielle Unterstützung. Sie befürchtet, für den Lebensunterhalt ihres Patenkindes Marie Sprick aufkommen zu müssen.

Etwa August/September: Beginn des von Freiligrath vermittelten Briefwechsels zwischen Schücking und seiner späteren Braut Luise von Gall. In dem Briefwechsel ist häufig von der Droste die Rede (s.u.).

September: Gelegentliche Gesundheitsschwäche, bei der es der Droste *hundsschlecht* geht. Es ist ihr häufig *übel, schwindlig, ohrensauserig, und auch zuweilen beklemmt*.

Weiterarbeit an den *Gedichten* 1844.

Anfang September: Die Droste ist durch Besucher des Rüschhauses gänzlich in Anspruch genommen.

6. September: Es erscheint: *Junge Liebe* (Morgenblatt Nr. 213).

10. September: Brief an Jenny von Laßberg: Die Rezensionen vom 31.5.1842 und 12.1.1842: *ich komme wirklich auf, woran ich eigentlich schon ganz verzweifelt hatte*. Ihre Arbeit an den *Gedichten* 1844 sei nahezu abgeschlossen.

12. September: Brief an Schücking: Vereinbarung eines regelmäßigen Briefwechsels. Über die *Westphälischen Schilderungen*: sie fragt an, ob Schücking ihre *glänzenden, poetischen, gediegenen, mit*

Luise von Gall (1815-1855). Nach einem Aquarell von Adolf Schroedter.

Luise von Gall, die spätere Frau Levin Schückings, wurde am 5. September 1815, kurz nach dem Tode ihres Vaters, des Generals Ludwig von Gall, in Darmstadt geboren. Sie genoß eine umfassende sprachliche und musikalische Ausbildung. „In Darmstadt und Wien verkehrte sie in musikalischen und literarischen Kreisen“ und empfing hier Anregungen zu eigener schriftstellerischer Arbeit („Wiener Zeitschrift“). Nach dem Tod ihrer Mutter (1841) unternahm sie im Herbst 1841 eine Reise nach Ungarn. Ende 1841 kehrte sie nach Darmstadt zurück. Dort stand sie im nahen Kontakt zu den Dichterinnen Adelheid Stolterfoth und Luise von Plönnies sowie dem literarischen Kreis um Ferdinand Freiligrath in St. Goar, dem außerdem Karl Simrock, Emanuel Geibel, Karl Heuberger, Henry Wadsworth Longfellow und der Maler Carl Schlickum angehörten. Nach ihrer Heirat mit Levin Schücking im Jahre 1843 lebte die Familie in Augsburg (1843-1845), Köln (1845-1852) und in dem anspruchslosen Dorf Sassenberg bei Warendorf, wo Luise Schücking vereinsamte: „Levin konnte allem durch Reisen und eine vielgestalte Tätigkeit entgehen. Louise aber, großstädtischer Atmosphäre ungleich mehr bedürftig als er, war als Mutter an die Kinder und das Haus gebunden und allen Widerwärtigkeiten des Alltags ausgesetzt. Sie war entsetzlich einsam. Es gab niemanden im Ort, mit dem sie sich geistig hätte austauschen können. Der umwohnende Adel schnitt die Schückings wegen Levins kritischen Romanen.“ (Fennenkötter) Sie starb am 16. März 1855 in Sassenberg.

Luise von Gall war eine sachverständige Kritikerin der Werke ihres späteren Mannes. Ihre eigenen Werke bezeugen „Erzähltalent, Einfallsreich-

(Gesichts-)Schmerzen geborenen, „jüngsten Kinder“ ihrer *Laune*, die sie ihm (am 7.7.1842) geschickt hatte, nicht erhalten habe. Die Arbeit an den *Gedichten* 1844 nähere sich dem Ende. Sie beabsichtige, Velhagen und Klasing ihre Gedichte unentgeltlich zu überlassen, falls der Verlag dafür Luise von Bornstedts „Pilgerklänge einer Heimathlosen“ besser honoriere. Sie vermute, daß Velhagen und Klasing eher als Cotta bereit sei, für die *Gedichte* 1844 Honorar zu zahlen. Die Rezension der *Judenbuche* vom 31.5.1842. Ihre Bekanntschaft mit Carl Simrock. Zur Rezension der *Gedichte* 1838 vom 18.8.1842. Sie mache sich wegen der sittenlosen Zustände in Ellingen Sorgen um Schücking: *Ich wollte ich könnte bey dir seyn, dann wär mir nicht bange... Könnte ich dich nur einmahl e i n e Stunde wieder hier haben...*

Mitte September: Mehrtägiger Besuch Elise Rüdigers im Rüschhaus.

24. September: Brief an Sophie von Haxthausen: Anfrage, ob August von Haxthausen Schückings Aufsatz über Westfalen für das „Deutschland im 19. Jahrhundert“ mit Material unterstützen könne.

Ab 25. September: Mehrtägiger Aufenthalt in Münster. Besuch bei von Bönninghausen.

Mitte September/Anfang Oktober: Besuch Junkmanns im Rüschhaus. Ein weiterer Besuch Junkmanns in Begleitung Anna Junkmanns und Elise Rüdigers im Rüschhaus. Die Droste liest aus den *Haidebildern* vor. Aufenthalt in Münster.

Herbst: Zur Komplettierung der *Gedichte* 1844 entstehen: *Meine Sträuße*; *Nach fünfzehn Jahren*. Gelegentliche Weiterarbeit am *Bei uns zu Lande*.

9. Oktober: Brief an Sibylle Mertens: *ich lebe nach der alten Weise still vor mich hin, gehe täglich auf ärztlichen Befehl einige Stunden spatzieren, amüsire mich mit meinen Sammlungen... und schreibe mitunter ein paar Zeilen, entweder zur Verstärkung eines Bands Gedichte, der übrigens schon ziemlich dickleibig ist, oder eines prosaischen Werks ‹Bei uns zu Lande›, wo allerdings noch die*

tum, durchdachte Struktur und zum Teil spannende Darstellung. Die Überbelastung durch Haus- und Gutsarbeit neben dem „Brotschreiben“ war mitverantwortlich für G.s frühen Tod (wahrscheinlich Typhus) kurz nach dem Ableben ihres fünften Kindes.“ (Killy-Literaturlexikon)

größere Strecke vor mir liegt... Ihre Unsicherheit bei der Wahl eines Verlegers: Obwohl Cotta Schücking gegenüber Interesse bekundet habe, wolle sie Velhagen und Klasing den Vorzug geben, da der Verlag sich selbst angeboten habe; sie befürchte, durch einen schwachen Absatz Schücking bei Cotta in Mißkredit zu bringen. Einen erneuten Verlag bei Aschendorff in Münster lehne sie ab. Sie wolle zunächst noch abwarten, ob der Verleger, der Ende 1839/40 über Adele Schopenhauer Interesse bekundet hatte, ebenfalls in Frage komme. Beilage: Buchzusendung der Droste für Carl Simrock.

Besuch Elise Rüdigers im Rüschhaus.

10. Oktober: Brief an Schücking: *Lieber Levin, unser Zusammenleben in Rüschhaus war die poetischeste und das in Meersburg gewiß die heimischeste und herzlichste Zeit unseres beyderseitigen Lebens, und die Welt kömmt mir seitdem gewaltig nüchtern vor.* Ihre Beziehung zu Elise Rüdiger: *meine Liebe zu ihr und die Enge unsers Verhältnisses steigt fortwährend...* Carl Ferdinand Rüdiger und Junkmann würden ihm Material für das „Deutschland im 19. Jahrhundert“ schicken; sie hoffe auch auf eine Beteiligung August von Haxthausens. Der Plan, mit ihren Gedichten Luise von Bornstedts „Pilgerklänge einer Heimathlosen“ bei Velhagen und Klasing besser honorieren zu lassen, sei gescheitert. Über die *Gedichte* 1844: *Meine Gedichte werden denn doch gegen Ostern erscheinen können, bis vor Kurzem habe ich wenig daran gethan, aber seit es draußen kalt und kothig geworden ist, habe ich mich in meine Winterpoesie gehüllt...* Sie habe sich noch nicht bei Adele Schopenhauer nach dem Verleger erkundigt, der 1839/40 Interesse am Verlag ihrer Gedichte gezeigt habe. Über die *Westphälischen Schilderungen*: *Sie werden unendlich mildern und Manches ganz streichen müssen...* Nachfrage nach Freiligrath.... *ich freue mich schon auf den Fünften* (verabredeter Eingang des nächsten Briefes von Schücking)... *bis dahin habe ich schon fleißig* ‹an den *Gedichten* 1844› *gearbeitet, und denke in meinem nächsten Briefe* (geplant für Mitte November) *resolut zu prahlen ...*

Mitte Oktober/Anfang November: Brief von Adele Schopenhauer: Sie teilt auf Anfrage der Droste mit, daß der Verleger, der sich früher für die Gedichte der Droste interessiert habe, Velhagen und Klasing gewesen sei. O.L.B. Wolff rate der Droste zu Cotta. Urteil über die Einzelveröffentlichungen der Droste im „Morgenblatt“ und die *Judenbuche.* Sie halte es für ratsam, die neuen Gedichte gemeinsam mit den Prosaarbeiten (*Bei uns zu Lande*; *Die Judenbuche*) geschlossen herauszugeben.

Brief von August von Haxthausen: „Ludowine wird dir meine geistlichen Lieder mittheilen; Wenn Du sie nicht bearbeitest u gleich im Herbst herausgiebst, so sollst du 77 Jahr und länger im Fegefeuer schmachten."

Oktober/November: Es entsteht: *Verfehlter französischer Roman.*

1. November: Adele Schopenhauer berichtet Sibylle Mertens, daß die Droste ihr nach fast einem Jahr einen „lieben langen" Brief geschrieben habe.

2. November: Brief von Schücking: „lassen Sie mich bald von ihren Gedichten hören: haben wir nur das Manuskript erst, der Verleger ist Nebensache."

3. November: Jenny von Laßberg schreibt Schücking: „Nette schreibt mir daß ihre Gedichte bald fertig seien, und sie sowohl vom Geyerpfiff als auch von der Judenbuche sehr gute Rezensionen gelesen habe, das freut mich, da es ihr Muth machen wird, die Gedichte herauszugeben; reden Sie ihr doch auch zu daß sie es thut; wäre sie hier geblieben, so hätte ich sie wohl antreiben wollen, aber jetzt ist niemand um sie der sich recht dafür interessirt; ich kann Ihnen nicht sagen wie ungern ich Nette verloren habe, und auch sie ging ungern. . ."

Schücking berichtet Freiligrath, daß er sich eine „Braut anschnallen" wolle. Freiligrath solle einen Kontakt zu Luise von Gall vermitteln, die er, ohne sie zuvor gesehen zu haben, als Braut ausersehen habe. Freiligrath solle hierüber jedoch nichts gegenüber der Droste verlauten lasse, falls sie ihn auf der Rückreise von Meersburg aufsuche, „sie würde mich schön fenstern für solchen Leichtsinn".

5.–15. November: Aufenthalt in Münster. Wohnung bei Elise Rüdiger. Besuch bei Schlüter. Weiterer Umgang: Luise Delius und Nanny Scheibler.

13. November: Schott übersendet Uhland die zweite Lieferung mit Abschriften von Volksliedern, die ihm die Droste auf der Meersburg mitgeteilt hatte. – Uhland nimmt später drei Lieder in seine Sammlung „Alte hoch- und niederdeutsche Volkslieder" (1844) auf.

Mitte November: Henriette von Hohenhausen kommt zu einem längeren Aufenthalt nach Münster.

17. November: Brief an Schücking: Mitteilung des Briefes von Adele Schopenhauer von Mitte Oktober/Anfang November. . . .*die*

„Judenbuche" hat endlich auch h i e r das Eis gebrochen,. . . so daß ich des Andrängens fast keinen Rath weiß, und meine Mama anfängt ganz stolz auf mich zu werden.

20. November: Luise von Gall erkundigt sich bei Schücking nach der Droste, für deren Gedichte sie schwärme.

November/Dezember: Die Droste begutachtet auf Bitte Elise Rüdigers eine (nicht näher bezeichnete) Novelle Elise von Hohenhausens.

26. November: Brief von Tangermann: Bitte um Urteil über das mitgesandte Manuskript „Entsagung oder der Triumph der Jesusliebe" und „Der Rheinfall bei Schaffhausen".

Erkrankung. Es ist der Droste nicht möglich, Elise Rüdiger zu besuchen.

November/Dezember: Es entsteht: *Der Spiritus familiaris des Roßtäuschers.*

Etwa Dezember: Es entsteht: *Die Stadt und der Dom. Eine Karikatur des Heiligsten.*

Etwa Anfang Dezember: Brief von Schücking: Er werde seine Hauslehrertätigkeit in Salzburg fortsetzen.

Etwa 10.-26. Dezember: Aufenthalt in Münster, um dort die erkrankte Ludowine von Haxthausens zu pflegen. Umgang: Elise Rüdiger, Henriette von Hohenhausen, Schlüter, Nanny Scheibler; Bekanntschaft mit der Schriftstellerin und Taschenbuchherausgeberin Mathilde Franzisca von Tabouillot (spätere Anneke, die als Frauenrechtlerin aktiv an der 1848er Revolution teilnahm).

11. Dezember: Schücking berichtet Luise von Gall, daß die Droste eine „höchst geistreiche Dame" sei. Sie habe ihm die meisten Züge zu seinem Aufsatz „Die poetischen Frauen" (Rheinisches Jahrbuch, Jg. 2, 1841) geliefert. „Daß Sie die Gedichte der Droste so schön finden, freut mich außerordentlich. Die Droste war eine Freundin meiner Mutter, und ich habe an ihr eine Mutter wieder gefunden; es gibt kein innigeres und wohltuenderes Verhältnis wie das zwischen ihr und mir, wie es kein angenehmeres Leben für mich gegeben, wenn ich bei ihr auf ihrem einsamen Waldschlösschen mich habe verwöhnen lassen. . . Eine Gedichtsammlung von ihr, die nächstens erscheinen wird, kann nicht verfehlen, großes Aufsehen zu machen. . . Sie brauchen deshalb nicht eifersüchtig zu werden. . . Die Droste wird stark in den Vierzigern sein, und sieht noch älter aus, weil sie kränklich ist: da kann man jemanden wohl sehr lieb haben, aber – eifersüchtig braucht man doch nicht darauf zu sein." Die Droste habe eine äußere und innere Ähnlichkeit mit ihm, besitze jedoch mehr originelle Poesie. Sie sei eine „ganz eigentümliche, in jeder Beziehung originelle und tief gediegene Erscheinung". Eine „ganz verkehrte, ganz aristokratische Erziehung" habe „alle ihre Talente an der Entwicklung gehindert".

26. Dezember-Mitte Januar: Mit der noch immer erkrankten Ludowine von Haxthausen Umzug nach Hülshoff. Die Krankenpflege beansprucht die Droste gänzlich.

29. Dezember: Brief an Schücking: Sie arbeite an den *Gedichten* 1844 *rüstig voran*; das Buch könne zur Ostermesse erscheinen. Sie habe sich seiner Mahnung erinnert, die Sammlung durch einige recht hervorstechende Gedichte zu komplettieren und soeben das 600–700 Verse umfassende Gedicht *Der Spiritus familiaris des Roßtäuschers* abgeschlossen, das sehr gefalle. Die erste Auflage der *Gedichte* 1838 sei vergriffen. Sie bittet Schücking um Rat, ob sie die *Gedichte* 1838 in ihrer neuen Ausgabe noch einmal aufnehmen solle. *Der Graf von Thal* und *Die Schlacht im Loener Bruch* schienen ihr hierzu geeignet. Sie würde die Gedichte ggf. überarbeiten, wolle jedoch auf die geistlichen Lieder verzichten.

Ende Dezember-Anfang Februar: Schücking bemüht sich bei Cotta um den Verlag der *Gedichte* 1844.

Ende Dezember/Anfang Januar: Es entsteht um die Jahreswende: *Vanitas vanitatum. R.I.P.*

Ende 1842: Die Droste sieht vermutlich noch einmal geschlossen den Jahrgang 1842 des „Morgenblatts" durch.

Herbst/Januar: Es entsteht: Guten Willens Ungeschick.

1843

Anth.: Es erscheint: *Der Graf von Thal* (Poetischer Hausschatz des deutschen Volkes. . . Hrsg.: O.L.B. Wolff, Leipzig 1843). Wiederabdruck. – *Am Charfreytage; Am Charsamstage; Der Geyerpfiff* (ebd. Supplementband). Wiederabdrucke.

Anth.: Es erscheint: *An die Weltverbesserer* (Titel hier: *Warnung an die Weltverbesserer*) (Politische Gedichte aus Deutschlands Neuzeit. . . Hrsg.: H. Marggraff, Leipzig 1843). Die Aufnahme wurde vielleicht von Schücking vermittelt.

Anfang: Rückkehr ins Rüschhaus. – Schücking übersendet ohne

Wissen der Droste *Die Schenke am See* (*Die Schenke am See. An Eugen M.*) an das „Morgenblatt“.

Anfang Januar: Beginn einer 6wöchigen, zum Teil schweren Erkrankung mit heftigem *Husten*, *Fieber* und depressiven Stimmungen. Die Krankheit verhindert eine Weiterarbeit an den *Gedichten* 1844.

11. Januar: Erwähnt in: (Alexander von Ungern-Sternberg): Vier Wochen in Berlin (Morgenblatt Nr. 9).

20. Januar: Freiligraths Spottgedicht „Ein Brief“ auf Herweghs Audienz beim preußischen König sorgt für Aufsehen. Die Droste verfolgt die Auseinandersetzung um Wesen und Ziel politischer Lyrik mit Interesse.

22. Januar: Brief von Schücking: Das „Deutschland im 19. Jahrhundert“ komme vermutlich nicht zustande. Er fragt vermutlich an, ob er die *Westphälischen Schilderungen* anderweitig veröffentlichen könne. Vorschlag zur Lektüre von Carl von Lang: Memoiren des Karl Heinrich Ritters von Lang. . . (2 Tle., 1842). Cotta sei am Verlag ihrer Gedichte interessiert, wünsche aber zuvor das Manuskript zur Einsicht.

Nach 23. Januar: Gesundheitsverschlechterung. Man befürchtet zeitweilig den Tod der Droste.

28. Januar: Ludwig Bauer teilt Schücking mit, daß das „Deutschland im 19. Jahrhundert“ (wofür die Droste Schücking die *Westphälischen Schilderungen* zur Verfügung gestellt hatte) nicht zustandekomme.

29. Januar: Schücking schreibt Luise von Gall: „Ich habe das Beste, was in mir ist, von den Frauen gelernt, oder sie haben es geweckt, genährt; vor allem meinem guten Mütterchen, der Droste, danke ich viel nach der Hauptsache, die meine Mutter mir angeboren hat, welche mich ihre mißratene Tochter nannte, aber zu früh starb, um großen Einfluß auf meine spätere Entwicklung und Lebensrichtung zu haben.“ Weiter heißt es: „bei uns ‹in Westfalen› hält man es sogar für unanständig für eine Dame von Stande, wenn sie schriftstellert und mein gutes Dröstchen hat viele Kämpfe darum auszustehen gehabt.“

5. Februar: Homöopathische Behandlung durch von Bönninghausen.

14. Februar: Besuch Elise Rüdigers im Rüschhaus.

Mitte Februar: Gesundheitsbesserung.

15. Februar: Brief von Elise Rüdiger: Zusendung der beiden von Freiligrath übersetzten Gedichte Tennysons („Ein Grablied“; „Die zwei Schwestern") aus dem „Morgenblatt" (1842, Nr. 292 u. 302).

16. Februar: Brief an Schücking: Ihre Erkrankung habe sie mitten in der Arbeit an den *Gedichten* 1844 getroffen, so daß sie *sechs Wochen* ihres Lebens habe *gleichsam in den Brunnen werfen müssen . . . vielleicht ists gut, denn ich fand des Dichtens und Corrigirens gar kein Ende, sehe jetzt aber wohl ein, daß ich mit dem Vorhandenen vorläufig zufrieden seyn und nur rasch die Vollendung der Abschrift besorgen muß, ein Entschluß zu dem ich sonst wohl nicht so bald gekommen wäre*. Urteil über das von Schücking empfohlene Buch von Carl von Lang und die Gedichtübersetzungen Freiligraths. Kritisches Urteil über Schückings „Der Syndikus von Zweybrücken". Sie untersagt Schücking eine anderweitige Veröffentlichung der *Westphälischen Schilderungen*, da sie diese für *zu scharf* halte; sie wolle beim *Bei uns zu Lande* noch *manches von den Skizzen brauchen*.

23. Februar: Brief an Jenny von Laßberg: Sie sei mit den *Gedichten* 1844 *bald im Reinen* und *glaube selbst*, daß es ihr *gut damit gehn* werde. Ungern-Sternbergs Bemerkung über sie im „Morgenblatt" (-› 11.1.1843).

25. Februar: Es erscheint: *Die Schenke am See* (Titel hier: *Die Schenke am See. An Eugen M.*) (Morgenblatt Nr. 48). (Das Gedicht erscheint ohne Wissen der Droste.)

Mitte Februar/Ende April: Der Redakteur der „Kölnischen Zeitung", Püttmann, bittet über Elise Rüdiger die Droste um Mitarbeit an seinem Blatt.

März: Gesundheitsverschlechterung. Die Droste schwebt acht Tage in Lebensgefahr, ist äußerst geschwächt, kann keine Nahrung zu sich nehmen und leidet an Schlaflosigkeit. Es werden innere Nervenkrämpfe diagnostiziert. Sie befürchtet ein Schwindsuchtleiden und ihren baldigen Tod.

9. März: Schücking bittet Luise von Gall, der Droste einige Zeilen zu schreiben, da diese im Rüschhaus nun „einsam" sei. Urteil über *Der Graf von Thal*. Die Droste besitze „alle drei Hochmute, den aristokratischen, den Damen- und den Dichterhochmut, aber sie ist trotzdem die liebenswürdigste Erscheinung, die man denken kann, sie ist natürlich im höchsten Grade, eine Beobachtungsgabe, die wirklich merkwürdig ist, originell in jeder Beziehung, in der Musik vielleicht noch größer denn als

Dichterin, sie besitzt ein Herz voll Wohlwollen und Güte und ist doch schlau und klug wie eine Schlange, die innersten Gedanken einem aus dem Herzen lesend."

14. März: Behandlung durch von Bönninghausen.

16. März: Luise von Gall berichtet Schücking, daß sie gern mit der Droste Kontakt aufnehmen würde.

18. März: Allmähliche Gesundheitsbesserung.

19. März: Schücking berichtet Freiligrath, daß die Droste maßgeblichen Anteil daran gehabt habe, daß sein früheres Liebesverhältnis zu Elise Rüdiger auf „für uns beide beruhigende Weise" gelöst worden sei.

25. März: Brief an Sibylle Mertens (Eingang): Die Droste berichtet von ihrer ernsthaften Erkrankung.

Sibylle Mertens entschließt sich spontan zu einem Besuch im Rüschhaus.

Schücking berichtet Luise von Gall: „Auch ist mein gutes Dröstchen ‹hinsichtlich einer Anstellung› sehr bemüht um mich; ich erwarte ihre Antwort mit Spannung, denn da ich in einem Monat keinen Brief mehr von ihr habe, bin ich besorgt um sie."

Therese vDH berichtet Jenny von Laßberg: „Nette. . . ist in dieser Zeit wirklich recht fatal gewesen und eigentlich erst seit 5 Tagen so weit besser, daß sie aus dem Zimmer geht, 8 Tage war es so arg mit ihr, daß sie wieder ganz in ihre ehemaligen Flausen verfiel, vom Starrkrampf und lebendig begraben sprach, und Sophie ‹von Haxthausen› und mich ganz zur Verzweiflung brachte. . . jetzt ist es. . . um vieles besser, besonders dadurch, daß sie einsieht, daß es nicht gleich Hals-ab geht."

28. März: Ankunft von Sibylle Mertens in Münster, wo sie sich in ein Gasthaus einquartiert. Im Rüschhaus trifft sie die Droste bereits bei besserer Gesundheit an. In der Folgezeit kommt sie täglich ins Rüschhaus. Erneuerung der Freundschaft.

29. März: Besuch Elise Rüdigers im Rüschhaus.

Frühjahr: Es entstehen: *Die Verbannten*; *Der Prediger.*

Etwa Anfang April: Erneute Gesundheitsverschlechterung.

5. April: Schücking bekräftigt das Vorhaben Luise von Galls, mit der Droste in Verbindung zu treten, und teilt ihr deren Adresse mit.

8. April: Junkmann gibt, veranlaßt durch Differenzen mit dem Schulleiter, seine Anstellung als Hilfslehrer in Coesfeld auf und kehrt nach Münster zurück, wo er ohne Versorgung ist. Er hofft auf ein Promotionsstipendium in Berlin, bei dessen Vermittlung die

Droste ihm helfen soll (spätere Empfehlungsschreiben an August von Haxthausen).

8.,13. und 16. April: Behandlungen durch von Bönninghausen. Am 13. konstatiert er „Angst und Traurigkeit".

18. April: Die Droste wird nach Münster gebracht, um in ständiger Nähe von Bönninghausens zu sein. Allmähliche Gesundheitsbesserung. Gelegentliche Rückfälle dauern nur noch einige Stunden an. Auf ärztliche Anordnung täglich Spaziergänge. Umgang: Elise Rüdiger, Luise Delius, Nanny Scheibler, Schlüters, Carvacchi, Junkmann, Caroline Lombard, Lutterbeck. Die Droste wird fast täglich von Schlüter und seiner Schwester Therese besucht. Sie trägt Schlüter und Junkmann den *Spiritus familiaris des Roßtäuschers* vor. Schlüter und Junkmann versuchen, die Droste dazu zu bewegen, ihre Gedichte erneut bei Aschendorff in Münster herauszugeben. Sie solle 500 Reichstaler Honorar fordern, die der Verleger Hüffer zu zahlen bereit sei.

20. April: Tod Henriette von Hohenhausens im Hause Elise Rüdigers. Die Droste steht Elise Rüdiger bei der Trauer bei.

21. April: Schücking teilt Luise von Gall bezüglich seiner Beziehung zur Droste mit: „Schlickum ist ein Narr. Weil diese Alltagsmenschen kein Verhältnis zwischen einem Manne und einer Frau sich denken können, das rein freundschaftlich ist, und weil Schlikkum durch Freiligrath von meiner großen Anhänglichkeit für die Droste gehört hat, die in den vierziger Jahren ist, so hat er sich den Unsinn ausgedacht. . ."

23., 25. und 28. April: Behandlungen durch von Bönninghausen.

26. April: Brief an Schücking: Sie hoffe, die Abschrift der *Gedichte* 1844 fortsetzen zu können. Sie untersagt ihm erneut eine Veröffentlichung der *Westphälischen Schilderungen.*

Nach 26. April: Die Droste überträgt dem Studenten Heinrich Markus die Abschrift ihrer Gedichte. Das Vorhaben scheitert, weil er nicht mit ihrer Handschrift zurechtkommt.

30. April: Sibylle Mertens verläßt Münster. Sie lädt die Droste für den Sommer 1843 nach Bonn ein. Die Droste solle sie im Sommer in Italien besuchen.

Ende April/Anfang Mai: Sibylle Mertens berichtet Adele Schopenhauer, die sich in Berlin aufhält, von ihrem Besuch im Rüschhaus und von der Erkrankung der Droste. Als Adele Schopenhauer in Berlin zufällig mit Amalie Hassenpflug zusammentrifft, erzählt sie hierüber. Amalie Hassenpflug, deren Kontakt zur Droste seit längerem abgebrochen ist, ist über die Krankheit der Droste ernstlich beunruhigt.

April/Mai: Es entsteht: *Nachruf an Henriette von Hohenhausen.*

Mai: Es entsteht: *Clemens von Droste*; Arbeit an Zusammenstellung, Abschrift und Korrektur der *Gedichte* 1844.

Etwa Mai: Es entsteht: *Die Unbesungenen.*

1. Mai: Brief von Schücking: Er ist beunruhig darüber, daß er lange ohne Nachricht von der Droste ist. Er gebe Ende Mai seine Stelle in Mondsee auf und habe Aussicht auf eine Stelle als zweiter Redakteur bei der Augsburger „Allgemeinen Zeitung".

1. Mai: Sibylle Mertens berichtet Ottilie von Goethe, daß sie die Droste am 28.3. in einem „höchst leidenden Zustand" angetroffen habe, an dem sich während ihres Aufenthalts nur wenig geändert habe. Eine „gänzliche Lebensmutlosigkeit und Hypochondrie" erschwere die Heilung. Sie hoffe, daß die Droste ihrer Einladung nach Bonn folge, da diese dringend intellektueller Anregung bedürfe. Sie befürchte, daß die Droste sonst einer Krankheit erliegen könne, „für die man kaum einen rechten Namen findet".

Etwa 3. Mai: Umzug von Münster nach Hülshoff.

7. Mai: Eine erneute Erkrankung mit *heftigem Unwohlsein, Husten und Halsschmerzen* beeinträchtigt die Weiterarbeit an den *Gedichten* 1844.

Etwa 8. Mai: Zusendung einer Arznei durch von Bönninghausen. Gesundheitsbesserung.

9. Mai: Weitere Gesundheitsbesserung.

Brief an Elise Rüdiger: Über das Gedicht *Nachruf an Henriette von Hohenhausen* und einen eventuellen Abdruck in der „Kölnischen Zeitung". Der Abdruck von *Die Schenke am See* im „Morgenblatt" vom 25.2.1843. Sie wolle nach Abschluß der *Gedichte* 1844 weitere Gedichte an die „Kölnische Zeitung" geben.

10. Mai: Schücking teilt Luise von Gall mit: „Von der Droste habe ich leider hören müssen, daß sie sterbenskrank gewesen ist. Es beunruhigt mich unendlich, denn ich glaube nicht, daß sie je vollständig geheilt werde; sie leidet schon lange und ist zu gut für diese Welt, was das Schlimmste aller Symptome ist." Über seine Berufsaussichten bei der Augsburger „Allgemeinen Zeitung": „Die gute, liebe Droste, die besorgt um mich ist wie eine Mutter sein kann, hätte mir gerade so den Kopf gewaschen wegen meiner Unschlüssigkeit, den Antrag, oder wie ich es nennen soll, gleich von vornherein anzunehmen."

11. Mai: Brief an Schücking: Die Abschrift ihrer Gedichte habe sich verzögert. Eindringliche Bitte, sich nicht vorschnell an Luise von Gall zu binden, er solle zunächst an eine sichere Stellung denken. Über *Nachruf an Henriette von Hohenhausen*. Bitte um Nachricht über den Verbleib der *Westphälischen Schilderungen*. Erneute Mahnung, sie nicht mehr brieflich zu duzen.

12.-15. Mai: Vermutlich dreitägiger Besuch im Rüschhaus.

Mitte Mai: Gesundheitsbesserung, jedoch gelegentliche nervliche Überempfindlichkeit.

21. Mai: Es erscheint: *Nachruf an Henriette v. Hohenhausen* (Kölnische Zeitung, Köln, Nr. 141). Es folgen Nachdrucke im „Westfälischen Merkur" und in der „Westphalia".

23. Mai: Schücking gibt seine Stelle in Mondsee auf. Am 24.5. verhandelt er, vermutlich in München, mit Gustav Kolb, dem Chefredakteur der Augsburger „Allgemeinen Zeitung", über eine Anstellung bei dem von Cotta herausgegebenen Blatt.

24. Mai: Brief an Sibylle Mertens: Die Droste sagt einen Besuch in Bonn ab, da Reisen nach Abbenburg und Meersburg bevorstünden. Sie schildert ihre Schwierigkeiten mit der Abschrift der *Gedichte* 1844.

25. Mai: Schücking trifft in Stuttgart mit Cotta, Hermann Hauff, Dingelstedt und Lenau zusammen. Hauff vermutet, Schücking habe die *Judenbuche* verfaßt.

28. Mai: Therese vDH berichtet Jenny von Laßberg: „sie ‹die Droste› durchmustert alle ihre Gedichte, die in Meersburg verfertigten und die später hier gemachten, um sie zum Druck fertig zu machen; es sind wirklich sehr schöne Sachen darunter"; eine Bekannte ‹Jenny Hüger› komme abends, „um 8 Tage zu bleiben und alles ins Reine zu schreiben. . ." Der Versuch, die Abschrift der Gedichte mit fremder Hilfe zum Abschluß zu bringen, scheitert erneut. Die Droste entschließt sich, die Abschrift selbst anzufertigen.

30. Mai: Erste persönliche Begegnung Schückings mit Luise von Gall in Darmstadt.

Anfang Juni: Besuch Schlüters und Elise Rüdigers im Rüschhaus. Die Droste rezitiert aus dem *Spiritus familiaris des Roßtäuschers* und singt Minnelieder. Sie erzählt von Johanna Kinkel.

6. Juni: Brief von Levin Schücking und Luise von Gall: Die Droste sei „rasend berühmt" geworden, alles spreche von ihr. Ermunterung zur Weiterarbeit an den *Gedichten* 1844. Mitteilung ihrer Verlobung.

Etwa 9. Juni: Mit Therese vDH Abreise (zu einem nicht gewünschten) Besuch in Abbenburg bei Friedrich von Haxthausen. Station in Münster. 2tägige Weiterreise. Fortwährende Beanspruchung durch familiäre Verpflichtungen, Besuche etc. Fast täglich Besuche in Bökendorf. Die Droste unternimmt in der Folgezeit Ausflüge zu den Familiensitzen ihrer nahe wohnenden Verwandten (?6.4.1837).

26. Juni: Brief von Schmieder (Redaktion der „Dresdener Abendzeitung", aus Dresden, Eingang): Angebot zur Mitarbeit an der „Dresdener Abendzeitung" zu einem Honorar von 15 Reichstaler pro Bogen.

Obwohl der Droste das Angebot lukrativ erscheint, geht sie nicht darauf ein.

30. Juni: Brief an Schücking: Sie finde seit ihrer Ankunft in Abbenburg zum ersten Mal einen freien Augenblick, um ihm zu schreiben. Sie mahnt Schücking eindringlich, sich nicht *so leichtsinnig* zu verheiraten, wie er sich verlobt habe. Die Abschrift der *Gedichte* 1844 stehe kurz vor dem Abschluß. Bitte um Auskunft über seine Unterredung mit Cotta, um Klarheit in der Verlagsfrage zu erhalten.

Sommer: Es entsteht: *Ein Sommertagstraum* (*Das Autograph*; *Der Denar*; *Die Erzstufe*; *Die Muschel*).

Anfang Juli: Erkrankung mit *Blutandrang* im Kopf und *Ohr-*, *Zahn-* und *Gesichtsschmerz*.

11. Juli: Brief an Sibylle Mertens: *...ich werde leider täglich mehr zur Fledermaus, zwischen Licht und Dämmerung, das ist meine rechte Zeit, und übrigens... ich möchte immer, wie ein travestirter Hamlet, sagen: „Träumen, träumen! vielleicht auch – Schlafen!" in dem Letzteren bin ich aber viel mäßiger geworden; wie meine Nerven denn überall sich bedeutend stärken...*

Etwa 12./13. Juli: Aufenthalt in Wehrden. Ausflug nach Corvey, wo die Droste die Schloßbibliothek besucht.

24. Juli: Brief an Elise Rüdiger: Sie sei der vielen Verwandtenbesuche in Abbenburg und Umgebung überdrüssig. *Wir bekommen hier eine Menge Journale – die Modezeitung – das Morgenblatt – den Telegraphen – Vaterland – Ausland – Königsberger Litteraturblätter – Wenn ich sehe, wie so Alles durcheinander krabbelt um berühmt zu werden, dann kömmt mich ein leiser Kitzel an meine Finger auch zu bewegen – Geduld! Geduld! – aber wenn ich* dann wieder sehe, wie Einer kaum den Kopf über dem Wasser hat, daß schon ein Anderer hinter ihm einen Zoll höher aufduckt und ihn niederdrückt,- wie Heine schon ganz verschollen, Freiligrath und Gutzkow veraltet sind. . . dann scheint mirs besser die Beine auf den Sopha zu strecken, und mit halbgeschlossenen Augen von Ewigkeiten zu träumen. . . ich finde nichts kläglicher als einen çidevant berühmten Poeten, dem jetzt jeder räudige Kläffer nach den Waden fährt. . . Sie bedauere den schnellen Verfall von Freiligraths Ruhm. Über ihr literarisches Selbstverständnis: *so steht mein Entschluß fester als je, nie auf den Effect zu arbeiten, keiner beliebten Manier, keinem anderm Führer als der ewig wahren Natur durch die Windungen des Menschenherzens zu folgen, und unsre blasirte Zeit und ihre Zustände gänzlich mit dem Rücken anzusehn,- ich mag und will jetzt nicht berühmt werden, aber nach hundert Jahren möcht ich gelesen werden, und vielleicht gelingts mir, da es im Grunde. . . nur das entschlossene Opfer der Gegenwart verlangt;. . .* Über ihre Freundschaft zu Elise Rüdiger: *daß sie leiden, mein kleines einziges Herz. . . thut mir weher als obs mir selbst geschähe, und wenn Sie Sich nach mir sehnen, so thue ich es doppelt. . .*

Etwa August: Sibylle Mertens zieht bis Ende Juli 1846 nach Italien. Möglicherweise hatte sie wegen des in Erwägung gezogenen Besuchs der Droste in Bonn die Reise zunächst aufgeschoben.

23. August: Nach einem Aufenthalt in Erpernburg (Familie von Brenken) Rückreise über Heeßen nach Rüschhaus (Ankunft 27.8.).

Ende August: Erster Besuch Johanna Hassenpflugs im Rüschhaus.

August/Anfang September: Besuch Elise Rüdigers im Rüschhaus. Sie leiht der Droste einen Band (vermutlich Bd. 4) der Werkausgabe von George Sand (1843). Nähere Planung einer gemeinsamen Reise nach Meersburg.

3. September: Durchsicht alter Papiere und Briefe, die die Droste anschließend verbrennt. Sie wird hierdurch unangenehm an ihre Vergangenheit erinnert und sich der Distanz zu ihren Jugendfreundinnen bewußt.

5. September: Brief an Elise Rüdiger: *wären Sie nur die drey Wochen* ‹bis zur gemeinsamen Reise nach Meersburg› *noch hier! wir wollten keine Minute verkommen, keinen Schmetterling unbemerkt fliegen lassen, und für ein ganzes Jahr vorausleben. . .*

20. oder 21. September: Mit Therese vDH und Elise Rüdiger Abreise nach Meersburg. Mehrtägiger Aufenthalt in Bonn bei Pauline vDH. Mit Elise Rüdiger Besuch bei Carl Simrock, über den dieser Freiligrath am 15.12.1843 berichtet: „Ich weiß nicht, ob ich Dir schon erzählt habe, wie seine ‹Schückings› Quasi-Pflegemutter Annette Freiin von Droste hier war und diese nebst ihrer Freundin R.R. Rüdiger aus Münster mich zu jener Ausnahme ‹Lektüre einer Novelle Schückings› verführt haben."

Ende: Weiterreise nach Meersburg. Die Droste zieht sich unterwegs eine Erkältung zu.

Oktober: Schücking übersendet Laßbergs seinen Roman „Ein Schloß am Meer" (1843), den die Droste in der Folgezeit liest.

3. Oktober: Ankunft in Meersburg. Mit Elise Rüdiger ausgedehnte Spaziergänge am Ufer des Bodensees. Zurückgezogener Aufenthalt. Die Droste ist nur bei Besuchen ihrer früheren Meersburger Bekannten zugegen. Bekanntschaft mit mehreren Gelehrtenfreunden Laßbergs. Die Droste zeigt wenig Interesse, mit den von ihr als *Nibelungen-Steckenreiter* bezeichneten Personen in näheren Kontakt zu treten. Ein späterer Brief Sophie von Haxthausens an August von Haxthausen berichtet, daß die Droste „bei den gelehrten Leuten" in „großem Ansehen" stehe. Es entsteht der Plan zu einer Reise in die Schweiz.

Musikalische Betätigung (Singen von Arien etc.). Lektüre zahlreicher Werke (nicht näher zu ermitteln) aus Laßbergs Bibliothek. Intensive Zeitungslektüre im Meersburger „Museum", wo u.a. das „Morgenblatt", die Augsburger „Allgemeine Zeitung" und die „Karlsruher Zeitung" ausliegen.

Lektüre u.a. der frühen Schauspiele Lessings und von Werken von Victor Joseph Jouy, Alain René le Sage, Victor Hugo sowie der Briefe des Gaius Publius Ceasilius Secundus Plinius des Jüngeren.

4. Oktober: Besuch des „Glaserhäuschens".[1]

5. Oktober: Besuch des Gasthauses „Zum Frieden".

7. Oktober: Heirat Schückings mit Luise von Gall in Darmstadt.

8. Oktober: Besuch bei einer Hofrätin Waltmann.

---

[1] Die Droste unternahm die im folgenden aufgezählten Besuche oft in Begleitung der Familie von Laßberg, ihrer Mutter und, in der ersten Zeit ihres Aufenthalts, in Begleitung von Elise Rüdiger.

14. Oktober: Elise Rüdiger beendet ihren Aufenthalt auf der Meersburg. Die Droste setzt ihre Spaziergänge am Seeufer allein fort.

Etwa Mitte Oktober: Umzug Schückings nach Augsburg, wo er seine Redaktionstätigkeit bei der Augsburger „Allgemeinen Zeitung" beginnt.

19. Oktober: Besuch des Gasthauses „Zum Frieden".

20. Oktober: Carl Dräxler(-Manfred) erörtert mit Freiligrath den Plan zu einem „Rheinischen Taschenbuch". Die Droste ist als Mitarbeiterin vorgesehen.

23. Oktober: Besuch des Gasthauses „Zum Frieden".

25. Oktober: Leichte Erkrankung. Die Droste kann nicht an den gemeinsamen Mahlzeiten teilnehmen.

28. Oktober: Die Droste liest Jenny von Laßberg aus den im Entstehen begriffenen *Gedichten* 1844 vor.

Ende Oktober: Spaziergang nach Haltnau. Ein Unwetter bringt die Droste beinahe in Lebensgefahr.

November: Weitere Abschrift der *Gedichte* 1844.

2. November: Brief von Schücking: Seine neue Lebens- und Berufssituation. Die Droste sei ihm „so lieb und heilig" wie das Andenken an seine Mutter. Sein Umgang in Augsburg. Sein Roman „Das Stiftsfräulein" (der unter Mithilfe der Droste entstand) sei gedruckt in: Dombausteine. Von einem Verein deutscher Dichter und Künstler. Als Beitrag zum Ausbau des Domes (Hrsg.: A. Lewald, 1844); er schicke der Droste das Buch jedoch nicht, da „Manches darin" sei, das sie „unangenehm berühren" könne. Er erkundigt sich nach den *Gedichten* 1844: „Zaudern Sie doch nicht länger, liebes Mütterchen!!!" Mitteilung seiner Verfasserchiffre bei der „Allgemeinen". Er werde mit Cotta über seine Anstellung bei dem Blatt bald einen Vertrag abschließen.

10. November: Besuch des Gasthauses „Zum Frieden".

17. November: Die Droste ersteigert zum sehr günstigen Preis von 400 Reichstalern das oberhalb Meersburgs gelegene „Fürstenhäuschen" mit dem umliegenden Rebgelände. Aufgrund dieser Ausgabe gibt sie eine geplante Reise in die Schweiz auf. Die Kosten bestreitet sie später vom Honorar ihrer Gedichtausgabe. Sie plant, einige bauliche Veränderungen an dem Gebäude vorzunehmen, um es bewohnbar zu machen, wozu es jedoch in der Folgezeit nicht kommt. Vom Ertrag des Weinanbaus will sie Stiftungen für unversorgte Kinder einrichten.

19. November: Es entsteht zum Namenstag von Elise Rüdiger: *An Elise in der Ferne. Am 19. November 1843.*

22. November: Brief an Elise Rüdiger: . . .*ich habe mich wieder so arg nach Ihnen gesehnt, daß es ganz unausstehlich war, und ich mir fast einbildete ich sey krank. . . und merke. . . nun, daß mir eigentlich nichts fehlt als Sie.* Der Kauf des Fürstenhäuschens. Ausführliche Beschreibung des Gebäudes. Die Abschrift der *Gedichte* 1844 nähere sich dem Ende.

25. November: Beginn eines zweiwöchigen Aufenthalts auf Schloß Berg (Familie von Thurn-Valsassina). Eine Erkankung verhindert eine frühere Rückkehr.

November/Dezember: Lektüre: Rheinisches Taschenbuch (auf 1844) mit Schückings Erzählung „Ein Frauenherz" (späterer Titel: „Große Kinder"); eine (nicht ermittelte) Biographie über Heinrich von Kleist.

Die Droste wird zu Liebhaberkonzerten in Meersburg eingeladen.

Dezember: Weitere Abschrift der *Gedichte* 1844.

Lektüre: A. Lewald: Dombausteine (1844) mit Schückings Roman „Das Stiftsfräulein".

Cotta wendet sich wegen eines Verlags der *Gedichte* 1844 an Schücking.

10. Dezember: Rückkehr von Schloß Berg. Leichte Erkrankung.

Mitte Dezember: Rheumatische Beschwerden. Die Droste muß ihre Spaziergänge am Seeufer einstellen.

15. Dezember: Brief an Schücking: Urteil über die literarischen Arbeiten Schückings und seiner Frau. Die Abschrift der *Gedichte* 1844 stehe vor dem Abschluß. Schücking solle sich wegen seiner familiären Beanspruchung nicht um den Verlag ihrer Gedichte bei Cotta bemühen, Laßberg habe sich hierzu angeboten. Anfrage nach Cottas Urteil über ihre Gedichte. Erneute Nachfrage, was zwischen Schücking und Cotta am 25.5.1843 über sie gesprochen worden sei.

Etwa 16. Dezember: Brief von Elise Rüdiger (Eingang): Elise Rüdiger schlägt der Droste vor, gemeinsam mit ihr Erzählungen aus dem Nachlaß Henriette von Hohenhausens neu bearbeitet herauszugeben.

Das Vorhaben, das die Droste zunächst unterstützt und das Gegenstand mehrerer Briefe ist, wird im Frühjahr 1844 aufgegeben.

17. Dezember: Begegnung mit Charlotte von Salm-Reifferscheidt, die auf der Meersburg zu Gast ist. Sie ist die einzige Frau, der sich die Droste in Meersburg und Umgebung *wirklich gern anschließen möchte.*

Das Glaserhäuschen oberhalb Meersburgs. Federzeichnung der Droste, 1846.

„Jetzt muß ich Ihnen auch sagen, daß ich seit acht Tagen eine grandiose Grundbesitzerin bin, ich habe das blanke Fürstenhäuschen, was neben dem Wege zum Frieden liegt – doch dort waren Sie nicht, aber man sieht es gleich am Thore, wenn man zum Figel geht – nun das habe ich in einer Steigerung nebst dem dazu gehörenden Weinberge, erstanden – und wofür? für 400 Reichsthaler – Dafür habe ich ein kleines aber massiv aus gehauenen Steinen und geschmackvoll aufgeführtes Haus, was vier Zimmer, eine Küche, großen Keller und Bodenraum enthält und 5 000 Weinstöcke, die in guten Jahren schon über zwanzig Ohm Wein gebracht haben,– es ist unerhört!" (Brief an Elise Rüdiger vom 22. November 1843)

18. Dezember: Brief von Luise Schücking: Sie bittet die Droste, ihre Beziehung zu Schücking nicht abbrechen zu lassen, da dieser des Kontakts mit der Droste sehr bedürfe. Einladung der Droste zu einem Besuch in Augsburg auf der Rückreise von Meersburg.

Älteres Foto des Fürstenhäuschens.

25. Dezember: Brief von Hermann Hauff (im Auftrag des Cotta-Verlags): Bitte um weitere Beiträge der Droste für das „Morgenblatt", da die *Judenbuche* und die Einzelveröffentlichungen der Droste im „Morgenblatt" großen Anklang gefunden hätten.

31. Dezember: Beendigung der Abschrift der *Gedichte* 1844. Plan zur Weiterarbeit am *Bei uns zu Lande*.

Besuch eines Gesangsfestes in der Klosterschule der Frau von Kessel.

Herbst/Winter: Es entstehen zwei Auszüge aus Liedern von Jakob Regnart und Leonhard Lechner.

1843/1844: Es entsteht: *Das öde Haus*.

1844

Anth.: Es erscheint: *Der Graf von Thal* (Poetischer Hausschatz des deutschen Volkes. . . Hrsg.: O.L.B. Wolff, Leipzig 1844). Wiederabdruck. Weitere Werke der Droste ebd.: Supplementband.

Anth.: Es erscheinen: *Wel will mit Gert Olbert utriden gon*; *Zwei Königskinder* (*Et wassen twe Künigeskinner*); *Loskauf* (*O Schiffmann*) (Alte hoch- und niederdeutsche Volkslieder. Mit Abhandlung und Anmerkung. Hrsg.: Ludwig Uhland, Bd. 1,1, und 1,2, 1844–1846).

Anth.: *Der Geyerpfiff* (Deutsche Dichter von 1813–1843. Hrsg.: K. Goedeke, 1844). Wiederabdruck

Anth.: *Das Ich der Mittelpunkt der Welt*; *Das Haus in der Haide* (Deutsches Dichterbuch, Hrsg.: L. Bechstein, Leipzig 1844) Wiederabdruck.

Brief von Carl Dräxler(-Manfred): Bitte um Beiträge für sein „Rheinisches Taschenbuch" (auf 1845). Die Droste läßt die Zuschrift unbeantwortet.

Januar: Es entsteht (auf den Tod von Carl Heinrich von Imhoff): *Ein braver Mann*.

Anfang Januar: Der Droste kommen Bedenken, ob Laßberg geeignet sei, mit Cotta über den Verlag der *Gedichte* 1844 zu verhandeln. Sie vermutet, daß er als guter Bekannter Cottas nicht gut die Honorarfrage klären könne. – Laßberg bittet die Droste, seine Gedichtsammlung „Liedersaal" ins Hochdeutsche zu übertragen. Die Droste will ihm diese Gefälligkeit nicht abschlagen.

1. Januar: Sie muß bei zahlreichen Neujahrsempfängen auf der Meersburg zugegen sein.

2. Januar: Sie gibt Laßberg das Manuskript der *Gedichte* 1844 zu lesen. Er macht zahlreiche Korrekturvorschläge, auf die sie jedoch nicht eingehen will.

4. Januar: Schücking berichtet Freiligrath, die Gedichte der Droste im „Morgenblatt" hätten ihr „überall einen merkwürdigen Namen gemacht".

5. Januar: Brief von Levin und Luise Schücking (Eingang): Übersendung des Briefes vom Cotta-Verlag vom 25.12.1843. Er schlägt vor, daß es bei ihm als Vermittler der Gedichtausgabe bleibe. Levin und Luise Schücking kündigen ihren Besuch auf der Meersburg für Frühjahr 1844 an.

An Elise Rüdiger: *Wir leben hier so ruhig voran, ohne sonderliche Abwechslung. . .* Sie sitze *wie eine Maus im Loche* ihres Turmzimmers *und knuspere eine Nuß nach der andern aus Laßbergs Bibliothek.* Sie nehme an den zahlreichen Gelehrtenbesuchen, die Laßberg empfange, nur ungern teil. *Ich habe. . . grade die Abschrift meiner Gedichte fertig, und wollte mich eben über das „bey uns zu Lande" hermachen,– aber das kann warten. . . ich sehe dem Erfolg so ruhig entgegen, wie dies ohne Affecktation möglich ist, und befinde mich „den Umständen nach ganz wohl"...* Abschrift des Briefs vom Cotta-Verlag vom 25.12.1843. Sie beabsichtige, weiterhin Gedichte ans „Morgenblatt" zu geben, um damit Schückings Anstellung bei der „Allgemeinen" zu verbessern. Sie weist den Vorwurf, sich von ihrer Jugendkoketterie etwas bewahrt zu haben, entrüstet zurück. Rückerinnerung an die Entstehung des dramatischen Scherzes *Scenen auf Hülshoff.* Über Gutzkow. Kritisches Urteil über die „Dombausteine" von Lewald.

Plan zur Weiterarbeit am *Bei uns zu Lande.*

6. Januar: Die Droste stickt an einem Paar Pantoffeln, die sie ihrem Brief an Schücking vom 8. Januar als Geschenk beilegt.

8. Januar: Brief an Schücking: Die Abschrift der *Gedichte* 1844 sei abgeschlossen. Schücking solle die Verhandlungen über die *Gedichte* 1844 weiterführen. Sie wolle, um Schücking bei Cotta zu unterstützen, auf ein geringes Honorar eingehen. Sie verlange Schückings ausdrückliche Zusage, an den Texten nichts zu ändern.

Etwa 11. Januar: Brief von Schücking: Er verspricht, keine eigenmächtigen Änderungen an ihren Gedichten vorzunehmen und Gegenvorschläge zuvor mit der Droste und Kolb zu diskutieren. Die

Honorarfrage. Vorschlag zur Lektüre von Wilhelm Meinholds „Maria Schweidler, die Bernsteinhexe“ (1843) und seiner Besprechung des Buches in der „Allgemeinen“ vom 17.12.1843. Er plane, gemeinsam mit Emanuel Geibel einen Musenalmanach auf das Jahr 1845 herauszugeben. Anfrage, ob die Droste mit einer von ihm getroffenen Auswahl als Ankündigung der Ausgabe im „Morgenblatt“ einverstanden sei. Bitte an die Droste, sich mit der Zusendung des Manuskripts zu eilen, da Cotta die Gedichte bis zur Ostermesse herausbringen wolle. Cotta sei sehr von der Droste eingenommen. Er rate der Droste dringend davon ab, Laßbergs „Liedersaal“ ins Hochdeutsche zu übertragen.

17. Januar: Brief an Schücking: Übersendung des Manuskripts der *Gedichte* 1844 sowie (als Druckvorlage) einer überarbeiteten Fassung der *Gedichte* 1838 und der „Coelestina“ 1839 mit dem Abdruck von *Des alten Pfarrers Woche*. Schücking solle die Interpunktion der Gedichte besorgen. Sie überläßt Schücking die Auswahl von Gedichten für einen Vorabdruck im „Morgenblatt“. Beilage: ein heute verschollenes Blatt mit Anmerkungen zur Anordnung der Ausgabe und zu einzelnen Gedichten.

23. Januar: Schücking übersendet Cotta die Gedichte der Droste und bietet ihm den Verlag an. Er sei überzeugt, daß die Gedichte „Epoche machen“ würden. Er wolle die Redaktionsarbeiten selbst übernehmen. Die *Gedichte* 1838 sollten noch einmal aufgenommen werden; sie seien bei ihrer Erstauflage „binnen kurzer Zeit im Druckort und Umgebung vergriffen“ gewesen. Er schlägt ein Honorar von 4 Louis d‘ Or für einen Bogen von 16 Seiten vor. Als Proben für das „Morgenblatt“ empfiehlt er von den *Haidebildern*: *Die Lerche* und *Der Weiher*, von den *Zeitbildern*: *Alte und neue Kinderzucht* und *Ungastlich oder nicht?*, von den Balladen: *Der Schloß-Elf* sowie von den *Gedichten vermischten Inhalts*: *Die junge Mutter*.

27. Januar: Cotta teilt Schücking mit, daß ihm sehr am Verlag der Gedichte gelegen sei.

29. Januar: Schücking schließt im Auftrag der Droste mit Cotta den Verlagsvertrag für die *Gedichte* 1844 ab. Das Honorar beläuft sich auf 550 Gulden (ca. 313 Reichstaler) für eine erste Auflage von 1000 Exemplaren.

In der Folgezeit wird das Honorar durch Intervention Schückings mehrfach auf zuletzt 875 (= 500 Reichstaler) bei einer Auflage von 1 200 Exemplaren erhöht.

29. Januar: Beginn einer Erkrankung. Mehrtägige Unfähigkeit, das Zimmer zu verlassen.

Anfang Februar: Lektüre (nicht näher zu ermittelnder) Gedichte Uhlands oder Gustav Schwabs.

6. Februar: Brief von Schücking (Eingang): Mitteilung von Korrekturvorschlägen. Zum Ablauf der Verhandlungen mit Cotta. Er schlägt vor, die *Zeitbilder* an den Anfang der Ausgabe zu stellen, worauf die Droste eingeht.

Brief an Schücking: Sie sei über den Erfolg der Ausgabe *eben so zweifelhaft. . . wie Cotta selbst es nur irgend seyn kann. . .* Sie habe mit den *Gedichten* 1844 *noch lange, lange nicht das* erreicht, wonach sie *strebe, und immer gleich gewissenhaft streben werde. . .* Mitteilungen von Korrekturstellen zu einzelnen Gedichten und einer neuen Schlußstrophe von *Die Schmiede*. Ihre Probleme bei der Anordnung der Gedichte.

7. Februar: Brief an Schücking: Sie wolle nun *fleißig* am *Bei uns zu Lande* weiterarbeiten: *ich denke es wird gut. . . das Buch wird gewiß ein ganz Anderes als es vor zwey Jahren, wo ich den Entwurf machte, geworden wäre, und doch lag es auch damals wahrscheinlich nicht an meinen Kinderschuhen! aber die Manier Washington Irvings und einiger französischer Genremahler hatte doch mehr auf mich influirt, als ich mir bewußt war, und keine Manier hält vor. . .*

13. Februar: (Freiligrath): Deutsche Poesie. Frauenlyrik. Vom Rhein (Allgemeine Zeitung, Augsburg, Nr. 44, S. 347f.) (Hinweis auf die Vorbereitung der *Gedichte* 1844). Wiederabdruck in: Frankfurter Konversationsblatt, Frankfurt a.M., Nr. 56, 25.2.1844, S. 222–224. Der Hinweis geht auf Schücking zurück.

18. Februar: Bekanntschaft mit Robert und Philippa Pearsall, die auf Schloß Wartensee wohnen und für sieben Tage Meersburg besuchen. Freundschaft mit Philippa Pearsall. Die Droste liest ihr aus dem *Geistlichen Jahr* vor. Robert Pearsall erzählt eine Gespenstergeschichte, die die Droste später in einer Erzählung verwerten will.

20. Februar: Mit Pearsalls Besuch des Meersburger „Museums".

23. Februar: Mit Therese vDH und Pearsalls Besuch des von der Droste geschätzten Liebhabertheaters.

24. Februar: Brief von Schücking: Weitere Korrekturvorschläge für die *Gedichte* 1844.

25. Februar: Abreise der Pearsalls. Die Droste gibt Philippa Pearsall die ersten vier Kapitel des *Bei uns zu Lande* mit. Besuch Charlotte von Salm-Reifferscheidts auf der Meersburg. Abends Besuch des Liebhabertheaters.

Verlagsvertrag der Gedichtausgabe von 1844.

Für ihre zweite Gedichtausgabe lagen der Droste Angebote der Verlage Velhagen und Klasing, Aschendorff und Cotta vor. Die Vermittlung Schükkings und natürlich der Reiz, bei einem sehr bekannten Verlag zu publizieren, gaben schließlich den Ausschlag für Cotta. Daß es bei aller Bescheidenheit der Droste zu dem sehr ansehnlichen Honorar von 500 preußischen Talern kam, war auf Schückings hartnäckige Verhandlungsführung mit Cotta zurückzuführen.

28. Februar: Besuch des Liebhabertheaters. Gespielt wird Ludwig Schneider: Heurathsantrag auf Helgoland.

Ende Februar: Laßberg bittet die Droste, Konrad von Würzburgs Versnovelle „Heinrich von Kempten“ ins Hochdeutsche zu übertragen. Die Droste rechnet für die Arbeit, die sie Laßberg nicht abschlagen will, etwa 14 Tage ein. Es entstehen 66 Verse dieser Übertragung.

Ende Februar/März: Brief von Georg von Cotta: Cotta führt an, daß selbst Uhland und Lenau für ihre Gedichte ein geringeres Honorar erhalten hätten als die Droste. Er stellt für eine zweite Auflage 1000 Reichstaler Honorar in Aussicht.

Februar-April: Mehrere Besuche des Liebhabertheaters. Die Droste fertigt Notizen zu einzelnen Stücken an.

März: Es entstehen: *Gemüth*; *Mondesaufgang*; *Sylvesterabend*; *Der sterbende General.*

Mondesaufgang

An des Balkones Gitter lehnte ich
Und wartete, du mildes Licht, auf dich;
Hoch über mir, gleich trübem Eiskrystalle,
Zerschmolzen schwamm des Firmamentes Halle,
Der See verschimmerte mit leisem Dehnen,
– Zerflossne Perlen oder Wolkenthränen? –
Es rieselte, es dämmerte um mich,
Ich wartete, du mildes Licht, auf dich!

Hoch stand ich, neben mir der Linden Kamm,
Tief unter mir Gezweige, Ast und Stamm,
Im Laube summte der Phalänen Reigen,
Die Feuerfliege sah ich glimmend steigen;
Und Blüthen taumelten wie halb entschlafen;
Mir war, als treibe hier ein Herz zum Hafen,
Ein Herz, das übervoll von Glück und Leid,
Und Bildern seliger Vergangenheit.

Das Dunkel stieg, die Schatten drangen ein, –
Wo weilst du, weilst du denn, mein milder Schein! –
Sie drangen ein, wie sündige Gedanken,
Des Firmamentes Woge schien zu schwanken,

Verzittert war der Feuerfliege Funken,
Längst die Phaläne an den Grund gesunken,
Nur Bergeshäupter standen hart und nah,
Ein düstrer Richterkreis, im Düster da.

Und Zweige zischelten an meinem Fuß,
Wie Warnungsflüstern oder Todesgruß,
Ein Summen stieg im weiten Wasserthale
Wie Volksgemurmel vor dem Tribunale;
Mir war, als müsse Etwas Rechnung geben,
Als stehe zagend ein verlornes Leben,
Als stehe ein verkümmert Herz allein,
Einsam mit seiner Schuld und seiner Pein.

Da auf die Wellen sank ein Silberflor,
Und langsam stiegst du, frommes Licht, empor;
Der Alpen finstre Stirnen strichst du leise,
Und aus den Richtern wurden sanfte Greise,
Der Wellen Zucken ward ein lächelnd Winken,
An jedem Zweige sah ich Tropfen blinken,
Und jeder Tropfen schien ein Kämmerlein,
Drin flimmerte der Heimathlampe Schein.

O Mond, du bist mir wie ein später Freund,
Der seine Jugend dem Verarmten eint,
Um seine sterbenden Erinnerungen
Des Lebens zarten Widerschein geschlungen,
Bist keine Sonne, die entzückt und blendet,
In Feuerströmen lebt, in Blute endet, –
Bist, was dem kranken Sänger sein Gedicht,
Ein fremdes, aber o ein mildes Licht!

1.-3. März: Eine Besucherin nimmt die Droste gänzlich in Anspruch.

2. März: . . .*mir träumte den 2ten März 1844 als ich Nachmittags in Meersburg schlief: ich lese voran in Booz* ‹d. i. Charles Dickens› *Werken. . .* (Notiz im Nachlaß).

3. März: Besuch Charlotte von Salm-Reifferscheidts auf der Meersburg.

4. März: Brief an Luise (und Levin) Schücking: Sie wolle als Ausgleich für Cottas Honorarerhöhungen eine Zeitlang unentgeltlich

Gedichte ans „Morgenblatt“ geben: *es liegt mir doch allerley im Sinne, was ich nur heraus schreiben muß um es los zu werden, und dann doch nichts Anderes damit anzufangen weiß, da es sich meiner gegenwärtigen größeren Arbeit ‹Bei uns zu Lande› nicht anpassen läßt. – z. B. Stoffe zu kleineren Gedichten (5–6 Strophen) die mich plagen, und wo es auch Schade wäre wenn ich sie verkommen ließ, da sie mir zusagen. . .* Ihre Bekanntschaft mit Charlotte von Salm-Reifferscheidt und Philippa Pearsall. Anfrage, ob Schücking Gedichte für den von ihm und Geibel geplanten Musenalmanach (auf 1845) wünsche. Bitte an Luise Schücking, ihren Mann bei der Redaktion der *Gedichte* 1844 zu unterstützen.

6. März: Besuch des Liebhabertheaters.

8. März: Besuch des Liebhabertheaters. Gespielt wird: Charlotte Birch-Pfeiffer: Scheibentoni.

13. März: Besuch des Liebhabertheaters. Gespielt wird Roderich Benedix: Doktor Wespe.

Etwa 15. März: Brief von Elise Rüdiger: Sie plane im April/Mai einen achttägigen Besuch auf der Meersburg.

17. März: Besuch bei Charlotte von Salm-Reifferscheidt in Hersberg.

Erwähnt in: Anonym: Eine ausländische Stimme über deutsche Frauenliteratur (Der Komet, Leipzig, Nr. 11).

19. März: Besuch des Liebhabertheaters.

Es entstehen (als Geschenke der Laßberg-Kinder) zum Josephstag (19.3.): *Auch ich bin mit meiner Gabe hier. . .*; *Wärm dir, wärm deine liebe Hand. . .*

22. März: Karl Gödeke: Kritische Übersichten. I. (Die Posaune, Hannover, Nr. 35, S. 137f.) Hinweis auf die Drucklegung der *Gedichte* 1844.

Nach 22. März: Anonym: Der Ostermeßkatalog (Anz. *Gedichte* 1844) (Europa, Karlsruhe, Bd. 3, S. 82).

Anonym: Revue des Oster-Meßkatalogs (!) 1844. Hierin werden die *Gedichte* 1844 fälschlich als bereits erschienen angezeigt (Literarische Monatsschrift, Coesfeld, 1, Bd. 2, S. 184–193). Über die Droste S. 188.

24. März: Besuch Charlotte von Salm-Reifferscheidts auf der Meersburg.

An Schücking: Besorgte Anfrage, warum Sch. sie ohne Nachricht lasse (die Droste vermutet Differenzen zwischen ihm und Cotta oder Schwierigkeiten beim Druck der *Gedichte* 1844). Sie habe für das „Morgenblatt“ *schon ein halbes Dutzend Gedichte* verfaßt.

Vermeintliches Selbstporträt der Droste. Meersburger Nachlaß.

Im Nachlaß der Droste findet sich diese fast unbekannte, schon sehr verblichene Zeichnung der Droste, die ein Selbstporträt zu sein scheint.

28. März: Jenny von Laßberg berichtet in einem Familienbrief: „Nette sitzt neben mir und singt eine Arie um die andere, es geht ihr wohl und sie ist sehr munter. . . So große Freude mir das Hiersein von Mama und Nette ist, so große Sorge macht es mir, daß die Zeit schon bald vorüber ist, zwar hoffe ich sie bis in den Sommer aufzuhalten, aber vor dem Herbst wollen sie fort. . ."

31. März: Brief von Schücking (Eingang): Zusendung der ersten Druckbogen der *Gedichte* 1844. Zusendung seines Schauspiels „Günther von Schwarzenburg", das die Droste für den Druck kritisch durchsehen möge. Seine Anstellung bei der Augsburger „Allgemeinen" sei so gut wie gesichert. Bitte um Beiträge der Droste für den von ihm und Geibel geplanten Musenalmanach auf 1845.

Frühjahr: Erwähnt in: Johannes Scherr: Poeten der Jetztzeit in Briefen an eine Frau (1844).

März/April: Es entstehen: *Einer wie Viele, und Viele wie Einer*; *Mein Steckenpferd oder Uhren*; *Der Nachtwandler*.

April: Es entsteht: *Doppeltgänger*.

1.-3. April: Lektüre von Schückings Schauspiel „Günther von Schwarzenburg". Teilnahme am Empfang von Besuchern.

2. April: Erwähnt in: Anonym: Die Dombausteine von Lewald (Rez. Schücking, Das Stiftsfräulein. Ein Roman) (Kölnische Zeitung, Köln, Nr. 93). Beim Urteil über „Das Stiftsfräulein", das unter Mithilfe der Droste entstand, könnten Anspielungen auf die Beziehung der Droste zu Schücking vorliegen.

3. April: Brief an Elise Rüdiger: Mitteilung vom bevorstehenden Besuch des Ehepaars Schücking auf der Meersburg. Negative Charakterisierung Luise Schückings, der sie Verstellung vorwirft. Schückings literarischer Ruhm sei noch immer gering, während er selbst *vergnügt wie ein König* sei und *ein Luftschloß ums andre* baue. Vernichtendes Urteil über Schückings literarische Arbeiten. Schücking lebe über seine Verhältnisse. . . .*was meinen Sie? sollen wir zusammen, unter eigenen Namen, einen Band von sechs Erzählungen heraus geben. – drey Sie, drey Ich? – ich denke mir Cotta nähm ihn, und würde ihn auch ordentlich bezahlen.– Sie dürfen mir Ihre Zustimmung nur aussprechen, so fange ich morgen an.*

4. April: Anzeichen einer neuerlichen Erkrankung verhindern die Abfassung weiterer Gedichte, zu denen bereits eine konkrete Vorstellung besteht.

8. April: Besuch Charlotte von Salm-Reifferscheidts auf der Meersburg. Besuch des Liebhabertheaters.

12. April: Besuch Charlotte von Salm-Reifferscheidts auf der Meersburg.

12./13. April: Besuch Emma von Gaugrebens auf der Meersburg.

13. April: Mit Charlotte von Salm-Reifferscheidt Besuch des Liebhabertheaters in Meersburg. Gespielt wird „Der Mahler und sein Kind".

14. April: Besuch des Liebhabertheaters. Gespielt werden eine Szene aus Mozarts „Don Giovanni" und ein Ritterschauspiel.

16. April: Teilnahme an einer Festlichkeit im „Schützen".

17. April: Brief an Schücking: Zusendung der Gedichte *Der sterbende General*; *Mondesaufgang*; *Gemüth*; *Sylvesterabend*; *Einer wie Viele und Viele wie Einer*; *Der Nachtwandler*. Schücking möge unter den Lesarten auswählen. Sie habe zu weiteren sechs bis acht Gedichten bereits eine konkrete Vorstellung und einzelne Strophen verfaßt: *ich mache. . . die Dinger doch noch fertig, da sie mir mahl im Kopfe rumoren. . .* Schücking möge die Reihenfolge der Gedichte nicht verändern. Mitteilung von Druckfehlern in den ersten fünf Druckbogen der *Gedichte* 1844.

26. April: Brief von Schücking: Dank für die übersandten Gedichte. Das Zustandekommen des von Geibel und ihm geplanten Musenalmanachs für 1845 sei noch ungesichert. Sein Meersburgbesuch könne sich vielleicht verschieben. Er wolle weitere Druckbogen der *Gedichte* 1844 gemeinsam mit der Droste auf der Meersburg durchsehen.

Mai: Es entstehen: *Halt fest!*; *An einen Freund*; *Die todte Lerche*; *Lebt wohl*; *Das Ich der Mittelpunkt der Welt*; *Spätes Erwachen*; *Der Dichter – Dichters Glück* (*Locke nicht, du Strahl aus der Höh'. . .*).

4. Mai: Besuch des Gasthauses „Zum Frieden".

5. Mai: Besuch Charlotte von Salm-Reifferscheidts auf der Meersburg.

6. Mai: Ankunft Levin und Luise Schückings. Schücking stellt eine erhebliche Schwächung der Gesundheit der Droste gegenüber seiner letzten Begegnung mit ihr (2.4.1842) fest. Sie macht auf ihn einen „melancholischen Eindruck". Die Droste nimmt an mehreren kleinen Ausflügen, die Laßbergs und das Ehepaar Schücking unternehmen, nicht teil.

Nach Mutmaßungen Elise Rüdigers soll es bei diesem Besuch zu einer Verstimmung gekommen sein, als Schücking und seine Frau sich der Droste gegenüber rücksichtslos benommen hätten.

Vielleicht habe Luise Schücking den Gesang der Droste getadelt, wodurch diese habe sehr getroffen werden können. Die Droste ihrerseits habe den Gesang Luise Schückings als „laut“ und „falsch“ bezeichnet.

Nach 6. Mai: Mit Schückings Besuch des Gasthofes „Zur Traube“.

9. Mai: Besuch bei der Fürstin von Salm-Reifferscheidt in Hersberg.

10. Mai: Levin und Luise Schücking sind zum Essen auf die Meersburg eingeladen.

14. Mai: Besuch des Fürstenhäuschens. Schückings sind zum Essen auf die Meersburg eingeladen.

16. Mai: Schückings sind zum Kaffee auf die Meersburg eingeladen.

19. Mai: Schückings verbringen den Abend auf der Meersburg.

20.-25. Mai: Schückings unternehmen einen Ausflug in die Schweiz.

21. Mai: Ausflug nach Konstanz. Dort Übernachtung.

22. Mai: Weiterfahrt nach Wartensee zum Besuch bei Robert und Philippa Pearsall.

24. Mai: Es entsteht zum 24.5.1844: *An Philippa. Wartensee, den 24. May*. Rückkehr von Wartensee.

27. Mai: Schückings sind zum Essen auf die Meersburg eingeladen.

30. Mai: Schückings sind zum Essen auf die Meersburg eingeladen. Abends Abreise der Schückings. Die Droste gibt Schücking die Gedichte *Das Ich der Mittelpunkt der Welt*, *Spätes Erwachen*, *Die todte Lerche*, *Lebt wohl* und *An einen Freund* für den Abdruck im „Morgenblatt“ mit.

9. Juni: Besuch Charlotte von Salm-Reifferscheidts auf der Meersburg.

Mitte Juni: Erkrankung an *nervösem Husten*. Vorübergehendes Verbot, das Zimmer zu verlassen. Die Erkrankung trifft die Droste in einer literarisch produktiven Phase.

Etwa zu dieser Zeit: Die Droste fertigt nach Abschluß der Arbeit an den *Gedichten* 1844 auf der Suche nach verwertbaren Stoffen und Motiven Notizen zu der im Meersburger „Museum“ ausliegenden Zeitschrift „Didaskalia. Blätter für Geist, Gemüth und Publizität“ (Hrsg.: J.L. Heller) an.

15. Juni: Brief von Luise (und Levin) Schücking (Eingang): Zusendung von Geschenken. Mitteilung, daß die Droste in Johan-

An Philippa

(Wartensee, den 24. Mai 1844)

Im Osten quillt das junge Licht,
Sein goldner Duft spielt auf den Wellen,
Und wie ein zartes Traumgesicht
Seh ich ein fernes Segel schwellen;
O könnte ich der Möwe gleich
Umkreisen es in lust'gen Ringen!
O wäre mein der Lüfte Reich,
Mein junge, lebensfrische Schwingen!

Um dich, Philippa, spielt das Licht,
Dich hat der Morgenhauch umgeben,
Du bist ein liebes Traumgesicht
Am Horizont von meinem Leben;
Seh deine Flagge ich so fern
Und träumerisch von Duft umflossen,
Vergessen möcht' ich dann so gern,
Daß sich mein Horizont geschlossen,

Vergessen, daß mein Abend kam,
Mein Licht verzittert' Funk' an Funken,
Daß Zeit mir längst die Flagge nahm
Und meine Segel längst gesunken;
Doch können sie nicht jugendlich
Und frisch sich neben deinen breiten,
Philippa, lieben kann ich dich
Und segnend deine Fahrt geleiten.

nes Scherrs „Poeten der Jetztzeit in Briefen an eine Frau" (1844) erwähnt werde.

Auf dem Umschlag zu diesem Brief erwähnt die Droste Eugène Sues Werk „Les Mystères de Paris" (10 Bde., 1842/43).

17. Juni: Elise Rüdiger sagt ihren Meersburgbesuch ab.

18. Juni: Besuch des Gasthauses „Zum Frieden".

Brief an Levin und Luise Schücking: *ich bin sehr fleißig, lese, lerne, zeichne, habe aber zum Dichten erst die halbe Stimmung wieder gewonnen,– ich finde eben keine Theilnahme, weiß nicht wem ich Freude damit machen könnte, und so möchte ich es lieber blos denken,– doch habe ich gestern und vorgestern wieder Einiges zu Stande gebracht, und hoffe nun im Zuge zu bleiben.* Urteile über Werke Schückings und seiner Frau. Über die Bemerkungen über sie in Scherrs „Poeten der Jetztzeit. . .'

23. Juni: Besuch Charlotte von Salm-Reifferscheidts auf der Meersburg.

31. Juni-2. Juli: Aufenthalt bei Charlotte von Salm-Reifferscheidt in Hersberg.

Juli: Guter Gesundheitszustand. Musikalische Betätigung.

8. Juli: Besuch Charlotte von Salm-Reifferscheidts auf der Meersburg.

24. Juli: Besuch des Fürstenhäuschens.

27. Juli: Besuch Charlotte von Salm-Reifferscheidts auf der Meersburg.

Juli/August: Es entsteht: *Gastrecht.*

August: Es entsteht: *Die Golems.*

Etwa August: Es entsteht: *Grüße.*

2. August: Brief an August von Haxthausen: Die *Gedichte* 1844 würden bald erscheinen. *Es ist seltsam, wie man an Einem Orte (hier in Oberdeutschland, Sachsen et cet) so gut angesehn und zugleich an einem andern (Westphalen) durchgängig schlimmer als übersehn seyn kann! – ich muß mich mehr als ich selber weiß der schwäbischen Schule zuneigen.* Über *Bei uns zu Lande*: *Zunächst erscheint. . . wohl mein Buch über Westphalen, was freylich noch lange nicht fertig ist, aber ich schreibe schnell wenn ich. . . in Rüschhaus zur Ruhe gekommen bin. Gott gebe, daß mir Stimmung und passable Gesundheit bleiben. . .*

3. August: Besuch Robert Pearsalls auf der Meersburg.

4. August: Ausflug nach Sulgen. Besuch Charlotte von Salm-Reifferscheidts auf der Meersburg.

5. August: Ankunft Werner vDHs, um Therese vDH und die Droste nach Rüschhaus abzuholen.

Besuch bei Charlotte von Salm-Reifferscheidt in Hersberg.

10. August: Es erscheint: *Das Ich der Mittelpunkt der Welt* (Morgenblatt Nr. 192).

Besuch Charlotte von Salm-Reifferscheidts auf der Meersburg.

12. August: Besuch des Fürstenhäuschens und des Gasthauses „Zum Frieden".

14. August: Besuch des „Glaserhäuschens".

16. August: Es erscheint: *Spätes Erwachen* (Morgenblatt Nr. 197).

23. August: Ausflug nach Konstanz und zur Insel Mainau.

25. August: Abreise Werner vDHs. Therese vDH und die Droste verlängern ihren Aufenthalt.

26./27. August: Die Droste ist durch Besucher in Anspruch genommen.

27. August: Brief an Philippa Pearsall: Zusendung des am selben Tag entstandenen Widmungsgedichts für Philippa Pearsall *So muß ich in die Ferne rufen. . .*

28. August: Es erscheinen: *Die todte Lerche*; *Lebt wohl* (Morgenblatt Nr. 207).

3. September: Brief von Georg von Cotta: Anweisung des Honorars für die *Gedichte* 1844. Zusendung von 18 Freiexemplaren. Er fügt als Geschenke Neuauflagen seines Verlags bei.

4. September: Beginn eines 3wöchigen Aufenthalts von Guido Görres und seiner Frau Maria geb. Vespermann auf der Meersburg. Freundschaft mit Marie Görres, deren musikalisches Talent die Droste bewundert. Görres verfaßt während seines Aufenthaltes das Gedicht „An die alte Meersburg", das die Droste vertont. Die Droste überläßt Görres die *Westphälischen Schilderungen* für die von ihm herausgegebenen „Historisch-politischen Blätter".

10. September: Schücking teilt Cotta mit, daß er aufgrund seiner Freundschaft mit der Droste die *Gedichte* 1844 nicht selbst besprechen wolle. Er schlägt Hermann Hauff oder Gustav Kühne als Rezensenten vor.

Etwa 14. September: Es erscheinen die *Gedichte 1844* (Stuttgart und Tübingen: J.G. Cotta'scher Verlag).

In der Folgezeit erscheinen, u.a. im „Westfälischen Merkur" mehrere Werbeanzeigen der Ausgabe. Schücking schickt Freiligrath ein Exemplar der *Gedichte* 1844. Dieser weist seine Bekannten empfehlend auf die Ausgabe hin.

14. September: Es erscheinen: *Mein Beruf; Das Haus in der Haide* (Morgenblatt Nr. 222) (aus *Gedichte* 1844).

Anonym (Rez.): Gedichte von Annette Freiin von Droste-Hülshoff (Morgenblatt Nr. 222).

Etwa 15. September: Brief an Jenny von Laßberg (die Droste formuliert wörtlich einen Brief vor, den ihre Schwester im Namen der Droste an Schücking schreiben soll): Anfrage, weshalb noch keines der Gedichte, die die Droste Schücking am 30. 5. 1844 für das „Morgenblatt“ mitgegeben habe, erschienen sei (vgl. aber 10.8.1844, 28.8.1844). Ankündigung ihrer baldigen Abreise von Meersburg. Bitte, *Lebt wohl* nicht im „Morgenblatt“ abzudrucken (bereits am 28.8.1844 erschienen), weil das Gedicht zu persönlich sei.

16. September: Brief von Schücking: Mitteilung, daß die *Gedichte* 1844 erschienen seien. Ankündigung einer Rezension der Ausgabe in der „Allgemeinen“, vermutlich durch Kühne. Seine Tätigkeit bei der „Allgemeinen“. Über seine Begegnungen mit Gutzkow und Dingelstedt. Freiligrath, der in Ostende wohne, sei im Begriff, die Gedichtsammlung „Ein Glaubensbekenntniß“ (1844) herauszugeben.

Es erscheinen: *Meine Todten*; *Vor 40 Jahren* (Morgenblatt Nr. 223) (aus *Gedichte* 1844).

19. September: Adele Schopenhauer zieht zu Sibylle Mertens nach Genua.

22. September: Schücking übersendet Laßbergs zwei Exemplare der *Gedichte* 1844 (Eingang).

23. September: Mit Therese vDH Abreise von Meersburg. Mit der Kutsche Fahrt über Schramberg bis Hornberg (Übernachtung).

24. September: Weiterfahrt bis Offenburg und von dort mit der Eisenbahn bis Mannheim (Übernachtung). Der Plan zu einem Aufenthalt in Trier bei Max von Kerkering-Borg, der gleichzeitig zur Besichtigung des „Trierer Rockes“ genutzt werden soll, wird aus finanziellen Gründen aufgegeben.

Es erscheint: *Der Säntis* (Morgenblatt Nr. 230) (aus *Gedichte* 1844).

25. September: Fortsetzung der Reise per Schiff bis Düsseldorf. Übernachtung im Gasthof „Zum Weinberge“. Unterwegs zieht sich die Droste ein länger andauerndes *Kopfweh* zu.

26. September: Weiterfahrt *zu Lande. . . ohne auszusteigen* über Haltern bis Dülmen, wo Station gemacht wird und die Droste Goldschmiede aufsucht. Abends spät Fahrt über Münster und Ankunft im Rüschhaus im erkrankten Zustand. Die Droste findet ihre Amme krank vor und übernimmt ihre Pflege, was sie gesundheitlich weiter angreift.

Etwa 27. September: Brief an Schücking: Sie begrüßt seinen Vorschlag, die *Gedichte* 1844 nicht von ihm selbst in der Augsburger „Allgemeinen“ rezensieren zu lassen.

28. September: Es erscheint: *Die Krähen* (1.Teil) (Morgenblatt Nr. 234) (aus *Gedichte* 1844).

30. September: Es erscheint: *Die Krähen* (2.Teil) (Morgenblatt Nr. 235) (aus *Gedichte* 1844).

September/Oktober: Es entsteht: *Im Grase*.

Herbst: Vermutliche Lektüre: Freiligrath: Ein Glaubensbekenntniß (1844).

Anonym: Kurze Notizen. Literatur (Rez. *Gedichte* 1844) (Deutsche Vierteljahrs Schrift, Stuttgart/Tübingen, Jg. 1844, H. 3, S. 409).

Oktober: Eine Erkrankung verhindert Besuche in Münster. Die Droste übersendet (vermutlich über Elise Rüdiger) *Grüße*, *Im Grase* und *Die Golems* an das Feuilleton der „Kölnischen Zeitung".

Arbeit an *Joseph*. Vorerst Aufgabe des Plans zur Weiterarbeit am *Bei uns zu Lande*.

Anfang Oktober: Besuch Junkmanns im Rüschhaus.

Nach Anfang Oktober: Junkmann schließt sich in Bonn, wo er sich auf seine Promotion vorbereitet, zum Mißfallen der Droste dem spätromantischen liberalen Dichterverein Johanna und Gottfried Kinkels, dem „Maikäferbund", an.

4. Oktober: Justinus Kerner berichtet Cotta, daß ihm *Die Krähen* (Morgenblatt 28. u. 30.9.1844) unverständlich erschienen seien.

7. Oktober: Brief von Schücking: Zedlitz sei von den *Gedichten* 1844 begeistert und wolle eine Rezension in der Augsburger „Allgemeinen" verfassen. Außer mit den Gedichten der Droste sei „die Welt" mit „Freiligraths „Glaubensbekenntniß" und Heines „Neuen Gedichten" (1844) beschäftigt.

10. Oktober: Es erscheinen: *Poesie*; *Ein harter Wintertag* (aus dem Zyklus *Am Weiher* b) (Morgenblatt Nr. 244) (aus *Gedichte* 1844).

21. Oktober: Freiligrath teilt Carl Heuberger mit, daß er in den *Gedichten* 1844 „viel Schönes, Tiefes, Inniges – daneben aber auch viel Unklarheit und Verworrenheit" finde. Die Stärke der Autorin liege in ihrem „Natursinn" und der „Virtuosität im Schildern westphälischer Moor- und Haidegegenden".

30. Oktober: Brief an Cotta: Dank für Cottas Buchgeschenke vom 3.9., insbesondere für die Gedichtausgaben von Lenau und Zedlitz, die in Münster nicht erreichbar seien. Sie habe vorgehabt, Cotta auf dem Rückweg von Meersburg in Stuttgart aufzusuchen, was jedoch nicht möglich gewesen sei. Sie hoffe auf eine spätere persönliche Begegnung mit ihm.

Brief von Schücking (Eingang): Hüffer (Aschendorffsche Buchhandlung) erhebe Regreßansprüche, weil in den *Gedichten* 1844

Im Grase

Süße Ruh', süßer Taumel im Gras,
Von des Krautes Arom umhaucht,
Tiefe Flut, tief, tief trunkne Flut,
Wenn die Wolk' am Azure verraucht,
Wenn aufs müde schwimmende Haupt
Süßes Lachen gaukelt herab,
Liebe Stimme säuselt und träuft
Wie die Lindenblüth' auf ein Grab.

Wenn im Busen die Todten dann
Jede Leiche sich streckt und regt,
Leise, leise der Odem zieht,
Die geschloss'ne Wimper bewegt,
Todte Lieb', todte Lust, todte Zeit,
All die Schätze, im Schutt verwühlt,
Sich berühren mit schüchternem Klang
Gleich den Glöckchen, vom Winde umspielt.

Stunden, flücht'ger ihr als der Kuß
Eines Strahls auf den trauernden See,
Als des zieh'nden Vogels Lied,
Das mir niederperlt aus der Höh',
Als des schillernden Käfers Blitz
Wenn den Sonnenpfad er durcheilt,
Als der flücht'ge Druck einer Hand,
Die zum letzten Male verweilt.
Dennoch, Himmel, immer mir nur
Dieses Eine nur: für das Lied
Jeden freien Vogels im Blau
Eine Seele, die mit ihm zieht,
Nur für jeden kärglichen Strahl,
Meinen farbig schillernden Saum,
Jeder warmen Hand meinen Druck
Und für jedes Glück meinen Traum.

fast alle Gedichte der *Gedichte* 1838 ohne seine verlagsrechtliche Zustimmung abgedruckt seien.

31. Oktober: Brief an Schücking: Antwort auf Schückings Brief: Sie habe aus geschäftlicher Unkenntnis nicht bei Hüffer um die Wiederabdruckgenehmigung nachgesucht. Hüffer habe sie mit der Angabe, die *Gedichte* 1838 seien fast vergriffen, fehlinformiert; sie bedauere, daß Schückings diesbezügliche Äußerung bei Cotta nun nach Täuschung aussehe.

Jetzt auch einige Worte von m e i n e m Treiben. Mit den Erzählungen ‹für den gemeinsam mit Elise Rüdiger geplanten Erzählband› *will es nicht recht voran, ich bin noch an der ersten ‹Joseph›,– recht schöner Stoff, aber nicht auf westphälischem Boden, und nun fehlen mir alle Quellen, Bücher wie Menschen, um mir wegen der Localitaeten Raths zu erholen. . . Hätte ich diese Erzählungen nicht versprochen – und bald – ich ließ sie wenigstens vorläufig ruhn, nun aber quäle ich mich umsonst ab, wie ein im Traum Laufender. Zwischendurch mache ich Gedichte – die gerathen gut, ich werde sie aber zum theile ins Cölner Feuilleton geben müssen, und zwar umsonst, um eine schlechte Erzählung der Frau von Hohenhausen flott zu machen* ‹gemeint ist ihre Überarbeitung von Elise von Hohenhausens Erzählung „Die Gattin. Eine Alltagsgeschichte“, die im April 1845 zeitgleich mit *Volksglauben in den Pyrenäen* erscheint›. Bitte um Nachricht über Lenau nach dessen Tobsuchtsanfall vom 12./13.10.1844.

Nach 31. Oktober: Hüffer fordert von der Droste 63 Reichtaler für 172 nicht verkaufte Exemplare der *Gedichte* 1838, die er der Droste schickt.

4. November: Schücking teilt Cotta mit, daß Zedlitz ihm eine Rezension der *Gedichte* 1844 zugesagt habe. Zedlitz sei von den *Gedichten* sehr angetan.

14. November: Es erscheint: *Grüße* (Kölnische Zeitung, Köln, Nr. 319).

21. November: Adelheid Stolterfoth äußert sich Freiligrath gegenüber positiv über die *Gedichte* 1844.

24. November: Es erscheint: *Im Grase* (Kölnische Zeitung, Köln, Nr. 329).

26. November: (Joseph Christian von Zedlitz): Zur neuesten deutschen Poesie. Gedichte der Freiin Annette von Droste-Hülshoff (Allgemeine Zeitung, Augsburg, Nr. 331, Beilage S. 2641–2643).

November/Dezember: Gelegentliche Augenschwäche. Die Droste nimmt sich vor, sich gesundheitlich mehr zu schonen.

Dezember: Die Droste versucht, einer Bekanntschaft mit der nach Münster verzogenen Schriftstellerin und Taschenbuchherausgeberin Mathilde Franzisca von Tabouillot auszuweichen, da sie befürchtet, von dieser fortwährend um Beiträge und finanzielle Unterstützung gebeten zu werden.

Arbeit an einem gemeinsam mit Elise Rüdiger geplanten Erzählband. Hierzu Beschäftigung mit *Joseph.*

(Ignaz Hub?): Rez. *Gedichte* 1844 (Deutsches Familienbuch, Karlsruhe, Nr. 2122, S. 392).

Erwähnt in: Edmund Zoller: Stuttgart (Korrespondenz) (Jahreszeiten, Hamburg, Dezember 1844, Sp. 1253).

Dezember: Lektüre von M.A. Thiers: Situation de la Belgique aus ders: Histoire de la Révolution française (10 Bde., 1823–1830). Die Lektüre steht im Zusammenhang mit der Arbeit an *Joseph.* Die Droste fertigt in der Folgezeit Auszüge aus dem Buch an.

11. Dezember: Freiligrath teilt Schücking sein Urteil über die *Gedichte* 1844 mit. Die Droste sei „trotz ihrer heraldischen und Rococoliebhabereien eine rechte, echte Dichterin. Sie weiß einem nicht nur die Phantasie in Brand zu stecken, sondern rührt, wenn sie will, auch das Herz; *Des alten Pfarrers Woche*, *Die beschränkte Frau* und solche Sachen sind mir über alles lieb geworden. Das sind Stücke, auf die man immer gern zurückkommt. Sonst hat mich auch manches in dem dicken Bande choquirt."

12. Dezember: Brief an Elise Rüdiger: Die Rezension der *Gedichte* 1844 vom 26.11. Über ihre Lektüre des Buches von Thiers. Über einen möglichen Umzug Elise Rüdigers nach Minden: *Aber, lieb Herz, was schreiben Sie mir von der Möglichkeit einer Trennung! glaubte ich es so würde mir todtangst. . . Geschähe es indessen so wären wir Beyde allerdings übel daran, – Ich noch mehr wie Sie, denn in Ihrem Alter schließt man sich noch leichter an. . . aber i c h wäre in der That recht sehr verlassen,– Schlüters kommen so gar nicht mehr. . . ich kann leider nur noch wenig von ihnen erwarten. – So sind Sie, mein Lies, unter allen Selbstgewählten, mir als das Liebste und Letzte geblieben, und ich müßte ohne Sie gleichsam von meinem eigenen Blute zehren.*

Nach dem 12. Dezember: Beginn einer längeren Erkrankung.

15. Dezember: Es erscheint: *Die Golems* (Kölnische Zeitung, Nr. 350).

20. Dezember: Brief von Schücking: Mitteilung von der Geburt seines Sohnes Lothar (19.12.), auf den die Droste ein Gedicht verfassen soll. Einladung an die Droste zu einem Besuch in Augsburg.

Der Knabe im Moor.

~~Schaurig~~
O schaurig ist's übers Moor zu gehn,
Wenn es wimmelt vom Haiderauche,
Sich wie ~~Gespenster~~ Phantome die Dünste drehn,
Und die Ranke häkelt vom Strauche,
Unter jedem Tritte ein Quellchen springt,
Wenn aus der Spalte es zischt und singt,
O schaurig ist's übers Moor zu gehn
Wenn das Röhricht knistert im Hauche!

Fest hält die Fibel das zitternde Kind,
Und rennt als ob man es jage,
Hohl über die Fläche sauset der Wind,
Was raschelt drüben am Hage?
Das ist der gespenstige Gräberknecht,
Der dem Meister die besten Torfe verzecht,
Hu, hu, es bricht wie ein irres Rind!
Hinducket das Knäblein zage.

Vom Ufer starret Gestumpf hervor,
Unheimlich nicket die Föhre,
Der Knabe rennt, gespannt das Ohr,
Durch Riesenhalme wie Speere;
Und wie es rieselt und knittert darin!
Das ist die unselige Spinnerin,
Das ist die gebannte Spinnlenor,
Die den Haspel dreht im Geröhre!

Reinschrift von „Der Knabe im Moor“.

Bitte um Urteil über Freiligraths „Glaubensbekenntiß“. Vorschlag zur Lektüre von Adalbert Stifters „Studien“ (2 Bde., 1844). Die Rezension der *Gedichte* 1844 vom 26.11.1844. Ankündigung einer Rezension der *Gedichte* 1844 durch Gustav Kühne.

21. Dezember: Laßberg urteilt gegenüber Franz Pfeiffer überwiegend kritisch über die *Gedichte* 1844. Er bittet im Namen der Droste um ein Autograph Uhlands.

22. Dezember: Es erscheint: *Die beschränkte Frau* (Westfälischer Merkur, Münster, Zugabe: „Unterhaltungsblatt“ Nr. 51) (aus *Gedichte* 1844).

28. Dezember: (Eugen Christoph Benjamin Kühnast): Annette Freiin von Droste-Hülshoff (Rez. *Gedichte* 1844) (Westfälischer Merkur, Münster, Nr. 310; die angekündigte Fortsetzung des Artikels bleibt aus). Die Droste hält anfänglich Schlüter für den Verfasser der *ungemein parteiischen* Rezension.

Winter/Frühjahr: Die Droste widmet sich der Krankenpflege ihrer Amme und des in Münster erkrankten Friedrich von Haxthausen.

1844/1845: Lektüre: Bertold Auerbach: Schwarzwälder Dorfgeschichten (1843).

1845

Anth.: Es erscheint: *Der Graf von Thal* (Poetischer Hausschatz des deutschen Volkes. . . Hrsg.: O.L.B. Wolff, Leipzig ^{7}1845) Wiederabdruck. Vermutlich weitere Werke der Droste ebd.: Supplementband.

Anth.: Es erscheint: *Das Ich der Mittelpunkt der Welt*; *Das Haus in der Haide* (Deutsches Dichterbuch, Hrsg.: L. Bechstein, Leipzig [1845]). Wiederabdrucke.

Erwähnt in: (Joseph Eduard Braun): Literarische Umschau (Rez. *Gedichte* 1844) (Das neue Europa, Leipzig, Bd. 1, 1845, Lfg. 21. Artistische Beilage, 16, S. 332f.).

Erwähnt in: A(ugust) F(riedrich) C(hristian) Vilmar: Vorlesungen über die Geschichte der deutschen National-Literatur, Marburg, Leipzig 1845, S. 653.

Januar: Weiterarbeit an *Joseph*.

Anfang Januar: Der Anthologist Ignaz Hub bittet die Droste um ein biographisches Kurzporträt, mit dem er sie in seiner Anthologie „Deutschland's Balladen und Romanzen Dichter" vorstellen wolle.

Anfang Januar: Mehrtägige Übelkeit.

2. Januar: Aufenthalt in Münster.

4. Januar: Brief an Jenny von Laßberg: Die Droste referiert die Rezensionen der *Gedichte* 1844 vom 26.11. und 28.12.1844. Sie berichtet über die positive Aufnahme der *Gedichte* 1844 in Münster und Berlin.

10. Januar: Erwähnt in: Schücking: Literarische Übersicht. II. Romane (Allgemeine Zeitung, Augsburg, Nr. 10).

11. Januar: Homöopathische Behandlung durch von Bönninghausen.

Mitte Januar: Plötzliche Gesundheitsverschlechterung mit *Seitenstechen*, *Brustkrämpfen* und *Gliederschmerz*. Die Droste befürchtet ihren baldigen Tod. Bald darauf Gesundheitsbesserung.

Brief von Theodor Klein (aus Paris, Eingang): Positives Urteil über die *Gedichte* 1844. Zusendung eines eigenen, der Droste gewidmeten Gedichts (nicht überliefert).

16. Januar: Friedrich Hebbel schreibt Felix Bamberg hinsichtlich der Rezension der *Gedichte* 1844 durch Zedlitz (-› 26.11.1844): „Unangenehm ist es mir, daß die Allgemeine Zeitung. . . mich noch immer ignoriert, als ob ich weniger wäre als Annette von Hülshoff, an die neulich ein Referent ein neues Stadium der Literatur anknüpfte."

Januar/Februar: Lektüre: Der letzte Band der „Pseudo mystères" (Abwandlung der „Mystères de Paris" von Eugène Sue; Verfasser nicht ermittelt).

Februar: Aufenthalt in Münster. Bekanntschaft mit dem preußischen Assessor Eugen Christoph Benjamin Kühnast, einem Bekannten der Familie Rüdiger. Besuch bei Elise Rüdiger und vermutlich bei Schlüter. Elise Rüdiger leiht der Droste Elise von Hohenhausens Übersetzung von Edward Youngs „Nachtgedanken" (1844) aus.

Mathilde Franzisca von Tabouillot bittet die Droste um Beiträge für ihr Taschenbuch „Producte der rothen Erde". Die Droste will aus Verpflichtung gegenüber Elise Rüdiger den Wunsch nicht abschlagen. Sie sieht mit dieser ihre Arbeitsmanuskripte auf geeignete Texte durch. Diskussion des gemeinsam geplanten Erzählbandes, zu dem Elise Rüdiger ein von ihr verfaßtes Porträt vorstellt.

Lektüre: Schlüter: Welt und Glauben (1844).

(Joseph Eduard Braun): Rückblicke auf die Literatur des Jahres 1844 (Rez. *Gedichte* 1844) (Das neue Europa, Leipzig, Bd. 1, Februar 1845, Lfg. 5, Artistische Beilage 4, S. 77f.). Über die Droste S. 78.

Anfang Februar: Die Droste, deren Gesundheit durch die Pflege ihrer Amme sehr angegriffen ist, wird gegen ihren Willen von Werner vDH für etwa acht Tage nach Hülshoff geholt. Dort stellt sich eine Gesundheitsbesserung ein. Nach der Rückkehr erneute Pflege der Amme, was wiederum zu einer Gesundheitsschwächung führt.

2. Februar: Amalie Hassenpflug bittet von Berlin aus Anna von Arnswaldt, der Droste auszurichten, daß Victor Aimé Huber Beiträge der Droste für seine Zeitschrift „Janus" wünsche.

9. Februar: Brief von Eduard Boas: Nach Rücksprache mit Schücking Anfrage, ob er eines der Gedichte, das die Droste Schücking am 17.4.1844 überlassen hatte, in sein Album „Die Stammverwandtschaften" aufnehmen könne. Schücking habe die Herausgabe des mit Geibel geplanten Musenalmanachs aufgegeben.

Nach dem 9. Februar: Lektüre: Mathilde Franzisca von Tabouillot: Orlik und Orlenko (Westfälischer Merkur, Münster, Nr. 5–7, 9.-16.2.1845, Beilage „Unterhaltungsblatt").

14. Februar: Brief von Schücking: Es beunruhige ihn, daß er von der Droste lange ohne Nachricht sei. Bitte um Auskunft über ihr Befinden. Er habe die Droste zur Patin seines Sohnes Lothar gemacht. Seine wie auch Dingelstedts Gedichte würden Ostern bei Cotta erscheinen. Er habe Carl Dräxler(-Manfred), der ihn auf Beiträge der Droste für das „Rheinische Taschenbuch" (auf 1846) angesprochen habe, *Mondesaufgang* zugesagt. Die Droste solle ihm eventuelle Einwände mitteilen.

Mitte Februar: Gesundheitsverschlechterung.

16. Februar: Die Droste muß, da sie die Krankenpflege ihrer Amme überanstrengt, auf Anweisung Therese vDHs ihr Zimmer der Amme überlassen und in ein anderes Zimmer umziehen.

19. Februar: Behandlung durch von Bönninghausen, der in seinem Krankentagebuch festhält: „h e f t i g e Verschlimmerung, dann ganz bedeutende Besserung."

20. Februar: Brief an Elise Rüdiger: Über den geplanten gemeinsamen Erzählband: *Ich brüte jetzt über einem Stoff zur dritten Erzählung für unser Buch, um doch ans Werk zu kommen, bis ich der nötigen Notizen über Belgien für die zweite* ‹*Joseph*, mit der ersten

Erzählung ist die *Judenbuche* gemeint› *habhaft geworden bin*. . . Sie verfasse *zwischendurch* Gedichte für das Feuilleton der „Kölnischen Zeitung".

23. Februar: Tod der Amme. Die Droste muß zwei Stunden vor ihrem Tod auf Anordnung Therese vDH nach Hülshoff umziehen. Dort 11tägiger Aufenthalt, der zur Gesundheitsbesserung führt.

24. Februar: Brief von Carl Dräxler(-Manfred): Zusendung von Schückings Brief vom 17.2.1845 mit der Bitte um Abdruckerlaubnis von *Mondesaufgang* im „Rheinischen Taschenbuch" (auf 1846).

März: Es entstehen: *Das Bild*; *Das erste Gedicht*; *Durchwachte Nacht*.

(Victor Aimé Huber?): Zur neuesten Literatur (Rez. *Gedichte* 1844) (Janus, Berlin, 1. Jg., Bd.1, S. 198).

5. März: Brief an Schücking: Urteil über Schlüters Sonettenkranz „Welt und Glauben" (1845). Sie stimme dem Abdruck von *Mondesaufgang* im „Rheinischen Taschenbuch" zu. Anfrage, was es mit Boas' Anfrage vom 9.2. auf sich habe; sie habe Bedenken, Boas die Gedichte *Halt fest!* oder *Der Nachtwandler* zu überlassen, da das Album vielleicht auf absehbare Zeit nicht erscheine und sie die Gedichte dann nicht in eine eventuelle zweite Auflage der *Gedichte* 1844 aufnehmen könne. Anfrage nach dem Absatz der *Gedichte* 1844. Die Resonanz auf die *Gedichte* 1844 in Münster. Die Rezension der *Gedichte* 1844 vom 28.12.1844. Anfrage nach der von Schücking am 20.12.1844 angekündigten Rezension ihrer *Gedichte* durch Kühne.

Behandlung durch von Bönninghausen.

7. März: Es entsteht zum 7.3.1845: *An Elise. Zum Geburtstage am 7. März 1845*.

9. März: L(evin Schücking): Frauenschriftstellerei (Rez. *Gedichte* 1844) (Allgemeine Zeitung, Augsburg, Nr. 68, Beilage, S. 538).

Mitte März: Brief von Elise Rüdiger: Zusendung einiger Bücher (unbekannt), u.a. eines nicht näher bezeichneten Romans von La Rochefoucauld. Anfrage, ob die Droste noch Gedichte für die „Kölnische Zeitung" liegen habe. Sie zweifele an ihrer Fähigkeit, gemeinsam mit der Droste einen Erzählband herauszugeben.

21. März: Brief an Elise Rüdiger: Sie verspricht weitere Gedichte für die „Kölnische Zeitung", sei sich jedoch nicht sicher, ob der neue Redakteur an ihrer Mitarbeit interessiert sei, da *Im Grase* noch ungedruckt sei. Sie hoffe, in Hülshoff einige neue Gedichte zu verfassen, die sie Elise Rüdiger zur freien Disposition überlassen wolle. Sie wolle ihre Gedichte unentgeltlich an die „Kölnische Zeitung" geben, falls dadurch Elise von Hohenhausens Novelle „Die Gattin..." besser honoriert würde. Zum gemeinsamen Erzählband: *Ich hoffe jetzt auch endlich ernstlich an unsre gemeinschaftliche Arbeit zu kommen; quälen Sie Sich nicht zu sehr mit dem Gedanken an Ihre Aufgabe dabey... meine Stoffe sind so weitläufig daß sie doch ein ziemlich dickes Buch ausfüllen werden, und einige Portraits von Ihrer Hand, um die Einförmigkeit angenehm zu unterbrechen, werden hinlänglich seyn, und in diesem Fache traue ich Ihnen das allergrößte Talent zu.*

Es entsteht bis zum 9.4. der größte Teil des Gedichtzyklus *Volksglauben in den Pyrenäen.*

Etwa 22. März: Umzug nach Hülshoff. Der Aufenthalt soll bis etwa 25.3. dauern.

Ende März/Anfang April: Aufenthalt in Münster. Verschiedene Umstände verhindern einen Besuch bei Elise Rüdiger.

März/April: Konzeption von: *Das Wort*.

Frühjahr: Poetologischer Wandel. Die Droste legt größere Betonung auf die moralisch-didaktische Aussage ihrer Gedichte. Entfremdung von Schücking.

April: Die Droste bittet Elise Rüdiger, die von Hub Anfang 1845 gewünschte biographische Skizze zu verfassen. Elise Rüdiger schickt Hub am 30.4. die Aufzeichnung, die unter informeller Beteiligung der Droste entsteht.

9. April: Brief an Elise Rüdiger: Zusendung von *Volksglauben in den Pyrenäen* für die „Kölnische Zeitung". Urteil und Verbesserungsvorschläge für Elise von Hohenhausens Erzählung „Die Gattin". Sie wolle die Korrespondenz mit Schücking nicht einseitig fortsetzen, da dieser ihr nur noch schreibe, wenn er etwas von ihr wolle.

16.–18. und 20.–22. April: Es erscheint der Gedichtzyklus: *Volksglauben in den Pyrenäen* (Kölnische Zeitung, Köln, Nr. 106–108, 110–112). (Das Honorar der Droste kommt der gleichzeitig erscheinenden Novelle Elise von Hohenhausens „Die Gattin" zugute.)

Brief von Sophie von Haxthausen: Bitte an die Droste, zur Krankenpflege von Friedrich von Haxthausen nach Abbenburg zu kommen.

26. April: Brief von Fürstbischof Melchior von Diepenbrock: Im Namen seines Freundes Heinrich O'Donnell von Tyrconnel Bitte um ein Autographengeschenk von der Droste. Beilage: Buchgeschenke: Hendrik Conscience: Flämische Stilleben, in drei kleinen Erzählungen (Übers.: Diepenbrock, 1845); Geistlicher Blumenstrauß, aus spanischen und deutschen Dichtergärten, den Freunden der christlichen Poesie dargeboten (von Melchior von Diepenbrock) (1829).

27. April: Brief an Johanna Hassenpflug: *Ich lebe jetzt einsamer als je, J u n k m a n n ist fort,– in Bonn. . . um zu promoviren, L u t t e r b e c k auch fort. . . Der Mahler S p r i c k todt⁻. Mein guter Blinder (Schlüter) vergebens operirt, und seitdem so luftscheu, daß er sich gar nicht mehr. . . bis zu uns hinaus wagt,– S c h ü c k i n g wohl für immer in Süddeutschland fixirt, sehr glücklich in seiner Ehe und seinem nagelneuen Söhnchen.– So ist mein alter Kreis gänzlich gesprengt, und es hat mir bisher an Zeit und Gesundheit, folglich auch wohl an Lust, gefehlt mir einen neuen zu bilden, obwohl dieses, wenn ich mahl das Bedürfniß fühlen sollte, nicht schwer werden wird. . .*

Etwa 29. April: Rüschhausbesuch von Elise Rüdiger, ihrer Freundin Luise Delius und Minna von Ochs (Schwester Elise von Hohenhausens). Für Luise Delius, für die die Droste Sympathie empfindet, ist es der erste Besuch im Rüschhaus. Elise Rüdiger stellt möglicherweise ein von ihr verfaßtes literarisches Porträt vor, das die Droste für den geplanten gemeinsamen Erzählband bearbeiten will.

Etwa Anfang Mai: Es entstehen auf den Autographenwunsch Diepenbrocks hin Strophe 4 und 5 von *Das Wort* (zu dem die Strophen 1,2,3,6 und 7 schon im Konzept vorliegen) sowie *Du der ein Blatt von dieser schwachen Hand. . .* Die Droste schwankt vermutlich, mit welchem Gedicht sie den Autographenwunsch beantworten soll. Gleichzeitig zu dem Entwurf von *Du der ein Blatt . . .* entsteht das Konzept von *Und ob der Maien stürmen will. . .*

7. Mai: Es entsteht zum Geburtstag von Therese vDH: *Und ob der Maien stürmen will. . .*

9. Mai: Reinschrift von *Das Wort* und *Du der ein Blatt von dieser schwachen Hand. . .*

10. Mai: *Mehrtägige Gesichtsschmerzen.*

Etwa Mitte Mai: Briefentwurf an Melchior von Diepenbrock: Die Droste geht auf die ihr vielfach zum Vorwurf gemachte Undeutlichkeit ihrer Gedichte ein. Sie betont die moralische Verantwortung jeder Dichtung und übt massive Kritik an der Zeitentwicklung, u.a. heißt es: *Gottlob ist unser gutes Westphalen noch um hundert Jahre zurück,– möge es nie nacheilen auf dem Wege des Verderbens!*

Das Wort

(Fassung vom 9. Mai 1845)

Das Wort gleicht dem beschwingten Pfeil,
Und ist es einmal deinem Bogen,
In Tändeln oder Ernst, entflogen,
Erschrecken muß dich seine Eil!

Dem Körnlein gleicht es, deiner Hand
Entschlüpft; wer mag es wieder finden?
Und dennoch wucherts in den Gründen
Und treibt die Wurzeln durch das Land.

Gleicht dem verlornen Funken, der
Vielleicht erlischt am feuchten Tage,
Vielleicht am milden glimmt im Haage,
Am dürren schwillt zum Flammenmeer.

Und Worte sind es doch die einst
So schwer in deine Schale fallen,
Ist Keins ein nichtiges von Allen,
Und jedes hoffst du oder weinst.

O einen Stral der Himmelsau,
Mein Gott, dem Zagenden und Blinden!
Wie soll er Ziel und Acker finden?
Wie Lüfte messen und den Thau?

Allmächt'ger der das Wort geschenkt,
Doch seine Zukunft uns verhalten,
Woll' selber deiner Gabe walten,
Durch deinen Hauch sey sie gelenkt!

Richte den Pfeil dem Ziele zu,
Nähre das Körnlein schlummertrunken,
Erstick' ihn oder fach' den Funken!
Denn was da frommt das weißt nur Du.

und mögen andre Länder auf ihrem Kreislauf bald wieder bey ihm eintreffen!... unser gemeinschaftliches Vaterland ‹D. stammt aus Bocholt› *ist bisher Gottlob noch ziemlich frey geblieben von allgemeiner Demoralisation – was dort wächst ist wenigstens nicht in der Wurzel angesteckt, so müssen Alle zusammen halten, hoch und gering, und wer sich nur als eines Schärfleins Herr fühlt, soll es her geben, zum Bau des Dammes gegen Sittenlosigkeit und Unnatur, der die Irreligiösität so sicher folgt, wie der Sünde der Tod.* Dank für Diepenbrocks Büchergeschenke. Beilage: *Das Wort* oder *Du der ein Blatt von dieser schwachen Hand...*, vielleicht auch beide Gedichte.

17. Mai: Umzug nach Hülshoff.

18. Mai: Von dort Besuch bei Schlüter. Sie berichtet ihm, daß sie an Novellen und Kriminalgeschichten (*Joseph*) arbeite, und empfiehlt ihm die Lektüre von Hippels „Handzeichnungen nach der Natur" (1828).

19. Mai: Von Münster aus Abreise nach Abbenburg zur Pflege des erkrankten Friedrich von Haxthausen. Die Droste nimmt Manuskripte Elise Rüdigers mit, um sie dort zu überarbeiten.

20. Mai: Ankunft in Abbenburg. Sofortige Übernahme der Krankenpflege von Friedrich von Haxthausen, der lange Zeit in Lebensgefahr schwebt. Bis zur Ankunft von Therese vDH (14.6.) hält sich die Droste mit einer Küchenmagd allein in Abbenburg auf. Es bleibt ihr nur selten Zeit zu Besuchen in Bökendorf, wo Amalie Hassenpflug anwesend ist. Die Droste unternimmt in der Folgezeit Ausflüge zu den Familiensitzen ihrer nahe wohnenden Verwandten (?6.4.1837). Die Droste versucht, sich der Verpflichtung zu entziehen, für ihre Verwandten Albumgedichte zu verfassen und für August von Haxthausen Melodien zu geistlichen Volksliedern im westfälischen Dialekt vierstimmig zu setzen.

In Abbenburg besteht für sie die Möglichkeit zur Lektüre des „Westfälischen Merkurs" und der „Kölnischen Zeitung". Amalie Hassenpflug und August von Haxthausen übermitteln ihr die Anfrage von Victor Aimé Huber um Mitarbeit am „Janus". Die Droste teilt über Amalie Hassenpflug Huber mit, daß sie nur unter der Bedingung mitarbeite, daß sie sich keiner politischen Tendenz anschließen müsse. Sie behält sich vor, Beiträge nach eigener zeitlicher Disposition einzusenden und die Mitarbeit sofort einzustellen, wenn das Blatt eine antikatholische Richtung nehme.

Ende März-Mitte Juni: Weiterarbeit an *Joseph*.

Lektüre: Alexandre Dumas: Le Corricolo (1843); Eugène Sue: Juif Errant (Der ewige Jude, 1844/45); Therese von Bacheracht:

Falkenberg. . . (1843). Gelegentliche Lektüre von August von Haxthausens Aufzeichnungen über seine Rußlandreise.

Juni und Folgemonate: Die Droste wird durch ihre *unregelmäßige* Lebensweise, familiäre Verpflichtungen und die Krankenpflege Friedrich von Haxthausens an literarischer Arbeit gehindert. Sie beschäftigt sich mit oberflächlichem Lesen, Handarbeit etc.

6. Juni: 54.: Sieben lyrische Damen (Rez. *Gedichte* 1844) (Blätter für literarische Unterhaltung, Leipzig, Nr. 157–159, 6.-8.6.1845, S. 629–631, 633–635, 637–639). Über die Droste Nr. 159, S. 638f.

15. Juni: Brief von Levin und Luise Schücking: Schücking entschuldigt sich, aus Zeitmangel zwei Briefe der Droste nicht beantwortet zu haben. Einladung der Droste nach Köln. Ankündigung des Erscheinens seiner „Gedichte" (1845) und seines Romans „Die Ritterbürtigen" (1846) für Herbst 1845. Hinweis auf Stifters „Der beschriebene Tännling" (im „Rheinischen Taschenbuch" auf 1846). Abwertendes Urteil über Alexander von Ungern-Sternbergs „Paul" (3 Bde., 1845).

17. Juni: Brief von Clara Schumann: Im Auftrag Robert Schumanns Anfrage, ob die Droste den Text für eine Oper verfassen wolle.

Obwohl der Droste das Angebot finanziell interessant erscheint, kann sie sich nicht zu einer positiven Antwort entschließen.

Brief an Elise Rüdiger: Zum vermutlichen Wegzug Elise Rüdigers nach Minden: *. . .mein Gott, was soll ich anfangen wenn Sie fortgehn – Sie sind mir nun so lange Alles in Einer gewesen, und ich kann mir gar keinen möglichen Ersatz denken. . . Ich bin so niedergeschlagen, daß ich Ihnen nicht mahl sagen mag wie sehr ich es bin, und wie nüchtern mir Münster ohne Sie vorkömmt,– und Rüschhaus auch. das ist dann Alles nichts mehr. . . Lieb, lieb Herz! ich kann nicht ohne Sie seyn. . .* Rückerinnerung an den durch *1000 Bande und Interessen verflochtenen* Rüdiger-Kreis. Die Anfrage von Huber um ihre Mitarbeit am „Janus". Urteil über Therese von Bacherachts „Falkenberg. . .". Ihre Beziehung zu Schücking sei beendet.

26. Juni: Albumblatt für Charlotte Schanzenbach mit Eintrag von *Das Wort*.

Juli: Schücking: Deutsche Lyrik (Rez. *Gedichte* 1844) (Monatsblätter zur Ergänzung der Allgemeinen Zeitung, Augsburg, Nr. 7, Juli 1845, S. 332–339). Über die Droste S. 334.

Anfang Juli: Übernahme der Patenschaft für ihre Nichte Elisabeth vDH. Sie stiftet als Patengeschenk 100 Reichstaler.

5. Juli: Brief an Werner vDH: Zur Anfrage Robert Schumanns vom 17.6.: *Ich kann mich nicht dazu entschließen; – das O p e r n - t e x t s c h r e i b e n ist etwas gar zu Klägliches und Handwerksmäßiges. . .*

Erwähnt in: F(reiin Elise) v(on) H(ohenhausen) (d. i. Elise Rüdiger): Neue Romane. Anna, von Adele Schopenhauer. . . (Kölnische Zeitung, Köln, Nr. 189 u.190, 8. u. 9.7.1845).

10. Juli: Aufenthalt in Bökendorf.

21. Juli: Brief von Schücking: Er habe die Redaktion des „Rheinischen Jahrbuchs" übernommen, für das er eilig Beiträge suche; Anfrage, ob die Droste ihm bis Ende August etwas liefern könne. Er habe eine Kritik der *Gedichte* 1844 („Annette von Droste. Eine Charakteristik") verfaßt, wisse jedoch noch keinen Publikationsort (erscheint im Jahrbuch „Vom Rhein", 1847).

Nach Eingang des Briefes entstehen: *Gastrecht*; *Zwey Legenden*: *Gethsemane*, *Das verlorne Paradies*; *Abschied*; *Unter der Linde*; *Carpe Diem!*; *Auch ein Beruf*.

2. August: Brief an Elise Rüdiger: Die Droste ist betroffen über den baldigen Wegzug Elise Rüdigers. Sie wolle sie im kommenden Jahr in Minden besuchen. . . .*man kömmt hier* ‹in Abbenburg› *zu gar nichts.– nicht daß es mir gradezu an Zeit fehlte,– Manchen Tag nehmen zwar die zuströmenden Besuche unserer zahllosen Verwandten hin, aber an den übrigen habe ich täglich mehrere Stunden, ja oft ganze Nachmittage oder Morgen frey,– das hilft mir aber Alles nichts, ich muß völlige Ruhe und Sammlung haben, und die wird mir nie. . . aber ich meine mich ganz besonders zum produciren aufgelegt, und träume a la Tantalus von dicken Bänden voll Erzählungen, Gedichten et cet, die mir alle wie Wasser aus der Feder fließen würden.* Huber habe noch nicht wieder um ihre Mitarbeit am „Janus" nachgefragt. Hubers Rezension der *Gedichte* 1844 (-› 1845).

Nach August: Gänzliche Beanspruchung durch Familienbesuche. Infolge der Anstrengung Gesundheitsverschlechterung.

25. August: Brief an Schücking: Zusendung von *Gastrecht*; *Zwey Legenden*: *Gethsemane*, *Das verlorne Paradies*; *Auch ein Beruf*; *Unter der Linde*; *Carpe Diem!* für das „Rheinische Jahrbuch": *ich mache gar keine Prätensionen mit diesen Gedichten, die in einem Wirrwarr gemacht sind, wie ich desgleichen nie erlebt, und nie wieder zu erleben hoffe. . . .Ich habe die Gedichte Abends im Bette machen müssen, wenn ich todtmüde war, es ist deshalb auch nicht viel Warmes daran, und ich schicke sie eigentlich nur um zu zeigen,* daß ich für Sie ... gern thue, was ich irgend kann;– Zum Durchfeilen ist mir nun vollends weder Zeit noch Geistesklarheit geblieben ... Bitte an Schücking, unter den Lesarten auszuwählen. Sie verspricht für künftige Jahrgänge des Jahrbuchs *größere Aufsätze ... prosaische, weil Ihnen das am liebsten ist – ich denke, westphälische Sittenschilderungen, entweder in Erzählungen oder Genrebildern.* .. Sie hoffe auf einen literarisch produktiven Winter im Rüschhaus. Im Auftrag August von Haxthausens Anfrage nach einem Verleger für dessen Rußlandstudien.

29. August: Es erscheint: *Mondesaufgang* (Rheinisches Taschenbuch auf das Jahr 1846).

Ende September: Erkrankung mit starker Übelkeit und *heftigem Blutspeien.* Die Droste ist unfähig zu lesen oder Briefe zu schreiben.

1. Oktober: Es erscheint: *Westphälische Schilderungen* (Historisch-politische Blätter für das katholische Deutschland, München, Bd. 16, H.7). Ohne Verfasserangabe.

2. Oktober: Auf ärztliche Anordnung vorzeitige Rückreise nach Rüschhaus in kurzen Tagesetappen. Beginn einer homöopathischen Kur, die im Laufe des Monats zur Gesundheitsbesserung führt. Es bleiben Nachwirkungen der Krankheit.

Brief von Levin und Luise Schücking: Schücking kündigt an, daß er zum 1.11.1845 die Redaktion des Feuilletons der „Kölnischen Zeitung" übernehme. Mitteilung des Umzugs seiner Familie nach Köln. Man hoffe dort auf einen baldigen Besuch der Droste. Von den Gedichten, die er von der Droste erhalten habe, wolle er drei ins „Rheinische Jahrbuch" (auf 1846) und die übrigen ins Feuilleton der „Kölnischen Zeitung" aufnehmen.

Mitte Oktober: Umzug Elise Rüdigers nach Minden. Die Droste bleibt in der Folgezeit über Nanny Scheibler und Luise Delius, mit denen es zu einem (nicht überlieferten) Briefwechsel kommt, mit ihr in Kontakt. Nanny Scheibler und Luise Delius bieten der Droste in der Folgezeit Lektüre an, die diese jedoch ablehnt, weil es sich ausschließlich um *zum Erschrecken gelehrte* Werke handelt.

15. Oktober: Behandlung durch von Bönninghausen.

16. Oktober: Es erscheint: *Westphälische Schilderungen* (1. Forts.) (Historisch-politische Blätter für das katholische Deutschland, München, Bd. 16, H. 8). Ohne Verfasserangabe.

24. Oktober: Weitere Behandlung durch von Bönninghausen, der notiert: „Bedeutende Besserung. Dagegen etwas Husten."

Mitte Oktober/Anfang November: Leichte Erkrankung. Die Droste fühlt sich *f u r c h t b a r apprehensiv*. Zwei Besuche von Luise Delius und Nanny Scheibler im Rüschhaus. Luise Delius liest Freiligraths Gedicht „Leipzigs Toten“ vor. Näherer Umgang mit Eugen Christoph Benjamin Kühnast, der der Droste zunächst unregelmäßig, später regelmäßig Bücher und Zeitschriften ins Rüschhaus bringt.

Von Carl Dräxler (-Manfred): Zusendung des „Rheinischen Taschenbuchs“ (auf 1846) mit Abdruck von *Mondesaufgang*.

Lektüre des „Rheinischen Taschenbuchs“, das die Droste überwiegend kritisch beurteilt.

November: Es entsteht zum Namenstag von Elise Rüdiger: *An Elise, 19ten November 1845*.

Husten und andere Krankheitserscheinungen.

Es erscheinen Schückings „Gedichte“ (1846) mit dem der Droste gewidmeten „Nachts im Dome“ („Im Dome. An ***) (=Wiederabdruck vom 12.4.1841) und zwei Gedichten, die ebenfalls an die Droste gerichtet sein sollen: „Dein Zimmer“ und „Die Gruft“.

1. November: Es erscheint: *Westphälische Schilderungen* (2. Forts.) (Historisch-politische Blätter für das katholische Deutschland, München, Bd. 16, H. 9). Ohne Verfasserangabe.

Schücking übernimmt die Redaktion des Feuilletons der „Kölnischen Zeitung“.

Erwähnt in: [Elise von Hohenhausen (Elise Rüdiger)]: Korrespondenz-Nachrichten. Münster, Oktober (Morgenblatt Nr. 265, 5.11.1845, S. 1060).

8. November: Besuch Kühnasts im Rüschhaus.

Brief von Elise Rüdiger (Eingang): Ankündigung ihres Besuches im Rüschhaus für Frühjahr 1846. Vorschlag zu einer gemeinsamen Reise nach Meersburg. Zusendung und Beurteilung von Luise von Plönnies' „Gedichten“ (1844).

12. November: (Schücking): Rez. *Westphälische Schilderungen* (Kölnische Zeitung, Köln, Nr. 316).

14. November: Brief an Elise Rüdiger: Über die mit Elise Rüdiger geplante Reise nach Meersburg. Ihr Kontakt zu Nanny Scheibler und Luise Delius. Sie schenkt Elise Rüdiger ihre Daguerreotypie. Urteil über die Gedichte von Luise von Plönnies. Urteil über Freiligraths „Leipzigs Toten“. Kritisches Urteil über das „Rheinische Taschenbuch“ (auf 1846) und Schlüters „Welt und Glauben“ (1844).

Mitte: Aufenthalt in Münster. In der Folgezeit erneute Pflege des erkrankten Friedrich von Haxthausen.

An Schücking: Entgegen ihrer ursprünglichen Zusage sei sie gegen einen Abdruck von *Carpe diem!*, *Unter der Linde* und *Zwey Legenden* im Feuilleton der „Kölnischen Zeitung", da die Gedichte *in zu großer Eile und bei körperlichem Übelbefinden entstanden* und *völlig misrathen* seien. Sie überläßt Schücking die letzte Entscheidung.

Brief von Friedrich Teipel: Zusendung seiner „Dichterischen Versuche" (1845).

17. November: Behandlung durch von Bönninghausen wegen „Geschwulst am Gehörgange und Schwerhörigkeit".

Etwa 23. November: Brief von Werner vDH: Er bittet die Droste, ihre Mitarbeit an der „Kölnischen Zeitung" einzustellen, da das Blatt eine antikatholische Richtung angenommen habe; die „Historisch-politischen Blätter" hätten hierzu alle „gut gesinnten Katholiken" aufgefordert.

25. November: Brief an Werner vDH: Sie sei bereit, ihre Mitarbeit an der „Kölnischen Zeitung" einzustellen, wolle jedoch einen Bruch mit Schücking vermeiden, der ihr oftmals geholfen habe und dessen finanzielles Auskommen vom „Feuilleton" abhänge. Sie werde in Zukunft ganz auf die Mitarbeit an Zeitschriften verzichten, da die meisten eine *schlimme Richtung* eingeschlagen hätten oder im Begriff seien, dies zu tun. Sie plane eine (nicht näher bezeichnete) größere Arbeit. Mitteilungen aus dem Brief an Schücking von Mitte November: Sie wisse nicht, ob von den Gedichten bereits etwas gedruckt sei. Sie bittet ihren Bruder, beim Herausgeber der „Historisch-politischen Blätter", Görres, die Unterdrückung weiterer Folgen der *Westphälischen Schilderungen* zu veranlassen (die Droste weiß nur um die erste Fortsetzung vom 15.10.1845), da die *fatale Sensation*, die der Artikel hervorrufe, sie sehr betroffen mache.

Etwa 27. November: Es erscheint: *Gastrecht*; *Auch ein Beruf* (Rheinisches Jahrbuch auf das Jahr 1846, 1. Jg., Köln 1846).

Nach 28. November: Lektüre von Schückings „Gedichten" (1846).

November/Dezember: Zusammentreffen mit Anna Junkmann in Münster.

Dezember: Es erscheint: *Westphälische Schilderungen* (Kaatzer's Album nebst Beilagen für Leben, Kunst und Wissen, Aachen, Bd. 12, Teilabdruck aus den „Historisch-politischen Blättern").

Daguerreotypie der Droste aus dem Jahre 1845, angefertigt von Friedrich Hundt in Münster.

„Ich schicke der Fürstin ‹Salm-Reifferscheidt› mein Daguerreotyp und hätte Dir auch so gerne eines geschickt, aber Mama wollte es nicht, sie findet es gar zu abscheulich. Ich hatte deren vier machen lassen, und da Du nun keines haben sollst, habe ich der Fürstin das beste geschickt. Unsere Köchin sagt: ‚Et likt gans akkrot, over o Herr! wat bedröwet!!' und der Amme ihr Caspar sagt: ‚Et ist so einsam, vierl to einsam!!'" (Brief an die Schwester vom 30. Juni 1846).
„Das Porträt ist s e h r ähnlich. . . Es ist nicht geschmeichelt aber wirklich ähnlich." (E. Rüdiger)

Teilnahme an einer 9tägigen Andacht für den schwer erkrankten Friedrich von Haxthausen.

13. Dezember: Brief von Schücking: Es beunruhige ihn, daß er von der Droste keine Nachrichten mehr erhalte. Es fehlten ihm noch zahlreiche Beiträge für das „Feuilleton". Die Droste solle dort *Bei uns zu Lande* veröffentlichen. Er schlägt ihr (scherzhaft) vor, ihr Vermögen zum gemeinsamen Ankauf eines kleinen Gutes zu verwenden, und dort mit seiner Familie zu leben.

Daguerreotypie der Droste aus dem Jahre 1845, angefertigt von Friedrich Hundt in Münster.

14. Dezember: Erwähnt in: Mathilde Franzisca von Tabouillot: Nekrolog auf Friedrich von Haxthausen (Allgemeine Zeitung, Augsburg, Nr. 348).

16. Dezember: (Gottfried Kinkel): Rez. Rheinisches Jahrbuch auf das Jahr 1846 (darin *Gastrecht*; *Auch ein Beruf*) (Allgemeine Zeitung, Augsburg Nr. 350).

17. Dezember - Mitte Januar 1846: Umzug nach Hülshoff.

21. Dezember: Erwähnt in: Anonym: Literarische Revue (Rez. Schücking, Gedichte, 1846) (Weser-Zeitung, Bremen, Beilage „Sonntagsblatt" Nr. 97, S. 4f.).

Herbst/Winter: Relativ guter Gesundheitszustand. Die Droste leidet jedoch an einer Schwellung im Ohr, die sie einseitig fast taub macht. Ein geplanter Besuch Schlüters im Rüschhaus kommt nicht zustande. Besuch Anna Junkmanns im Rüschhaus.

1846

Anth.: Es erscheinen: *Der Knabe Im Moor*; *Der Graf von Thal*; *Der Geyerpfiff* (Wiederabdrucke) (Deutschland's Balladen- und Romanzen-Dichter... Hrsg.: I. Hub, 1846) (mit einer biographischen Skizze der Droste).

Anth.: Es erscheint *Der Tod des Erzbischofs Engelbert von Cöln* (Deutsche Geschichte in Liedern, Romanzen, Balladen und Erzählungen deutscher Dichter... Hrsg.: H. Kletke, 1846). Wiederabdruck.

Anth.: Es erscheint: Album deutscher Dichter. Hrsg.: H. Kletke, 2. Aufl. 1846 (mit Werken der Droste).

Erwähnt in: Joseph Hillebrand: Die deutsche National-Literatur seit dem Anfange des achtzehnten Jahrhunderts... (Tle. 1–3, 1845/46, T. 3, 1846). Über die Droste S. 537.

Erwähnt in: J(oseph) Meyer: Das große Conversationslexikon für die gebildeten Stände (Bd. 7,4, 1846). Über die Droste S. 1218.

Es erscheinen Schückings „Novellen" (2 Bde., 1846) mit einem Wiederabdruck der Erzählung „Der Familienschild", die unter anonymer Beteiligung der Droste entstand.

Intensive Beschäftigung mit antiken Autoren. Auf vier engbeschriebenen Manuskriptseiten Exzerpte aus: Lucians von Samosata Sämtliche Werke. Aus dem Griechischen übersetzt mit Anmerkungen und Erläuterungen versehen von C.M. Wieland (6 Tle., 1797/98).

Etwa Anfang Januar: Behandlung durch von Bönninghausen wegen eines langwierigen Ohrenleidens.

2. Januar: Briefentwurf an Friedrich Teipel: Dank für sein Buchgeschenk. *Die Litteratur ist in leichtsinnigen und durchweg jugendlich unreifen Händen, und es thut Noth, daß die Wenigen denen der Ernst des Lebens bereits die große Verantwortlichkeit ihrer Aufgabe deutlich gemacht hat, eng zusammen halten. Möge der Himmel hierzu seinen Segen geben;– diese Zeit bedarf eines tüchtigen Segens, denn sie liegt unter einem schweren Fluche.*

18. Januar: Brief von Elise Rüdiger: Ihre Lebenssituation in Minden. Sie habe während eines Kurzbesuches in Berlin die Bekanntschaft der Grimms, Bettine von Arnims und des Dichters Hans-Christian Andersen gemacht habe. Bettine von Arnim habe sich abschätzig über den westfälischen Adel geäußert. – Das gesundheitliche

Befinden der Droste verhindert eine unmittelbare Beantwortung des Briefes.

Die Droste verfaßt auf den Tod von Friedrich von Haxthausen einen Totenzettel mit einem eigenen kleinen Gebet.

26. Januar: Beginn eines Briefes an Elise Rüdiger. Eine Ohrkrankung verhindert die Fortsetzung des Briefes.

29. Januar: Besuch Kühnasts im Rüschhaus. Mit ihm Gespräch über die „Gedichte“ von Luise von Plönnies (1844).

30. Januar: Brief an Elise Rüdiger: Kritisches Urteil über Schückings „Gedichte“ (1846), in denen er als *entschiedener Demagoge* auftrete und mit seinem Ruf nach *Völkerfreyheit* und *Preßfreyheit! alle die bis zum Ekel gehörten Themas der neueren Schreyer* wiederhole. Zu Schückings Vorschlag, gemeinsam ein Landgut am Rhein zu kaufen und dort mit seiner Familie zu leben: *Großer Gott! wärs möglich, daß dieser Mensch, dem ich so viel Gutes gethan habe, schon auf meinen Tod spekulirte, weil er denkt, ich mache es nicht lange mehr! darüber könnte ich doch noch weinen!*

6. Februar: Brief von Schücking: Anfrage, warum die Droste ihm nicht mehr schreibe und ob sie Luise von Galls „Frauen-Novellen“ (2 Bde., 1845) gelesen habe. Erneute Einladung der Droste zu einem Besuch in Köln. (Dem Brief liegt eine Anfrage des DuMont Schauberg-Verlags mit der Bitte um weitere Beiträge der Droste bei.)

11. Februar: Brief an Schücking: Positives Urteil über Schükkings „Gedichte“ (1846). Ihr Umgang mit Nanny Scheibler und Luise Delius: sie unterhalte mit diesen eine *zwar etwas nachlässig cultivirte, aber doch von Zeit zu Zeit sich regende Verbindung*, das Verhältnis sei aber, *obwohl von beyden Seiten. . . wohlgemeint, noch zu wenig unbefangen als daß es* ihr *eigentliche Erholung bringen könnte. . .* Ihre Beziehung zu Schlüter sei nahezu abgebrochen. Urteil über dessen „Welt und Glauben“ (1844).

Besuch Kühnasts im Rüschhaus. Die Droste leiht ihm Schückings „Gedichte“. Sie bittet ihn, ihr Luise von Galls „Frauen-Novellen“, Ausgaben der Augsburger „Allgemeinen“ sowie das „Rheinische Jahrbuch“ zu besorgen.

14. Februar: 21.: (Rez. Rheinisches Taschenbuch [auf 1846] mit *Gastrecht* und *Auch ein Beruf*) (Blätter für literarische Unterhaltung, Leipzig, Nr. 45 und 46, 14. und 15.2.1846) Über die Droste in Nr. 46, S. 183.

19. Februar: Behandlung durch von Bönninghausen.

28. Februar: Brief von Kühnast: Kritisches Urteil über Schückings „Gedichte"; Schücking habe Gedichte der Droste rücksichtslos „bestohlen".

Februar/März: Brief von Luise Delius und Nanny Scheibler: Übersendung von „Andersens Reisen" (1829) und Bellanis (d. i. Karl Ludwig Häberlein) „Josephine" (3 Bde., 1844).

März: Rheumatische Kopfbeschwerden.

Seit März regelmäßige Besuche Kühnasts im Rüschhaus. Er bemüht sich übereifrig, die diversen Lektürewünsche der Droste zu erfüllen.

23. März: Brief von Schlüter: Er bedauert, daß sein Kontakt zur Droste gänzlich abgebrochen sei.

H.C. Andersen vermerkt in seinem Tagebuch: „Fik i Present af Grev ODonél Droste-Hülshofs Gedichte."

2. April: Brief von Schlüter: Zusendung der deutschen Übersetzung des Romans von Fredrika Bremer „I dalarne" (1845, dt. 1846: „In Darlekalien"); die Droste möge sich über das Hauptthema des Buches „poetisch vernehmen lassen". Mitteilung des Erscheinens von Schückings Roman „Die Ritterbürtigen" (1846), in dem Schücking Pietät und religiöses Gefühl verletze und sich „als ein erbärmliches, altes Klatschweib, das dem Pöbel des Zeitgeistes die Füße leckt" erweise.

Brief an Elise Rüdiger: Über Schücking und dessen Vorschlag, Dingelstedts Rezension über seine „Gedichte" zu lesen: *Das Klübbchen thut gar nicht heimlich damit daß es sich untereinander recensirt*! Eine negative Rezension über Schückings „Gedichte" sei im „Frankfurter Konversationsblatt" (1846, Nr. 17/18) erschienen. Sie habe von Schlüter einen *herzlich gemeinten, aber grausam hölzernen scherzhaften Brief in Versen bekommen,– es ist komisch rührend, auf diesem Meere von Güte und wahrer Kindlichkeit den Philisterzopf so stattlich herumsegeln zu sehn!*

Nach 2. April: Lektüre des von Schlüter empfohlenen Romans von Fredrika Bremer.

Die Droste versucht, das von Schlüter vorgeschlagene Gedicht über den Roman zu verfassen. Es entstehen 91 Verse des Fragments *Bettine und Syry* (*Im Keim des Daseins, den die Phantasie. . .*).

Nach 3. April: Bis Ende April Aufenthalt in Hülshoff.

Zum 9.4.: Es entsteht zum Geburtstag von Luise Delius: *An Louise, am 9ten April. Ghasele*.

9. April: Betty Paoli (d. i. Elisabeth Glück) entschuldigt sich bei Adalbert Stifter für die späte Rückgabe der *Gedichte* 1844, die dieser ihr geliehen hatte. Das Buch habe ein „bewunderndes Entzücken" bei ihr verursacht. Einiges in der Sammlung reihe sich „würdig an das Größte in der deutschen Poesie". „Merkwürdiger als die Gedichte scheint mir jedoch die Dichterin selbst. . .'

11. April: Brief von Kühnast: Schückings „Die Ritterbürtigen" errege in Münster Aufsehen. Man vermute, die Droste habe Schücking den Stoff für die Geschichte geliefert.

15. April: Brief an Schlüter: Über *Bettine und Syry*: Es falle ihr schwer, seinen Gedichtwunsch zu erfüllen. Urteil über „Die Ritterbürtigen": *Schücking hat an mir gehandelt wie mein grausamster Todfeind. . . Schlüter! ich bin wie zerschlagen. . .* Sie wolle ihre Beziehung zu Schücking ganz abbrechen und keine Beiträge mehr ins Feuilleton der „Kölnischen Zeitung" geben. Sie hoffe, ihre Beziehung zu Schlüter wieder zu intensivieren.

Mitte April-Mai: Brief an den Verlag DuMont Schauberg: Die Droste antwortet abschlägig auf die Anfrage um weitere Beiträge für die „Kölnische Zeitung". Eine größere Arbeit lasse ihr vorläufig keine Zeit für Gedichte und Aufsätze.

18. April: Brief von Schlüter: Ablehnendes Urteil über „Die Ritterbürtigen". Die Droste solle jedoch nicht übereilt reagieren und die Sache auf sich beruhen lassen. Über *Bettine und Syry*: Er konkretisiert seine Bitte um eine poetische Bearbeitung des Romans von Fredrika Bremer, indem er ihr „Christoterpe. Ein Taschenbuch für christliche Leser auf das Jahr 1843" schickt; der darin enthaltene längere Artikel von Albert Knapp „Das ängstliche Harren der Kreatur. Röm 8, 18–23" liefere den gewünschten Hintergrund für das Gedicht.

23. April: Elise von Hohenhausen stellt die Droste brieflich einem jungen Dichter als Beispiel voran.

Ab 28. April: Ein Familienbesuch nimmt die Droste bis zum 22. (?) Mai gänzlich in Anspruch und läßt ihr keine Zeit zu literarischer Arbeit.

5. Mai: Brief von Gottfried Kinkel: Bitte um Beiträge für sein „Rheinisches Jahrbuch für Kunst und Dichtung".

Etwa 14. Mai: Brief an Schlüter: Die Droste hofft, sich bald wieder literarischen Arbeiten zuwenden zu können. Sie habe das von Schlüter erbetene Gedicht noch nicht verfaßt; Bitte, das Taschenbuch „Christoterpe" noch länger behalten zu dürfen. Mitteilung des für sie *peinlichen* Briefs von Gottfried Kinkel: sie würde ihm gern Beiträge geben, könne dies jedoch nicht, da sie DuMont eine abschlägige Antwort erteilt habe.

14. Mai: Schücking teilt Carl Dräxler(-Manfred) mit, daß er die Droste um Beiträge für das „Rheinische Taschenbuch" 'angelegentlichst mahnen" wolle.

15. Mai: Anonym: Berichtigungen eines Westphalen (Erwiderung auf die *Westphälischen Schilderungen*) (Historisch-politische Blätter für das katholische Deutschland, München, Bd. 17, 1846, S. 657–687).

Nach dem 15. Mai: Anonym: Das Herzogthum Westphalen... (Erwiderung auf die *Westphälischen Schilderungen*) (Historisch-politische Blätter für das katholische Deutschland, München, Bd. 18, 1846, S. 396–406).

Anonym: Zu den Schilderungen aus einer westphälischen Feder (Erwiderung auf die *Westphälischen Schilderungen*) (Historisch-politische Blätter für das katholische Deutschland, München, Bd. 18, 1846, S. 494–502).

Nach 17. Mai: Mehrtägiger Besuch von Antonetta de Galliéris im Rüschhaus, der die Droste in Anspruch nimmt.

23. Mai: Brief von Victor Aimé Huber: Bitte um Beiträge für seine Zeitschrift „Janus". Er versichert, daß die Tendenz des Blattes „keinem aufrichtigen Katholiken Anstoß geben" könne.

24. Mai: Brief von Jenny von Laßberg: Anfrage nach dem Termin für einen Besuch der Droste auf der Meersburg. Sie solle ihre angefangenen Kompositionen, insbesondere ihre Opern und Lieder, mitbringen, von denen Jenny Reinschriften anfertigen möchte.

Ab 26. Mai: Elise Rüdiger kommt zu einem etwa 4wöchigen Besuch ins Rüschhaus. Der Plan zu einer gemeinsamen Reise nach Meersburg wird aufgegeben.

Nach dem 17. Juni: Erkrankung mit Blutandrang im Kopf und einer Gehunfähigkeit. Es ist der Droste fast nicht möglich, einen Brief zu verfassen. Da sie ein kurzer Ausflug nach Hülshoff, wo sie sich vor ihrer Reise nach Meersburg von dem erkrankten Werner vDH verabschieden will, stark angreift, gibt sie die Reise auf. Sie beabsichtigt, statt dessen in Hülshoff eine homöopathische Kur zu beginnen und Werner vDH zu pflegen.

Sommer: Lektüre: Alessandro Manzoni: I promessi sposi (3 Bde., 1827); verschiedene (nicht näher zu ermittelnde) lateinische Klassiker; Briefe Ciceros.

Juli und Folgemonate: Andauern der Erkrankung. Es stellt sich zusätzlich eine Überempfindlichkeit gegenüber Geräuschen ein.

1. Juli: Brief an Jenny von Laßberg: Ihre schlechte Gesundheit lasse eine Reise nach Meersburg nicht zu.

Abreise Therese vDHs nach Meersburg. Aufenthalt Kühnasts im Rüschhaus.

Nach 5. Juli: Kühnast stellt auf Bitte der Droste seine Botengänge ein. Sie lebt auf eigenen Wunsch völlig zurückgezogen. Sie plant, für August von Haxthausen ein kleines Buch mit Zeichnungen anzulegen. Sie übersteht allein einen plötzlichen schweren Krankheitsanfall. Lektüre lateinischer Werke sowie zahlreicher (nicht zu ermittelnder) älterer Bücher und Geschichtswerke.

28. Juli: Beginn einer homöopathischen Kur, die zur Abnahme des Fiebers führt. Die Gehunfähigkeit hält an.

Bönninghausen notiert nach der Verabreichung eines homöopathischen Mittels: „bedeutend besser.. Schwellen der Brust zur Zeit der Regel. Bewegung fehlt ‹?›."

30. Juli: Brief an Elise Rüdiger: *Sähe ich dieser Lebensweise, die mich so zufrieden macht, wie es bei entschiedenem Uebelbefinden irgend möglich ist, Dauer an, so würde ich mir durch Einschreiben in die Leihbibliothek noch eine große Ressource eröffnen,– käme vielleicht, wenn die begonnene Besserung so fortschreitet, bald wieder dahin, selbst etwas schreiben zu können,– aber – wozu Luftschlösser bauen!* Ihre Lektüre der Briefe Ciceros.

31. Juli: Aufenthalt in Münster. Besuch bei von Bönninghausen, Schlüter und der geistesgestörten Bernhardine von Wintgen. Schlüter leiht ihr vermutlich bei diesem Besuch: Maria Mancurtius (Hrsg.): Marci Antonii, Joannis Antonii et Gabrielis Flaminorum Forocorneliensis Carmina Patavii (Padua 1743) sowie Luis Vaz de Camões: Os Lusiadas (1556–70).

Juli/Anfang August: Werner vDH drängt die Droste, nach Hülshoff umzuziehen.

August: Weiterhin schlechter Gesundheitszustand und Nervenschwäche. Längere Bettlägerigkeit. Besuch Christoph Bernhard und Therese Schlüters im Rüschhaus. Therese Schlüter will für einige Zeit ins Rüschhaus ziehen. Mit Schlüter Gespräche über das Gedicht *An einem Tag wo feucht der Wind. . .*, das aus der Umarbeitung von *Bettine und Syry* entsteht.

1. Hälfte August: Brief an Schlüter: Ihre Lektüre der von Schlüter am 31.7. erhaltenen Werke. Ihre Gesundheit habe sich seit Beginn einer homöopathischen Kur gebessert: *mir ist ganz anders zu Muthe seit ich Euch wieder gesehn habe!* Einladung Schlüters ins Rüschhaus.

An einem Tag, wo feucht der Wind...

An einem Tag, wo feucht der Wind,
Wo grau verhängt der Sonnenstrahl,
Saß Gottes hartgeprüftes Kind
Allein am kleinen Gartensaal,
Ihr war die Brust so voll und enge,
Ihr war das Haupt so dumpf und schwer,
Selbst um den Geist zog das Gedränge
Der Adern blutge Schleyer her.

Sie sah am fernen Sees Bord
Der Liebsten leichte Schemen gehn
Und konnte nicht ein grüßend Wort,
Gedanken kaum hinüber wehn,
Gefährten Wind und Vogel nur
In selbstgewählter Einsamkeit,
Ein großer Seufzer die Natur,
Und schier zerflossen Raum und Zeit.

Sie sann und saß, und saß und sann,
An ihrem Arm die Grille sang,
Vom fernen Felde nun und dann
Ein schwach vernommner Sensenklang
Die kleine Mauerwespe flog
Ihr ängstlich am Gesicht bis fest
Zur Seite das Gewand sie zog
Und offen war des Tierleins Nest.

Und am Gestein ein Käfer lief
So scheu und rasch wie auf der Flucht,
Bald in das Moos sein Häuptlein tief
Bald bergend in der Ritze Bucht,
Der Hänfling flatterte vorbei
Nach Futter spähend, das Insekt
Hat zuckend bei des Vogels Schrey
In ihre Kleider sich versteckt.

Da ward ihr klar, wie nicht allein
Das schwergefangne Gottesbild
Im Menschen, wies in dumpfer Pein
Im bangen Wurm, im scheuen Wild,

Im durstgen Halme auf der Flur,
Der mit vergilbten Blättern lechzt,
In aller aller Kreatur
Nach oben um Erlösung ächzt.

Wie mit dem Fluch, so sich erwarb
Der Erde Fürst im Paradies,
Er sein gesegnet Reich verdarb,
Und seine Diener büßen ließ,
Wie durch die reinen Adern trieb
Er Tod und Moder, Mord und Zorn
Und nur die Schuld allein ihm blieb
Und des Gewissens roher Dorn.

Der schläft mit uns, und der erwacht
Mit uns an jedem jungen Tag,
Ritzt unsre Träume in der Nacht
Und blutet über Tage nach
O schwere Pein, nie unterjocht
Voll tollster Lust, von keckstem Stolze
Wenn leise leis es nagt und pocht
Und bohrt wie Mad im kranken Holze

Wer ist so rein, daß nicht bewußt
Ein Bild ihm in der Seele Grund,
Daß er muß schlagen an die Brust
Und fühlen sich verzagt und wund,
So hart wer daß ihn nie erreicht
Ein Wort, daß er nicht mag vernehmen,
Wo ihm das Blut zur Stirne steigt
In heißem bangem tiefem Schämen

Und dennoch gibt es eine Last
die Keiner fühlt und Jeder trägt
So dunkel wie die Sünde fast
Und auch im gleichen Schooß gehegt
Er trägt sie wie den Druck der Luft
Gefühlt vom kranken Leibe nur
Bewußtlos wie den Fels die Kluft
Trägt er den Mord an der Natur.

Das ist die Schuld des Mordes an
Der Erde Lieblichkeit und Huld,
An des Gethieres dumpfem Bann
Ist es die tiefe, schwere Schuld,
Und an dem Grimm, der es beseelt,
Und an der List, die es befleckt,
Und an dem Schmerze, der es quält
Und an dem Moder, der es deckt.

Vermutliche Lektüre: Luis Vaz de Camões „Os Lusiadas".

Brief von Schlüter: Zusendung von Werken des Leonidas Tarentinus.

Die Droste kann aufgrund ihrer Sprachkenntnisse die in griechischer Sprache verfaßten Werke nur mit Hilfe der lateinischen Erläuterungen lesen.

4. August: Behandlung durch von Bönninghausen. Dieser vermerkt: „Calc. 200 davon Diarrhoe und doch nicht besser."

Fortsetzung der homöopathischen Kur. Die Therapie hinterläßt diesmal eine schädigende Wirkung.

Etwa 20. August: Brief an Schlüter: Ihre Lektüre des Leonidas Tarentinus. Exkurs über ihre Sprachkenntnisse. Ankündigung ihres baldigen Umzugs nach Hülshoff, von wo aus sie Schlüter besuchen wolle. Sie hoffe, *An einem Tag wo feucht der Wind. . .* bald verfassen zu können.

21. August: Brief von Schlüter: Zusendung eines von der Droste erbetenen Buches über Schalentiere sowie Johannes Bissel: Elegiae seu Deliciae veris (1638–40) und Idyllen des Jacopone Sanazaro.

23. August: Behandlung durch von Bönninghausen.

28. August: Werner vDH verlangt, daß die Droste wegen ihrer schlechten Gesundheit nach Hülshoff umziehe.

Brief an Schlüter: Mitteilung ihres Umzugs nach Hülshoff. Sie wolle die *beyden Lateiner* (vermutlich die Idyllen Sanazaros und Bissels „Elegiae seu Deliciae veris"), von denen ihr ein Buch (= Bissel) besonders gefalle, mit nach Hülshoff nehmen. Sie hoffe, von Hülshoff aus Schlüter häufiger besuchen zu können.

29. August: Behandlung durch von Bönninghausen.

Ende August: Gesundheitsverschlechterung. Ständiges *Erbrechen, erstickender Husten, Schleimandrang, Fieber* und Schlaflosigkeit.

Anfang September: Der Aufenthalt in Hülshoff führt zu keiner Gesundheitsbesserung.

6. und 8. September: Behandlung durch von Bönninghausen.

In der Folgezeit: Die Hoffnung, durch einen Klimawechsel eine Besserung ihres Befindens herbeizuführen, veranlaßt die Droste, trotz aller gesundheitlichen Risiken die Reise nach Meersburg anzutreten.

Mitte September: Die Droste tritt in krankem Zustand die Reise nach Meersburg an. Station in Münster. Sie bittet Schlüter zu sich und teilt ihm mit, daß sie in Meersburg das *Geistliche Jahr* vollenden wolle. Sie macht ihm das *Geistliche Jahr* zum Geschenk und beauftragt ihn, das Werk nach ihrem Tode ganz oder auszugweise zu veröffentlichen. Positives Urteil über das Buch von Bissel. Sie erfährt von Schückings Artikel „Annette von Droste. Eine Charakteristik" (Vom Rhein, Jg. 1, 1847).

Mit Heinrich vDH Weiterreise bis Bonn. Dort etwa 14tägiger Aufenthalt im Hause Pauline vDHs. Zusammentreffen mit Joseph Braun und Sulpiz Boisserée. Wegen *abscheulichen Kopfwehs* 8tägige Bettruhe. Insgesamt Gesundheitsbesserung. Drei Zusammentreffen mit Junkmann. Die Droste bittet ihn, bei Gottfried Kinkel das Manuskript von Schückings „Annette von Droste. Eine Charakteristik" einzusehen und ggf. unterdrücken zu lassen. Sie erhält die Nachricht, daß die „Charakteristik" bereits gedruckt sei, jedoch nichts Nachteiliges über sie enthalte. Die Droste weicht in Bonn einem Zusammentreffen mit Schücking und seiner Frau aus.

28. September: Ohne Reisebegleitung Weiterfahrt nach Meersburg. Fahrt zunächst bis Mainz. Die Droste ist fast unfähig zur Weiterreise.

29. September: Weiterreise über Mannheim bis Karlsruhe. Allmähliche Gesundheitsbesserung.

30. September: Weiterreise über Freiburg bis Stockach. Die Droste entschließt sich, eine strapaziöse Nachtfahrt per Wagen auf sich zu nehmen.

Ende September: Es erscheint: Schücking: Annette von Droste. Eine Charakteristik (Vom Rhein, Jg. 1, 1847).

Es erscheinen ebd.: *Der sterbende General*; *Silvesterabend.*

Die Droste blickt vom Fenster der Meersburg aus auf den Bodensee. Zeichnung ihrer Schwester Jenny, 1846.

Die Droste lehnt es ab, Schückings „Annette von Droste. Eine Charakteristik“ zu lesen. Sie läßt sich das Jahrbuch nicht nach Meersburg nachsenden.

Herbst: Es erscheinen: *Das Bild*; *Das erste Gedicht*; *Durchwachte Nacht* (Producte der Rothen Erde. Hrsg.: M.F. von Tabouillot, Münster 1846).

1. Oktober: Ankunft in Meersburg in besserem Gesundheitszustand. Vermutlich Zusammentreffen mit Robert und Philippa Pearsall, die bis zum 6.10. bleiben.

Die Droste bewohnt die „Spiegelei“, in der sie sich aus Gesundheitsgründen (bis auf die Mahlzeiten) fast den ganzen Tag aufhält. Lektüre ist ihr ärztlich untersagt. Nur selten Teilnahme an den zahlreichen Gelehrtenbesuchen auf der Meersburg. Die Droste empfängt außer Charlotte von Salm-Reifferscheidt keine fremden Personen. Sie wird täglich von den Laßbergs und Therese vDH besucht. Es stellt sich allmählich eine Gesundheitsbesserung ein. Es bleiben jedoch ein Husten und Kurzatmigkeit. Ausflüge zum Fürstenhäuschen und ihrem Weinberg.

4. und 11. Oktober: Besuch Charlotte von Salm-Reifferscheidts auf der Meersburg. Die Fürstin kommt in der Folgezeit regelmäßig, um die Droste aufzusuchen. Solche Besuche sind belegt für den 18.10., 22.11., 2.12., 13.12. und 26.12.1846; den 14.1., 12.2., 2.4., 18.5., 2.6., 4.8., 2.9., 10.9., 16.9., 16.10., 22.10., 26.10., 3.11., 16.11., 19.11.1847 sowie den 16.2., 20.2., 24.2., 27.2., 4.3., 13.3., 17.3., 26.3., 9.4., 15.4., 20.4., 2.5., 7.5. und 21.5.1848.

Mitte Oktober: Da in Meersburg kein homöopathischer Arzt zur Stelle ist, begibt sich die Droste erstmals wieder in Behandlung von allopathischen Ärzten (Dr. Herght aus Überlingen; Dr. Kraus aus Meersburg). Es wird eine Entzündung der Schleimhäute und Schwäche des Unterleibs, der Nerven und der Milz diagnostiziert. Ihr wird strengste körperliche und geistige Ruhe verordnet. Aufenthalte außerhalb ihres Zimmers sind ihr untersagt, da frische Luft ihre Luftröhre zu sehr reize.

15. Oktober: Behandlung durch den Überlinger Arzt Dr. Franz Herght.

November und Folgemonate: Allmähliche Gesundheitsbesserung, jedoch Leiden an starkem Husten und Übelkeit. Sie darf ihren Magen nicht belasten. Starke nervliche Überreizung. Die Symptome nehmen gelegentlich derart zu, daß sie nach eigener Angabe ihren Tod herbeisehnt. Nach ärztlichem Befund ist eine Überreizung der Nerven die Ursache ihres ständigen Krankseins.

9.-13. November: Aufenthalt Philippa Pearsalls auf der Meersburg.

Nach 14. November: Die Droste kann an den zahlreichen Aufführungen des von ihr geschätzten Liebhabertheaters nicht teilnehmen.

16. November: Adalbert Stifter weist Gustav Heckenast empfehlend auf die *Gedichte* 1844 hin.

28. November: Brief von Melchior von Diepenbrock: Er bedankt sich für das Autographengeschenk der Droste für seinen Freund O'Donnell von Tyrconnel. In dessen Namen Bitte um ein weiteres Autograph.

11. Dezember: „Nette war sehr unwohl. Sie hustet stark." (Tagebuch Jenny von Laßbergs)

12. Dezember: Mehrtägiges Unwohlsein mit starkem Husten.

17. Dezember: Leichte Gesundheitsbesserung.

19. Dezember: R(oderich Benedix): Zur Literatur (Rez. Vom Rhein, Jg. 1, 1847, darin *Sylvesterabend* und *Der sterbende General*) (Kölnische Zeitung, Köln, Nr. 353).

Brief von Carl Dräxler(-Manfred): Bitte um Beiträge für das „Rheinische Taschenbuch". Er versichert, daß die Qualität des Taschenbuchs durch Beiträge von Arndt, Zschokke, von Wessenberg, Freiligrath, Simrock, Schücking u.a. gewährleistet sei.

24. Dezember: Die Droste kann wegen ihrer Erkrankung nicht an der gemeinsamen Feier des Weihnachtsfestes teilnehmen.

25. Dezember: Gesundheitsbesserung.

Herbst/Winter: Die Droste läßt sich von Schlüter das *Geistliche Jahr* zuschicken, um es auf der Meersburg abzuschließen.

1847

Anth.: Es erscheint: *Wasser* (aus: *Die Elemente*) (Auswahl deutscher Gedichte für die untern und mittlern Klassen gelehrter Schulen. Hrsg.: T. Echtermeyer. 5. Aufl. 1847). Wiederabdruck.

Anth.: Es erscheint: *An die Weltverbesserer* (Titel hier: *Warnung an die Weltverbesserer*) (Politische Gedichte aus Deutschlands Neuzeit. . . Hrsg.: H. Marggraff. Neue wohlfeile Ausg. 1847). Wiederabdruck.

Zimmer der Droste auf der Meersburg. Heutiger musealer Zustand.

Anth.: Es erscheint: *Am Charsamstage*; *Des Arztes Vermächtniß*; *Der Graf von Thal* (Poetischer Hausschatz des deutschen Volkes. . . Hrsg.: O.L.B. Wolff, 9. Aufl. 1847). *Am Charfreitage*; *Das Ich der Mittelpunkt der Welt*; *Das Haus in der Haide*; *Der Geyerpfiff* (ebd. Supplementband). Wiederabdrucke.

Anth.: Es erscheint: *Das Haus in der Haide*; *Die Unbesungenen*; *Die junge Mutter*; *Der Brief aus der Heimat; Nach 15 Jahren*; *Junge Liebe*; *Das 14-jährige Herz*; *Der kranke Aar*; *Der sterbende General*; *Die Schulen*; *Die Krähen* (Deutschlands Dichterinnen. Hrsg. von A. Voß, 1847) Wiederabdrucke. Die Aufnahme geht vermutlich auf die Freundschaft des Herausgebers mit Elise von Hohenhausen (geb. von Ochs) zurück.

Erwähnt in: L. Ettmüller: Handbuch der deutschen Literaturgeschichte von den ältesten bis auf die neuesten Zeiten... (1847, S. 415) Mit Ettmüller, einem Freund Laßbergs, war die Droste in Meersburg persönlich bekannt geworden.

Erwähnt in: J.G.Th. Gräße: Handbuch der allgemeinen Literaturgeschichte aller bekannten Völker der Welt... Bd. 1–4, 1844–1850. Darin Bd. 3: Literaturgeschichte der neueren Zeit... 1847/48, S. 786.

Erwähnt in: Elise von Hohenhausen (geb. von Ochs): Rousseau, Göthe, Byron. Ein kritisch-literarischer Umriß aus ethisch-christlichem Standpunkte (Kassel 1847, S. 119).

Erwähnt in: Schlüter (Hrsg. und Übers.:) M‹arkus› A‹ntonius› Flaminius und seine Freunde. Dichterproben aus dem Zeitalter Leo's X. mit beigefügtem lateinischem Originaltext (1847). In der Vorrede auszugsweiser Abdruck des Droste-Briefes an Schlüter aus der 1. Hälfte August 1846.

Zwischen 1844 und 1847: Es erscheinen möglicherweise *Die Krähen* sowie weitere Gedichte der Droste in Bentley's Magazin (Übers.: Thomas Medwin). Das Erscheinen der Aufnahme ist zweifelhaft; für den Fall, daß es zustandekam, ist eine Vermittlung Elise von Hohenhausens wahrscheinlich.

5. Januar: Der Droste geht es „viel besser".

12. Januar: Die Droste bekommt zu ihrem 50. Geburtstag von Jenny von Laßberg den „Siegelring vom seligen Ferdinand" geschenkt.

22. Januar: F(reiin) v(on) H(ohenhausen) (Elise Rüdiger): Poetische Jahrbücher. 1. Producte der rothen Erde (Rez.: Producte der Rothen Erde mit *Das Bild*; *Das erste Gedicht*; *Durchwachte Nacht*) (Hannoversche Morgenzeitung, Hannover, Nr. 10, Beil.).

24. Januar: *Der sterbende General* (Westfälischer Merkur, Münster, Zugabe „Unterhaltungsblatt" Nr. 4). Wiederabdruck.

25. Januar: FH: Literarisches (Rez. Producte der Rothen Erde) (Westfälischer Merkur, Münster, Nr. 25–27, 29.-31.1.1847). Über die Droste S. 259.

Januar-März: Brief von Philippa Pearsall (aus Augsburg): Sie begeistere sich für das *Geistliche Jahr*.

4. Februar: Beginn eines Briefes an Elise Rüdiger, den die Droste krankheitsbedingt erst am 16.2. abschließt.

16. Februar: Brief an Elise Rüdiger: Über Schückings „Annette von Droste. Eine Charakteristik". *Ueberhaubt langweile ich mich gar nicht,– meine Phantasie arbeitet nur zu sehr, und ich muß aus* *allen Kräften dagegen ankämpfen. – jede etwas unebene Stelle an der Wand, ja jede Falte im Kissen, bildet sich mir gleich zu, mitunter recht schönen, Gruppen aus, und jedes zufällig gesprochene etwas ungewöhnliche Wort steht gleich als Titel eines Romans oder einer Novelle vor mir, mit allen Hauptmomenten der Begebenheit. – Sie sehn wie überreizt ich noch bin;– Gott! dürfte ich jetzt schreiben (d. h. dictiren) wie leicht würde es mir werden!– aber wie bald würde ich auch wieder alle Viere von mir strecken!* – Kritik an der *Indiscretion* der zeitgenössischen Schriftsteller: *Lieb Lies, mein Entschluß mich von allen litterarischen Bekanntschaften (außer von Ihnen) immer mehr zurückzuziehn, wird immer fester, so wie d e r niemals eine Recension oder kritischen Aufsatz zu lesen. . .*

März und Folgemonate: Anhaltend schwache Gesundheit. Die Droste ist fast unfähig zu gehen. Schreiben bringt sie nach kurzer Zeit *einer Ohnmacht nahe.* Nur mit großer Vorsicht darf sie gelegentlich ein kleines Gedicht oder einen kurzen Zeitungsartikel lesen. Ihre allgemeine Stimmung beschreibt sie als *heiter.* Sie habe weder Fieber noch Schmerzen und sehe *ganz erträglich* aus. Sie lebt in dem Bewußtsein, daß sich an ihrem Allgemeinzustand nicht mehr viel ändere. Tägliche Besuche von Mitgliedern der Familie von Laßberg und Therese vDH auf ihrem Zimmer.

3. März: Die Droste ist soweit hergestellt, daß sie die erkrankte Jenny von Laßberg in deren Zimmer besuchen kann.

6. März: 18.: Die Taschenbücher für das Jahr 1847. Dritter und letzter Artikel (Rez. Producte der Rothen Erde mit: *Das Bild*; *Das erste Gedicht*; *Durchwachte Nacht*) (Blätter für literarische Unterhaltung, Leipzig, Nr. 65–67, 6.-8.3.1847).

13. März: Die Droste kann wieder an den gemeinsamen Mahlzeiten teilnehmen.

20. März: F(reiin) v(on) H(ohenhausen) (Elise Rüdiger): Poetische Jahrbücher. 3. Vom Rhein (Rez. Vom Rhein, Jg. 1, 1847, darin *Sylvesterabend*; *Der sterbende General*) (Hannoversche Morgenzeitung Nr. 35).

27. März: Weitere Gesundheitsbesserung. Die Droste unternimmt in der Folgezeit kleine Spaziergänge.

31. März: Erkrankung an Halsschmerzen.

Frühjahr: Weitere allmähliche Gesundheitsbesserung.

Es erscheint: *Gemüth* (Charitinnen, Hrsg.: W. Nürnberger, 1847).

17. April: Jenny von Laßberg berichtet in einem Familienbrief: „Nette hat große Freude an ihrem Album, das durch die Fürstin und

Auguste wieder sehr vermehrt ist, sie kann es stundenlang betrachten, sie spricht immer davon, daß Tony ihr noch etwas zu mahlen versprochen habe. Nette ist mir ein großer Trost, ja ich könnte ohne sie kaum bestehen. . .“

19. April: „Nette und ich klebten Bilder in die Alben für die Kinder.“ (Tagebuch Jenny von Laßbergs)

21.-24. April: Besuch Luise und Caroline von Strengs auf der Meersburg.

24. April: Möglicherweise Besuch des Meersburger Gasthauses „Zum Frieden“.

25. April: Möglicherweise Besuch des Gottesdienstes in Meersburg.

28. April: Möglicherweise Teilnahme an einem gemeinsamen Spaziergang.

6. Mai: (Joseph Eduard Braun): Literatur-Briefe III (Rez. *Gedichte* 1844) (Kölnische Zeitung, Köln, Nr. 96).

Laßberg teilt Carl von Brenken mit, daß die Droste auf dem Weg der Genesung sei.

Juni: Besuch von Robert Pearsall und Bernhard Zeerleder von Steinegg auf der Meersburg.

Es erscheint: *Schloß Berg* (Titel hier: *Der Schweizer Morgen*) (Monats-Rosen, Mergentheim, Hrsg.: O.F. Schönhuth, Jg. 5).

3. Juni: Jenny von Laßberg berichtet in einem Familienbrief, daß ihre Kinder abends „immer eine Stunde bei Tante Nette zu‹brächten›, die ihnen dann erzählt: Geschichten und auch von den Verwandten und aus ihrer Kindheit; so werden sie denn auch mit denen bekannt, die sie noch nie gesehen haben“.

7. Juni: Ludwig Wihl: Literatur am Rhein (Rez. Vom Rhein, Jg. 1, 1847 mit *Der sterbende General*; *Sylvesterabend*) (Frankfurter Konversationsblatt, Frankfurt a.M., Nr. 155–157, 7.-9.6.1847). Über die Droste Nr. 7, S. 631.

14. Juni: W(ilhelm) Hamm: Die deutschen Schriftstellerinnen von 1830–1847 (Rez. *Gedichte* 1844) (Frankfurter Konversationsblatt, Frankfurt a.M., Nr. 162–168, 14.-20.6.1847). Über die Droste in Nr. 163, S. 651.

20. Juni: Die Droste wird von Charlotte und Auguste von Salm-Reifferscheidt zu einem 11tägigen Besuch auf Schloß Hersberg abgeholt.

26. Juni: Schücking teilt Adele Schopenhauer mit, daß er seit Erscheinen seines Romans „Die Ritterbürtigen“ keinen Brief mehr von der Droste erhalten habe: „Du lieber Gott! Sie kennen ja die Onkelschaft!"

1. Juli: Erneutes Unwohlsein.

3. Juli: Jenny von Laßberg teilt in einem Familienbrief mit, daß es der Droste gesundheitlich besser gehe; sie habe zwar an Gewicht verloren, könne aber noch immer nicht gehen.

5. Juli: Besuch Gustav Schwabs auf der Meersburg.

20. Juli: Beginn eines Briefes an Elise Rüdiger. Wegen ihrer Erkrankung kann die Droste den Brief nur in kurzen Absätzen weiterschreiben.

24. Juli: Adele Schopenhauer teilt Schücking mit, daß sie mit „unglaublichem Neid" die von der Droste verfaßten Passagen in Schückings Roman „Die dunkle That" (1846, früherer Titel 1843: „Das Stiftsfräulein") gelesen habe. Sie plane, der Droste am nächsten Tag zu schreiben. Weiter heißt es: „Wären die Onkels u Ebenbürtigen schuld an ihrem ‹Annette von Drostes literarischem› Verstummen es wäre hart! Kaum glaube ichs."

August (?): Es entsteht: *Auf hohem Felsen lieg' ich hier...* (An Bertha Arndts, mit Widmung).

1. August: Besuch des Gottesdienstes in Meersburg.

Ankunft Heinrich vDHs in Meersburg.

7. August: Brief an Elise Rüdiger: *ich bin lebendig, und leide wenig, aber schwach, schwach!... ich bin... meinem Schöpfer sehr dankbar, daß er mir durch das beständige Gefühl der Gefahr eine vollkommene Befreundung mit dem Tode, so wie, durch eben dieses Gefühl, eine doppelt innige und bewußte Freude an allen, auch den kleinsten Lebensfreuden, die mir noch zu Theil werden, gegeben hat...* Therese vDH reise am 10.8. von der Meersburg ab: *von meiner Mitreise kann keine Rede seyn,– habe ich wirklich noch Jahre zu leben, so müssen wenigstens die nächsten und gefährlichsten in diesem Clima durch vegitirt werden...* Die Droste ist in Sorge, wegen ihrer gesundheitlichen Schwächung ihre Korrespondenz mit Elise Rüdiger nicht weiterführen zu können.

8. August: Besuch des Gottesdienstes in Meersburg.

10. August: Abreise Therese und Heinrich vDHs. von Meersburg. Vielleicht entsteht zu diesem Anlaß: Stammbucheintrag für Heinrich vDH: *Am 14. Sonntage nach Pfingsten* (aus dem *Geistlichen Jahr).*

22., 29.(?) und 31. August: Besuch des Gottesdienstes in Meersburg.

6. September: Gichtschmerzen.

Auf hohem Felsen lieg' ich hier,
Der Krankheit Nebel über mir
Und unter mir der tiefe See
Mit seiner nächt'gen Klage Weh,
Mit seinem Jubel, seiner Lust,
Wenn buntgeschmückte Wimpel fliegen,
Mit seinem Dräun aus hohler Brust,
Wenn Sturm und Welle sich bekriegen.

Mir ist er gar ein trauter Freund,
Der mit mir lächelt, mit mir weint,
Ist, wenn er grünlich golden ruht,
Mir eine sanfte Zauberflut,
Aus deren tiefen, klaren Grund
Gestalten meines Lebens steigen,
Geliebte Augen, süßer Mund
Sich lächelnd winkend zu mir neigen.

Wie hab' ich gar so manche Nacht
Des Mondes Widerschein bewacht,
Die bleiche Bahn auf dunklem Grün,
Wo meiner Toten Schatten ziehn,
Wie manchen Tag den lichten Hang,
Bewegt von hüpfend leichten Schritten,
Auf dem mit leisem Geistergang
Meiner Lebend'gen Bilder glitten.

Und als d e i n Bild vorüber schwand,
Da streckte ich nach dir die Hand,
Und weh' ward's in der Seele mir,
Daß du nicht weißt, wie nah sie dir;
So nimm denn meine Lieder hin,
Sie sind aus tiefer Brust erklungen,
Nimm sie mit alter Liebe Sinn
Und denk, ich hab' sie dir gesungen.

19. September: Besuch Uhlands auf der Meersburg.

20. September: „Abends alle bei Nette.“ (Tagebuch Jenny von Laßbergs)

Ende September: Ludwig von Madroux kommt bis zum 18.10. auf die Meersburg. Zwischen ihm und der Droste entsteht eine auch brieflich bezeugte Freundschaft.

1. Oktober: Besuch Ignaz von Wessenbergs auf der Meersburg.

5. Oktober: Laßberg und von Madroux verbringen den Abend auf dem Zimmer der Droste.

25. Oktober: Die Droste liest Jenny von Laßberg den Anfang von *Joseph* vor.

30. Oktober: Madroux schenkt der Droste Autographen und das Buch von Johann Heinrich Wilhelm Witschel: Morgen- und Abendopfer (1803).

Oktober/November: Die Familie Laßberg und die Droste verfolgen mit großer Anteilnahme die Ereignisse des Schweizer Sonderbundkrieges, dessen Verlauf Jenny von Laßberg in ihrem Tagebuch festhält.

9. November: Brief an Therese vDH: Über den Sonderbundkrieg. Sie hoffe für das kommende Jahr auf einen Besuch einer ihrer Onkel oder Tanten von Haxthausen auf der Meersburg.

11. November: Leichte Erkrankung.

14. November: Der Droste ist „weniger wohl als sonst". (Tagebuch Jenny von Laßbergs)

23. November: Es erscheint: *Aus einem Schreiben vom Bodensee, 10. November (verspätet)* (Westfälischer Merkur, Münster, Nr. 280). Es handelt sich um den Abdruck eines von August von Haxthausen redaktionell überarbeiteten Auszugs aus dem Brief der Droste an Therese vDH vom 9.11.1847 über die Ereignisse des Sonderbundkrieges.

2. Dezember: Unwohlsein.

4. Dezember: Gesundheitsbesserung.

11. Dezember: Laßberg berichtet Carl von Brenken, daß es mit der Gesundheit der Droste zwar „aeußerst langsam, aber in der hauptsache doch viel besser" gehe.

1848

Anth.: Es erscheinen: *Die Unbesungenen*; *Das Haus in der Haide* (Die Sänger unserer Tage. Blätter aus dem deutschen Dichterwald der Gegenwart. . . Hrsg.: H.E. Apel, 1848). Wiederabdrucke.

Anth.: Es erscheinen: *Der Knabe im Moor*; *Der Graf von Thal*; *Der Geyerpfiff* (Deutschlands Balladen- und Romanzendichter. . . Hrsg.: I. Hub, 2. verb. und verm. Aufl. 1848/49). Wiederabdrucke.

Anth.: Es erscheinen: *Vor vierzig Jahren*; *Die beschränkte Frau*; *Der Spiritus familiaris des Roßtäuschers* (Bildersaal der Weltliteratur. . . Hrsg.: J. Scherr, 1848). Wiederabdrucke.

Anth.: Es erscheinen in engl. Übers.: *Die Krähen*; *Die junge Mutter*; *Im Moose*; *Der Brief aus der Heimath*; *Der Haidemann* (A Vision of great Men with other Poems from the Poetesses of Germany. Hrsg.: C.d. Crespigny, 1848). Vermittlerin der Aufnahme war vermutlich Elise von Hohenhausen (geb. von Ochs).

Erwähnt in: A‹ugust› F‹riedrich› C‹hristian› Vilmar: Vorlesungen über die Geschichte der deutschen Nationalliteratur (2 Bde., 3. verm. Aufl. 1848). Über die Droste S. 342 u. 346.

Erwähnt in: Franz Biese: Handbuch der Geschichte der deutschen National-Literatur für Gymnasien und höhere Bildungsanstalten (2 Tle., 1846–1848). Über die Droste T. 2, 1848, S. 602f.

4. Januar: Jenny von Laßberg teilt Therese vDH mit, daß es der Droste gesundheitlich gut gehe. Sie habe sogar gewagt, an der Weihnachtsbescherung teilzunehmen. Jenny von Laßberg glaube jedoch nicht, daß die Droste in diesem Winter ihr Zimmer noch verlassen könne, da sie Rheumatismus bekommen habe. Sie nehme der Droste das Schreiben ab.

5. Januar: Besuch der Meersburger Klosterfrauen bei der Droste.

12. Januar: Erneute Erkrankung.

13. Januar: Elise von Hohenhausen tadelt gegenüber Helmina von Chézy die ihrer Meinung nach zu schroffe Fülle von Sinneseindrücken in den Gedichten der Droste.

15. Januar: Es entsteht: *Als diese Lieder ich vereint. . .* (für Ludwig von Madroux, mit Widmung).

Februar: Elise von Hohenhausen äußert sich gegenüber Helmina von Chézy kritisch über *Die Krähen*.

Anfang Februar: Gesundheitsbesserung.

8. Februar: „Nette kam herauf“ (Tagebuch Jenny von Laßbergs).

9. Februar: „Nette war mit uns am Tisch“ (Tagebuch Jenny von Laßbergs).

15. Februar: Besuch beim inhaftierten Zeerleder von Steinegg in Meersburg.

22. Februar: Erneuter Besuch beim inhaftierten Zeerleder von Steinegg.

27. Februar: Brief an Therese vDH: Es gehe ihr wesentlich besser.

29. Februar: Auf der Meersburg verfolgt man besorgt die revolutionären Vorgänge in Paris.

März: Fast überall in Westfalen kommt es zu Unruhen. Besonderes Ausmaß erreichen sie im Sauerländischen und Paderbornischen, u.a. auf dem Gut des mit der Familie vDH befreundeten Freiherrn von Brenken-Erpernburg. Die Familien von Laßberg, von Haxthausen und vDH sind in großer Sorge über die politisch unsichere Situation. Von Haxthausens und vDHs planen, sich in Amerika einzukaufen.

Weiterhin verbesserter Gesundheitszustand.

1. März: Wiederherstellung der Pressefreiheit in Baden.

3. März: Besorgt verfolgt man auf der Meersburg die Unruhen in Karlsruhe und Neuenburg sowie die revolutionären Ereignisse in Belgien.

4. März: Nachricht von Unruhen in Karlsruhe und München.

6. März: Nachricht von Unruhen in Sigmaringen. Der bayerische König Ludwig I. macht liberale Zugeständnisse.

9. März: Nachricht von einer stürmischen Volksversammlung in Stockach. Man registriert besorgt, daß sich die revolutionäre Bewegung nähert.

10. März: Unruhen in München. Lautstarker revolutionärer Umzug in Meersburg. Besuch Charlotte und Auguste von Salm-Reifferscheidts bei der Droste, die „sehr in Angst“ ist.

11. März: Bauernunruhen in Württemberg. Erklärung der Pressefreiheit.

13. März: Ausbruch der Revolution in Wien. Volksunruhen in Hamburg. Nachricht von einem Aufruhr in Hechingen.

14. März: Flucht Metternichs. Volksunruhen in Berlin.

15. März: Herstellung der Pressefreiheit in Wien. Demonstrationen in Dresden.

„Nette und ich packen Schmuck, Münzen, Papiere“ ein; „große Besorgniß in Constanz, viele packen ein, Beamte flüchten, Furcht, selbst der Liberalen.“ (Tagebuch Jenny von Laßbergs)

16. März: Zeerleder von Steinegg berichtet der Droste täglich über den Verlauf der politischen Ereignisse.

17. März: Mehrtägiger Besuch Luise von Strengs auf der Meersburg.

18. März: Ausbruch der Revolution in Berlin. Friedrich IV. genehmigt die Pressefreiheit.

19. März: Neue Unruhen in München. Abdankung Ludwigs I. Entlassung des Preußischen Ministeriums. Nachricht vom Aufstand in Wien und der Abdankung Metternichs.

20. März: Nachricht vom Aufstand in Berlin.

23. März: Nachricht von der Abdankung Ludwigs I.

24. März: „Böse Nachrichten aus Berlin."

25. März: „Das Gerücht eines Einfalles von 40.000 Franzosen hat sich gottlob nicht bestätigt. . . Der König von Preußen hat auf alles bewilligt." (Tagebuch Jenny von Laßbergs)

26. März: Die Droste ist wegen der politischen Lage in großer Unruhe.

27. März: Jenny von Laßberg berichtet Therese vDH, daß es der Droste zusehends besser gehe. Diese hoffe, im Sommer das Fürstenhäuschen besuchen zu können.

Frühjahr: Die Ärzte stellen ein Herzleiden der Droste fest, das zu einem schnellen Tode führen könne.

1. April: Laßberg berichtet Therese vDH, daß es der Droste wieder „ganz wohl" gehe.

2. April: Volksversammlung in Meersburg, die einen ruhigen Verlauf nimmt.

4. April: Brief von Therese vDH (an Jenny von Laßberg und die Droste gerichtet): „Seit 8 Tagen sind wir wieder hier. . . ‹im Rüschhaus›, und zwar flüchtend hiergekommen; unter dessen will ich Euch nur gleich anfangs sagen, daß wir alle frisch und gesund, auch von den Unsrigen niemanden etwas zertrümmert oder beschädigt ist, ausgenommen Guido ‹von Haxthausen›, dem sie in Voerden an der Vorderseite des Hauses alle Fenster eingeworfen haben. . .'

8. April: Therese vDH bittet über Laßberg die Droste, sich wegen der politischen Lage nicht zu sehr zu ängstigen. Es gehe ihrer Familie „sehr gut".

10. April: Nachrichten von Unruhen im Paderbornischen und von der Flucht der Familie von Bocholtz-Asseburg und anderer freiherrlicher Familien nach Paderborn.

Erkrankung mit starkem Husten. Jenny von Laßberg untersagt der Droste das Verlassen des Zimmers und die Teilnahme an der Geburtstagsfeier Joseph von Laßbergs.

Zum 10.4.: Es entsteht: *An Joseph von Laßberg zum Geburtstag am 10. April 1848.*

13. April: In Konstanz scheitert der Versuch, die Republik auszurufen.

14. April: „Nette wieder unwohl."

17. April: In Konstanz wird die Republik ausgerufen, am nächsten Tag jedoch widerrufen.

Jenny von Laßberg erkundigt sich in einem Familienbrief nach der politischen Lage in Westfalen. Ihre Gespräche mit der Droste kämen immer wieder darauf zurück.

23. April: Zusammenkunft des Vorparlaments in Frankfurt, das die Berufung einer deutschen Nationalversammlung beschließt.

April/Mai: Die Droste ist in äußerster Sorge über die politische Situation. Sie ist ständig darauf gefaßt, flüchten zu müssen. In Gesprächen mit Jenny von Laßberg und Charlotte von Salm-Reifferscheidt verleiht sie dieser Besorgnis Ausdruck.

Mai: Schücking sendet Ignaz Hub eine eingehende Charakteristik der Droste.

4. Mai: Bayerische Einquartierungen auf der Meersburg.

6. Mai: Joseph von Laßberg teilt Therese vDH mit, daß es der Droste gesundheitlich recht wohl gehe.

19. Mai: Die Droste geht auf dem Hof 6.000 Schritte. Sie singt mit Jenny von Laßberg ein kleines Duett.

20. Mai: Ermüdungszustand. Die Droste verbringt den Tag auf ihrem Zimmer.

22. Mai: Die Droste bekommt um drei Uhr nachts Blutspeien und läßt einen Arzt rufen. Jenny von Laßberg verbringt den ganzen Tag bei ihr und zieht einen weiteren Arzt hinzu.

Besuch Charlotte von Salm-Reifferscheidts auf der Meersburg. Sie darf nicht zur Droste, der das Sprechen untersagt ist. Jenny von Laßberg verbringt den ganzen Tag bei der Droste, die gelegentlich Blut hustet. Die Droste äußert den Wunsch, die Sterbesakramente zu empfangen. Laßberg rät ihr davon ab, da sie zu aufgeregt sei.

24. Mai: Der Gesundheitszustand der Droste wird von ihrem Arzt als ungefährlich bezeichnet. Sie nimmt um 14 Uhr mit Appetit eine Mahlzeit zu sich. Daraufhin stellt sich stärkeres Blutspeien ein. Jenny von Laßberg läßt den Arzt Hermann Liebenau rufen, der nur noch ihren Tod feststellen kann.

26. Mai: Beisetzung der Droste auf dem Meersburger Friedhof.

„Sei getreu bis in den Tod, so will ich dir die Krone des Lebens geben.“ Offenb. 2. 10.

Es hat dem Herrn über Leben und Tod nach seinem unerforschlichen Rathschluß gefallen am 24. Mai 1848

Anna Elisabeth

Freiinn von Droste zu Hülshoff

im 52. Jahre ihres Alters zu sich abzurufen.

Ihr Tod war die Folge langjähriger mit großer Geduld ertragener chronischer Leiden, denen ein Herzschlag auf dem Schlosse Meeresburg, wo sie sich zum Besuch bei ihrer Schwester befand, unerwartet ein Ende machte. Sie war stets eine liebevolle gehorsame Tochter und treue Schwester, und ihre Anhänglichkeit für die Ihrigen kannte keine Gränzen; aber sie war auch voll Erbarmen und Mitleid gegen ihre leidenden Nebenmenschen, die ihr Herz alle mit gleicher Liebe umfaßte. Von Gott mit großen Talenten und namentlich mit der schönen Gabe der Dichtkunst ausgestattet, war ihr Streben stets dahin gerichtet, diese Gaben nur zu seiner Ehre zu gebrauchen. Deshalb durchdringt auch der Hauch wahrer Gottesfurcht alle ihre Schriften, und es ist kein Wort in ihnen enthalten, welches Aergerniß geben konnte. Hoffen wir deshalb, daß der Herr der Welten an jenem großen Tage zu ihr sprechen werde:

> „Weil du über wenigem getreu gewesen bist, so will ich dich über vieles setzen, gehe ein in die Freude deines Herrn.“

Doch wer ist rein vor dem Angesichte Gottes! Darum laßt uns die Pflicht der Liebe erfüllen und der Verstorbenen in unserm Gebete eingedenk sein.

Münster, gedruckt bei Fr. Regensberg.

Totenzettel

Nachwort

Bei der vorliegenden Publikation handelt es sich um eine abgewandelte Version meines Buches *Annette von Droste-Hülshoff. Leben und Werk. Eine Dichterchronik*, das 1994 im Lang-Verlag, Bern, erschienen und inzwischen fast vergriffen ist. Die frühere Untersuchung verfolgte ausschließlich wissenschaftliche Zwecke; in einem umfangreichen Apparat wurden zum Beispiel die ermittelten Daten und Informationen quellenmäßig belegt und im Einzelfall diskutiert, darüber hinaus war das zugrundegelegte biographische Raster weit engmaschiger. Bei der vorliegenden Publikation sind die Akzente anders gelagert. Es wurde ein konzentriertes Gesamtbild angestrebt, das - durch die Aufnahme von Bildzeugnissen und Kurzbiographien - einen geschlossenen Charakter aufweisen sollte.

Die Zitatgrundlage bildet die *Historisch-kritische Droste-Ausgabe* (hg. von Winfried Woesler, Tübingen 1978 ff.). Als Bandbearbeiter der Ausgabe und früherer Mitarbeiter der Droste-Forschungsstelle in Münster war es mir möglich, die über Jahre hin in der Forschungsstelle gesammelten Materialien und Archivbestände benutzen zu können. Auch profitierte ich von anderen in der Forschungsstelle erarbeiteten Projekten, besonders von der Dokumentation *Modellfall der Rezeptionsforschung. Droste-Rezeption im 19. Jahrhundert. Dokumentation, Analysen, Bibliographie* (Hg. von Winfried Woesler in Zusammenarbeit mit Aloys Haverbusch und Lothar Jordan. 2 Bde. Frankfurt usw. 1980). Darüber hinaus wurden vom Verfasser etwa zehn Jahre lang eigene Literatur- und Archivrecherchen angestellt. Die vorliegende Untersuchung basiert insgesamt auf einer Auswertung des Nachlasses der Autorin, ihres Briefwechsels, ihrer Werke sowie aller heute verfügbaren und oft in Archiven verstreuten Materialien aus ihrem Umkreis. Allein die Zahl der berücksichtigten sog. „Umkreisbriefe", d. h. Briefe Dritter aus dem Familien- oder Freundeskreis, beläuft sich auf etwa 2 200, von denen über 80 Prozent unpubliziert sind. Alle in früheren Biographien oft lediglich summarisch „nacherzählten" und aus der Perspektive des Biographen „vorsortierten" Fakten wurden auf ihre Quellen zurückgeführt.

Für Anregungen und Kritik dankt der Verfasser Jochen Grywatsch, Ortrun Niethammer, Bernd Kortländer, Herbert Kraft, Ulrich Wollheim und Winfried Woesler, von dem die Anregung zur

Abfassung einer Droste-Chronik ausging. Dank für die Erstellung des Registers gilt Wolfgang Delseit, unentbehrliche Hilfestellung bei der Redaktion und beim Korrekturlesen leistete Lelo Cécile Burkert-Auch.

Literatur

Im folgenden wird auf jene Literatur hingewiesen, die sich - neben den Dokumentationsbänden der Historisch-kritischen Ausgabe, einschließlich ihrer zweibändigen, von Aloys Haverbusch bearbeiteten Droste-Bibliographie - in besonderem Maße mit der Biographie der Autorin auseinandersetzt:

Jefferson L. Adams: *Werner von Haxthausen. Political Romantism and Restoration Germany 1815–1842.* Cambridge/Mass. (Thesis masch.) 1971 - *Briefwechsel zwischen J. von Laszberg und Johann Adam Pupikofer.* Hg. von Johannes Meyer. In: Allemannia, Bonn, 15,16, 1887/1888 - Eduard Arens: *A. von Droste-Hülshoff. Westfälische Skizzen und Landschaften.* Münster 1912 - Eduard Arens: *Werner von Haxthausen und sein Verwandtenkreis als Romantiker.* Aichach 1927 - *Droste-Bibliographie.* Bearbeitet von Eduard Arens und Karl Schulte Kemminghausen. Münster 1932 - Eduard Arens: *Neue Zeugnisse über Annette von Droste-Hülshoff.* In: Die westfälische Heimat, Dortmund, 15, H. 3/4, März/April 1933, S. 44–46; H. 11/12, Dezember 1933, S. 161–165 - Anna Brandes: *Adele Schopenhauer in den geistigen Beziehungen zu ihrer Zeit.* Frankfurt 1930 - Wilhelm Buchner: *Ferdinand Freiligrath. Ein Dichterleben in Briefen.* 2 Bde. Lahr 1882 - Hermann Cardauns: *Neues von Annette v. Droste.* In: Hochland 7, Nov. 1909, H.2, S. 170–185 - Alfred Cohausz (Hg.): *Der Schwager der Annette von Droste. 20 unbekannte Briefe des Reichsfreiherrn Joseph von Laszberg aus den Jahren 1814–1849.* In: Westfälische Zeitschrift, Münster, Bd. 95, 1939, S. 45–87 - *Kleine Beiträge zur Droste-Forschung* [ab Nr. 4: Beiträge zur Droste-Forschung] Hg. von Winfried Woesler. Nr. 1. 1971 Münster 1971, Nr. 2. 1972/73. Dülmen 1973, Nr. 3. 1974/75. Dülmen 1975. Nr. 4. 1976/77. Dülmen 1977. Nr. 5. 1978–1982. Osnabrück 1982 - *Jahrbuch der Droste-Gesellschaft.* Bd. 1. 1947. Münster 1947. Hg. von Clemens Heselhaus.; Bd. 2. 1948–50. Münster 1950. Hg. von Clemens Heselhaus. Bd. 3. 1959. Münster 1959. Hg. von Clemens Heselhaus; Bd. 4. 1962. Münster 1962. Hg. von Clemens Heselhaus. Bd. 5. 1972. Münster 1972. Hg. von Clemens Heselhaus. [neue Zählung:] Droste-Jahrbuch 1, 1986/87. Münster 1987. Hg. von Clemens Heselhaus und Winfried Woesler; Bd. 2. 1988–90. Paderborn 1990. Hg. von Winfried Woesler - Annelinde Esche: *Elise Rüdiger geb. von Hohenhausen. Ein Bild ihres Lebens* und Schaffens. Emsdetten 1939 – Walter Gödden: *Ein neues Kapitel Droste-Biographie. Die Freundschaft der Droste mit Anna von Haxthausen und Amalie Hassenpflug in ihrem biographischen und psychologischen Kontext anhand neuen Quellenmaterials.* In: Droste-Jahrbruch 1986/87. Münster 1987, 157–172 – Walter Gödden: *Stationen der Droste-Biographik.* In: Droste-Jahrbuch 1988–90. Paderborn 1990, S. 118–152 – Josepha Grauheer: *August von Haxthausen und seine Beziehungen zu Annette von Droste-Hülshoff.* Altena 1933 – Franz Happe: *Nachträge zur Annette von Droste-Biographie.* In: Deutscher Hausschatz in Wort und Bild, Regensburg usw. 17, 1891, Nr. 16, S. 251–254 – *Uhlands Briefwechsel.* Im Auftrag des Schwäbischen Schillervereins Hg. von Julius Hartmann. 4 Teile. Stuttgart/Berlin 1911–1916 – Peter Heßelmann: *August Freiherr von Haxthausen (1792–1866). Sammler von Märchen, Sagen und Volksliedern, Agrarhistoriker und Rußlandreisender aus Westfalen. Ausstellungskatalog.* (Schriften der Universitätsbibliothek Münster. 8.) Münster 1992 – Heinrich Hubert Houben und Hans Wahl (Hg.): *Adele Schopenhauer. Gedichte und Scherenschnitte.* 2 Bde. Leipzig 1920 – Heinrich Hubert Houben: *Die Rheingräfin. Das Leben der Kölnerin Sibylle Mertens-Schaaffhausen.* Essen 1935 – Hermann Hüffer: *Annette von Droste-Hülshoff und ihre Werke.* Gotha [1]1887 – Hermann Hüffer: *Annette von Droste-Hülshoff und ihre Werke.* 3. Ausg. bearb. von Hermann Cardauns. Gotha 1911 – Adolf Kastner: *Lassberg auf der alten Meersburg.* In: *Joseph von Lassberg. Mittler und Sammler. Aufsätze zu seinem 100. Todestag.* Hg. von Karl S. Bader. Stuttgart 1955, S. 299–377 – August Klein: *Werner von Haxthausen (1780–1842) und sein Freundeskreis am Rhein.* In: Annalen des historischen Vereins für den Niederrhein, insbesondere das alte Erzbistum Köln 155/156, 1954, S. 160–183 – Bernd Kortländer: *Annette von Droste-Hülshoff und die deutsche Literatur. Kenntnis – Beurteilung – Beeinflussung.* Münster 1979 – Friedrich Kottwitz: *Clemens Maria Franz von Bönninghausen (1785–1864).* Diss. Berlin 1983 – Herbert Kraft: *Annette von Droste Hülshoff.* Reinbek 1994 – Friedrich Kottwitz: *Bönninghausens Leben. Hahnemanns Lieblingsschüler.* Berg am Starnberger See 1985 [umgearbeitete Fassung von Kottwitz 1983] – Wilhelm Kreiten: *Anna Elisabeth Freiin von Droste-Hülshoff. Ein Charakterbild als Einleitung in ihre Werke* (= Bd. 1,1 von: *Der Freiin Annette Elisabeth von Droste-Hülshoff Gesammelte Werke. Hg. von Elisabeth Freiin von Droste-Hülshoff. Nach dem handschriftlichen Nachlaß ergänzt, mit Biographie, Einleitung und Anmerkungen versehen von Wilhelm Kreiten.*

Paderborn 1887). 2., stark überarb. Aufl. 1900 – Lippische Landesbibliothek Detmold: *Ferdinand Freiligrath. Handschriften und Drukke von Werken und Briefen aus der Freiligrath-Sammlung der Lippischen Landesbibliothek. Ausstellungskatalog.* Detmold 1985 – Briefe von Levin Schücking und Louise von Gall. Hg. von Conrad Muschler. Mit einer biographischen Einleitung von Levin Ludwig Schücking. Leipzig 1928 – Josefine Nettesheim (Hg.): *Schlüter und die Droste. Dokumente einer Freundschaft. Briefe von Christoph Bernhard Schlüter an und über Annette von Droste-Hülshoff.* Münster 1956 – Josefine Nettesheim: *Wilhelm Junkmann und Annette von Droste-Hülshoff. Nach den Briefen der Droste und neuen Quellen.* Münster 1964 – Josefine Nettesheim: *Wilhelm Junkmann. Dichter. Lehrer. Politiker.* Historiker 1811–1886. Nach neuen Quellen bearbeitet. Münster 1969 – Josephine Nettesheim (Hg.): *Christoph Bernhard Schlüter an Wilhelm Junkmann. Briefe aus dem deutschen Biedermeier 1834–1883.* Münster 1976 – Ortrun Niethammer: *Vorarbeiten für den Band „Verschiedenes" (VII) der historisch-kritischen Ausgabe der Werke und des Briefwechsels von Annette von Droste-Hülshoff.* 3 Bde. Osnabrück (Diss. masch.) 1991 – Briefwechsel zwischen Joseph Freiherrn von Laßberg und Ludwig Uhland. Hg. von Franz Pfeiffer. Wien 1870 – Karl Raab: *Annette von Droste-Hülshoff im Spiegel der zeitgenössichen Kritik.* Münster 1933 – Alexander Reiferscheid (Hg.): *Freundesbriefe von Wilhelm und Jacob Grimm.* Heilbronn 1878 – Ewald Reinhard: *Neu aufgefundene Laßberg-Briefe.* In: Das Bodenseebuch 1944, Ulm/Donau, 31, 1944, S. 71–77 – Carl Ritter (Hg.): *Briefwechsel zwischen Joseph Freiherrn von Lassberg und Johann Caspar Zellweger.* St. Gallen 1889 – Elise v‹on› Hohenhausen (E. Rüdiger): *Annette Elisabeth Freiin v. Droste-Hülshoff.* In: Illustrirtes Familienbuch zur Unterhaltung & Belehrung häuslicher Kreise, Triest, Bd. 4, 1854, S. 87–91 (Droste-Rezeption 1980 Nr. 105) – [Elise Rüdiger]: *Annette Freifräulein von Droste-Hülshoff. Nach den Aufzeichnungen einer vertrauten Freundin.* In: Allgemeine Moden-Zeitung, Leipzig, Beiblatt Nr. 48 u.49, 1857 (Droste-Rezeption 1980 Nr. 113) – E‹lise› v‹on› H‹ohenhausen› (Elise Rüdiger): *Annette von Droste-Hülshoff und ihr Freundeskreis* In: National-Zeitung, Berlin, Nr. 298, 29.6.1881 – Otmar Scheiwiller: *Annette von Droste-Hülshoff in ihren Beziehungen zur Schweiz.* Teil 1 u. 2. Einsiedeln 1921/22 u. 1922/23 – Otmar Scheiwiller: *Annette von Droste-Hülshoff in der Schweiz.* Einsiedeln [1926] – Manfred Schier: *Levin Schücking – Promotor des Droste-Werkes.* In: Droste-Rezeption 1980, S. 1151–1177 – Christoph Bernhard Schlüter: *Vorbemerkung zu: Annette von Droste-Hülshoff: Das Geistliche Jahr.* Stuttgart, Tübingen 1851 – Christoph Bernhard Schlüter *[Erläuterungen zu:] Briefe der Freiin Annette von Droste-Hülshoff.* [Hg. von Christoph Bernhard Schlüter] 2. verm. Aufl. 1880 – Wilhelm Schoof (Hg.): *Freundesbriefe der Familie von Haxthausen an die Brüder Grimm.* In: Westfälische Zeitschrift, Münster, 94, 1938, S. 57–142 – Wilhelm Schoof: *Briefwechsel zwischen Jakob und Wilhelm Grimm aus der Jugendzeit.* In: Zeitschrift des Vereins für hessische Geschichte und Landeskunde 59/60, 1934, S. 107–140 – Wilhelm Schoof: *Zur Entstehungsgeschichte der Grimmschen Märchen.* Bearb. unter Benutzung des Nachlasses der Brüder Grimm. Hamburg 1959 – Levin Schücking: *Annette von Droste. Ein Lebensbild.* Hannover 1862 (Droste-Rezeption Nr. 140) – Levin Schücking: *Lebenserinnerungen.* 2 Bde. Breslau 1886 (die auf die Droste bezüglichen Passagen = Droste-Rezeption Nr. 246) – Levin Schücking (Hg.): *Gesammelte Schriften von Annette Freiin von Droste-Hülshoff.* Hg. von Levin Schücking. 3 Bde. Stuttgart 1878–1879 – Levin Ludwig Schücking: *Annette von Droste und Levin Schücking. Randglossen zu einigen neuen Droste-Forschungen mit Benutzung von ungedrucktem Briefmaterial.* In: Süddeutsche Monatshefte, München, 6, April 1909, S. 448–465 – Karl Schulte Kemminghausen: *Kardinal Fürstbischof Melchior von Diepenbrock und Annette von Droste-Hülshoff.* In: Melchior Kardinal von Diepenbrock. Fürstbischof von Breslau. Gedenkschrift hg. von seiner Vaterstadt Bocholt. Bearb. von E. Bröker. Bocholt 1953, S. 60–69 – Karl Schulte Kemminghausen (Hg.): *Briefwechsel zwischen Jenny von Droste-Hülshoff und Wilhelm Grimm.* Münster 1929 (Veröffentlichungen der Annette von Droste-Gesellschaft 1). 2. Aufl. 1978 – Karl Schulte Kemminghausen: *Neue Droste-Funde.* In: Westfalen 17, 1932, H. 5, S. 151–173 – Karl Schulte Kemminghausen (Hg.): *Aus Annettes Jugendzeit. Tagebuchaufzeichnungen Jenny von Droste-Hülshoffs.* In: Droste-Jahrbuch 1947, S. 83–95 – Karl Schulte Kemminghausen: *Levin Schücking und Chr. B. Schlüter.* In: Auf Roter Erde. Heimatblätter der Westfälischen Nachrichten, Jg. 13, 1955, Nr. 15 – Karl Schulte Kemminghausen: *Friedrich Engels und die Droste. Noch ein unbekannter Brief.* In: Wissenschaftliche Zeitschrift der Friedrich Schiller-Universität Jena, Jg. 7, 1957/58, H. 4, S. 565–569 – Karl Schulte Kemminghausen: *Heinrich Straube.* Ein Freund der Droste. Eine Studie. Münster 1958 – Karl Schulte Kemminghausen: *Westfälische Märchen und Sagen aus dem Nachlaß der Brüder Grimm. Beiträge des Droste-Kreises.* Münster 1963 (erste

Aufl. unter dem Titel „Von Königen, Hexen und allerlei Spuk. Beiträge des Droste-Kreises zu den Märchen und Sagen der Brüder Grimm" 1957) - Julius Schwering (Hg.): *Freiligraths Werke in 6 Teilen. Hg. und mit Einleitung und Anmerkungen versehen.* 2 Bde. Berlin usw. [1909] - Julius Schwering (Hg.): *Annette von Droste-Hülshoff. Sämtliche Werke in sechs Teilen.* Hg., mit Einleitungen und Anmerkungen versehen von Julius Schwering. 6 Teile in 2 Bden. Berlin usw. [1912] - Elisabeth Timmermann: *Annette von Droste-Hülshoffs Kenntnis der ausländischen Literatur, dargestellt auf Grund ihrer Briefe und ihres handschriftlichen Nachlasses.* Münster 1954 - Willi Heinz Velthaus: *Luise von Bornstedt. Ein Frauenbild aus dem Kreise Annettens von Droste-Hülshoff.* Bückeburg 1917 - Lorenz Völlmecke: *Annette von Droste-Hülshoff in ihrem Verhältnis zu Ferdinand Freiligrath.* Bonn 1924 - Clara Weber: Katharina Schücking. *Ein Erziehungs- und Lebensbild aus dem Anfang des 19. Jahrhunderts.* Münster Diss. handschr. 1918 - Rosemarie Weber: *Westfälisches Volkstum in Leben und Werk der Dichterin Annette von Droste-Hülshoff.* Münster 1966 (=Schriften der Volkskundlichen Kommission des Landschaftsverbandes Westfalen-Lippe Bd. 17) - *Annette von Droste-Hülshoff: Sämtliche Werke in 2 Bänden.* Hg. von Günter Weydt und Winfried Woesler. 2 Bde. München 1973/78. 3., überarb. Aufl. 1989 - Marga Wilfert: *Die Mutter der Droste. Eine literarhistorische und psychologische Untersuchung im Hinblick auf die Dichterin.* Münster Diss. masch. 1942 - Winfried Woesler: *Zu Geschichte, Wirkung und Wirkungslosigkeit einer Erstpublikation* [= *Nachwort zu: Gedichte von Annette Elisabeth von D... H... Faksimile-Nachdruck der Ausgabe von 1838.* Münster 1978] - Kurt Wolff (Hg.): *Tagebücher der Adele Schopenhauer.* 2 Bde. Leipzig 1909. Bd.2, S. 189.

Bildquellen

Brüder-Grimm-Museum Kassel: S. 24, 58, 59, 69, 184 - *Droste-Gesellschaft, Münster*: S. 146 - *Fürstenhäuschen Meersburg*: S. 225, 262 - *Fotoarchiv Karl-Heinz Baltzer*: S. 105,106,107 - *Landesmuseum für Kunst und Kulturgeschichte Münster*: S. 81, 95, 190, 228 - *Nordrhein-Westfälisches Landesvermessungsamt*, Bonn-Bad-Godesberg: S. 160/61 - *Lippische Landesbibliothek*, Detmold: S. 187 - *Privatbesitz*: S. 15 und S. 149; Abb. nach *Karl Schulte Kemminghausen, Winfried Woesler*: *Annette von Droste-Hülshoff*. 4., in Text und Bild völlig veränderte Aufl. München 1981; S. 171 nach *Margarethe Lippe*: *Ludwig Emil Grimm und der von Haxthausensche Kreis*. In: Westfalen, Münster, Bd. 23, 1938, H. 2, S. 154–175; S. 245 nach *Manfred Schier: Levin Schücking*. Münster 1988 (Westfalen im Bild. Eine Bildmediensammlung zur westfälischen Landeskunde. Hg. im Auftrag des Landschaftsverbandes Westfalen-Lippe von W. Linke. Reihe: Westfälische Dichter und Literaten im 19. Jahrhundert. H. 5); S. 23, 40, 71, 72, 75, 83, 93, 108, 154, 155 nach Ingrid Koszinowski, Vera Leuschner: Ludwig Emil Grimm. Zeichnungen und Gemälde. 2 Bde. Marburg 1990 - *Stiftung Preußischer Kulturbesitz Berlin*: S. 85, 268, 272 (Meersburger Nachlaß); S. 121 (Zentrale Bildstelle) - *Westfälisches Amt für Denkmalpflege, Münster*: S. 8, 10,11,12, 13, 14, 19, 27, 31, 33, 36, 37, 38, 39, 43, 46, 47, 66, 67, 76, 77, 87, 88, 92, 94, 97, 103, 104, 110, 114, 116, 118, 135, 140, 141, 143 (2), 145, 158, 169, 179, 201, 210, 216, 218, 220, 223, 263, 272, 298, 299, 310, 324 - Besitz unbekannt: S. 60 (Abb. nach Koszinowski, Leuschner 1990, S. 155) - Bildvorlagen: S. 7, 22, 25, 56, 57, 70, 90, 157 nach *Die Rittergüter der Provinz Westfalen*. Hg. von W. von Schlorlemer-Heringhausen. 1837–1840. Neuaufl. Hg. von August Kracht. Frankfurt 1972; S. 91, 115, 129, 156, 183 nach Pieper-Lippe 1938 (s. o.); S. 181 nach *Elise Rüdiger*: *Berühmte Liebespaare*. Braunschweig 1870; S. 32, 65, 99, 116, 122, 124, 144, 175, 284, 313 nach Schulte Kemminghausen/Woesler 1981 (s. o.).

Personenregister

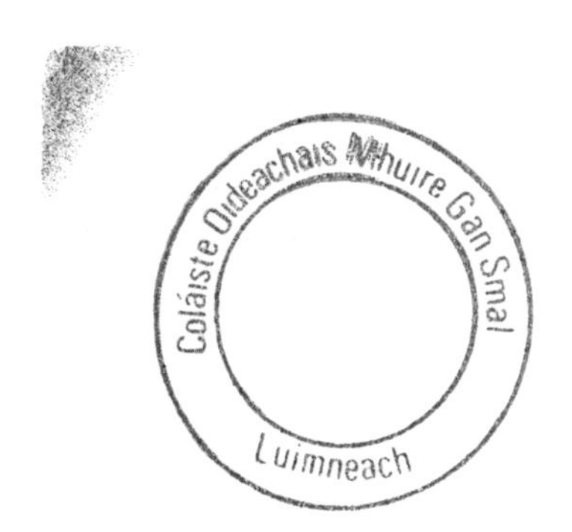